cursodeespa

esespañol 1
nivelinicial

libro del alumno

esespañol 1
nivelinicial

libro del alumno

DIRECCIÓN LINGÜÍSTICA
Santiago Alcoba
de la Universidad Autónoma de Barcelona

ASESORÍA LINGÜÍSTICA Y METODOLÓGICA
José Gómez Asencio y Julio Borrego Nieto
de la Universidad de Salamanca

DIRECCIÓN EDITORIAL
Pilar Cortés

COORDINACIÓN EDITORIAL
Alegría Gallardo

EDICIÓN
Ana Prado

ASESORÍA LINGÜÍSTICA Y METODOLÓGICA
José Gómez Asencio y Julio Borrego Nieto
Universidad de Salamanca

CONSULTORÍA DIDÁCTICA Y CURRICULAR
Rafael Sánchez Sarmiento
Instituto Cervantes

DESARROLLO DE PROYECTO: MIZAR MULTIMEDIA, S.L.
DIRECCIÓN EJECUTIVA
José Manuel Pérez Tornero
Universidad Autónoma de Barcelona

DIRECTORA DE PLANIFICACIÓN Y COORDINACIÓN
Claudia Guzmán Uribe

DIRECCIÓN LINGÜÍSTICA Y DIDÁCTICA
Santiago Alcoba
Universidad Autónoma de Barcelona

DIRECCIÓN DE CONTENIDOS
José M.ª Perceval

EDITOR LINGÜÍSTICO
Agustín Iruela

COORDINACIÓN LINGÜÍSTICA
Nuria Soriano Cos

EQUIPO LINGÜÍSTICO
Carmen Carbó, Marta Inglés y Ana Irene García

EDITOR DE CONTENIDOS
Diego Blasco

MAQUETACIÓN
Borja Ruiz de la Torre

AYUDANTE DE MAQUETACIÓN
Lidia Bria

ILUSTRACIONES
Gumersindo Reina Lara y Valentín Ramón Menéndez

INVESTIGACIÓN Y CONTROL DE CALIDAD
Juan Manuel Matos López

DOCUMENTACIÓN GRÁFICA
Mizar Multimedia, S.L.

DISEÑO INTERIOR Y DE CUBIERTA
Tasmanias, S.A.

**Instituto
Cervantes**

Este método se ha realizado de acuerdo con el Plan Curricular del Instituto Cervantes,
en virtud del Convenio suscrito el 25 de abril de 2001

© De esta edición: Espasa Calpe, S. A., 2006

DEPÓSITO LEGAL: M. 32.476-2006
ISBN: 84-239-2914-0

Impreso en España / Printed in Spain
Impresión: Fernández Ciudad, S. L.

EDITORIAL ESPASA CALPE, S. A.
Complejo Ática - Edificio 4
Vía de las Dos Castillas, 33
28224 Pozuelo de Alarcón (Madrid)

ÍNDICE

Bienvenido al mundo del español

¡Hola! Con este libro vas a aprender español.
Solo o con ayuda del profesor, pero siempre
divirtiéndote. Eso esperamos y deseamos.
¡Bienvenido!

Es español 1 te servirá para alcanzar los niveles A1 y A2 del *Marco de referencia europeo.*

En este libro encontrarás actividades, lecturas, audios y suficientes recursos léxicos y gramaticales para conseguir comprender y expresar lo esencial en español. Podrás comunicarte con los demás en un contexto cotidiano y comunicar tus sensaciones y opiniones.

El libro se compone de *12 lecciones* divididas en **cuatro bloques**. En cada una de las lecciones encontrarás ejercicios y actividades agrupadas en estas secciones:

En portada presenta el tema. Encontrarás aquí los personajes, la situación y los principales objetivos comunicativos de la lección, dentro del apartado **En esta lección vas a aprender**. Consúltalo siempre antes de empezar a estudiar.

En **Escenas** puedes practicar las funciones comunicativas. Normalmente, las actividades se basan en la comprensión oral. Así que escucha el audio cuando se indique y lee, en el apéndice de transcripciones de audio, el texto correspondiente siempre que lo consideres necesario: antes o después de escuchar el audio.

En **Primer plano** encontrarás y podrás practicar el vocabulario y la gramática relacionados con el apartado anterior.

En **Recursos** puedes consultar los principales temas gramaticales y funcionales que aparecen en la lección. Puedes acudir a esta sección cuantas veces creas conveniente: antes de empezar una lección, o una actividad, o como recordatorio, al final de todo. El símbolo (§), que encontrarás en varios puntos de esta sección, te invita a ampliar la información correspondiente en el **Apéndice gramatical** situado al final del libro, donde aparecen desarrollados de un modo más extenso y explicativo.

En **La lengua es un juego** te ofrecemos una manera lúdica y divertida de repasar algunos contenidos de vocabulario o gramaticales de la lección.

En **La lengua es un mundo** tendrás la oportunidad de conocer la realidad cultural del mundo que habla español y podrás compararla con la cultura que te es más cercana.

Encontrarás actividades, lecturas, audios y suficientes recursos para comprender y expresar lo esencial en español.

En la sección **Evaluación** hallarás algunos ejercicios que te permiten controlar tus progresos en el aprendizaje del español. Pero te remitimos a la **Evaluación de bloque**, después de cada tres lecciones, para disponer de una evaluación más global. Allí encontrarás dos apartados, **Así puedes aprender** y **Reflexión,** que te ayudarán a mejorar tu forma de aprender español.

Apéndice gramatical

Aquí encontrarás todos los recursos necesarios para realizar las actividades, explicados con detalle y de una manera comprensible.

Léxico en imágenes

Una oportunidad para repasar y aprender visualmente una parte del léxico del libro, dispuesto en distintos ambientes temáticos.

Iconos

Junto a las actividades encontrarás una serie de **iconos** que te ofrecen indicaciones o recomendaciones útiles:

 Indica que existe un audio que corresponde a la actividad.

 Te recomienda usar el diccionario.

 Te propone actividades semejantes del *Cuaderno de recursos y ejercicios*.

Metodología

Si estudias en grupo y con profesor

Déjate conducir por el profesor, sigue sus recomendaciones y el orden de actividades que establezca.

Si estudias autónomamente

Ten en cuenta que el libro te ofrece una amplia variedad de temas y situaciones que puedes relacionar con tus vivencias e inquietudes personales.

Para avanzar, sigue el orden de las lecciones, empieza por las actividades que te resulten más cómodas y fáciles y continúa por aquellas que te exijan un mayor esfuerzo. Establece tu propio itinerario de aprendizaje, a tu medida y en función de tu tiempo. Repasa estas actividades cuando consideres oportuno: audios,

> Establece tu propio itinerario de aprendizaje, a tu medida y en función de tu tiempo, o déjate conducir por tu profesor.

lecturas, transcripciones, recursos, apéndices, etc. Busca la solución de las actividades en el **Apéndice de soluciones**. Pero no lo consultes nunca antes de haberte esforzado lo suficiente en responder tú mismo. Recuerda que no hay que tener miedo a equivocarse; sólo cometiendo errores y corrigiéndolos poco a poco se aprende un idioma. Si necesitas más actividades, ten en cuenta que existe un **Cuaderno de recursos y ejercicios** complementario al que tienes en tus manos.

Lo que **Es español** te propone es que tú mismo organices tu aprendizaje según tus condiciones y tu contexto. Para ello, no dudes en ir de una sección a otra en el orden que estimes conveniente. Por ejemplo, puedes leer la sección **Recursos** – y el **Apéndice gramatical**– antes de realizar las actividades de una lección, o bien conforme las vas realizando o, incluso, después de haber realizado los ejercicios. Todos los estilos de aprendizaje son posibles. No dudes que el método que ponemos en tus manos tiene el suficiente orden interno y te ofrece las suficientes posibilidades como para que seas tú mismo quien organice tu propia forma de aprender.

Para aprender más y más rápido

Bien, éste es tu libro y en él encontrarás una herramienta suficiente para aprender bastante español. Pero **Es español** te ofrece más oportunidades de aprendizaje para avanzar más rápido y con más facilidad. Éstas son las posibilidades:

 2 cintas de vídeo que incluyen 13 programas relacionados con cada una de las unidades didácticas del libro. En ellos encontrarás una divertida serie, reportajes de la vida cotidiana y actividades para aprender.

 2 CD-ROM, completamente interactivos, con nuevas actividades, recursos, gramática, vocabularios, léxico, audios, vídeos, etc.

Materiales complementarios
Dos colecciones para completar tu aprendizaje: *Es para leer* (lecturas graduadas) y *El español es fácil* (ejercicios sobre recursos lingüísticos tematizados).

Diccionarios
Una completa colección de diccionarios multilingües o español-español.

Un sitio en la red (www.esespasa.com)
 Para practicar, establecer contactos y amistades, conocer la realidad y la actualidad del mundo hispano y para divertirte, jugar y hacer progresar tu español.

> **Es español** te ofrece más oportunidades de aprendizaje para avanzar más rápido y con más facilidad.

En relación con los demás

Lección 1

TEMAS Y SITUACIONES	FUNCIONES COMUNICATIVAS	GRAMÁTICA	VOCABULARIO
Tomar contacto con la lengua y los compañeros	• Saludar y despedirse. • Presentarse y presentar a alguien. • Preguntar el nombre, la nacionalidad y la edad. • Deletrear.	• Los interrogativos: **dónde**, **de dónde**, **cuántos** y **cómo**. • El género del sustantivo. • Los verbos **llamarse**, **ser**, **tener** y **vivir** en las personas **yo**, **tú**, **usted**, **él** y **ella**.	• Palabras compartidas por varias lenguas. • El alfabeto. • Nacionalidades y países. • Números (1-100).

Lección 2

TEMAS Y SITUACIONES	FUNCIONES COMUNICATIVAS	GRAMÁTICA	VOCABULARIO
Identificar a las personas	• Controlar la comunicación. • Preguntar y decir la profesión. • Describir físicamente a una persona. • Identificar a una persona dentro de un grupo.	• La concordancia de género y número en los adjetivos. • Los adjetivos posesivos: **mi**, **tu** y **su**.	• Principales partes del cuerpo. • Descripción física. • La familia. • Nombres y apellidos. • Profesiones.

Lección 3

TEMAS Y SITUACIONES	FUNCIONES COMUNICATIVAS	GRAMÁTICA	VOCABULARIO
Actividades y aficiones	• Hablar de aficiones. • Expresar intenciones y objetivos.	• El presente regular. • El presente irregular de **estar**, **ser** e **ir**. • El presente irregular: **u→ue** (jugar→ju**e**go). • Los pronombres personales tónicos **nosotros**, **vosotros**, **ellos**. • La expresión **para** + **infinitivo**. • El orden de la frase. • Los adjetivos posesivos **nuestro**, **vuestro** y **su**.	• Aficiones y deportes. • Acciones cotidianas.

EVALUACIÓN DEL BLOQUE 1

Lección 4

FUNCIONES COMUNICATIVAS	GRAMÁTICA	VOCABULARIO	TEMAS Y SITUACIONES
• Cómo localizar en un espacio interior. • Describir las partes de la casa.	• Los adjetivos y los pronombres posesivos (formas tónicas). • La diferencia entre **hay** y **está(n)**. • Los artículos determinados e indeterminados. • El presente irregular **o→ue**. • Los cuantificadores (**demasiado**, **mucho**, **bastante**, **poco**,...). • Los adjetivos invariables en género.	• Muebles y objetos de la casa, de la oficina y del aula. • Partes de la casa.	Tu casa

Lección 5

FUNCIONES COMUNICATIVAS	GRAMÁTICA	VOCABULARIO	TEMAS Y SITUACIONES
• Pedir y dar direcciones. • Cómo localizar espacialmente en el exterior. • Pedir en un restaurante.	• Los adjetivos y los pronombres demostrativos. • El presente irregular **e→ie**. • Los adverbios de lugar **aquí**, **ahí**, **allí**. • Los numerales ordinales.	• Barrio y ciudad. • Alimentos y menús.	El barrio y la comida

Lección 6

FUNCIONES COMUNICATIVAS	GRAMÁTICA	VOCABULARIO	TEMAS Y SITUACIONES
• Pedir el precio. • Describir objetos.	• Los pronombres de complemento directo. • El uso de **qué** y **cuál**. • Los comparativos más frecuentes. • Los superlativos más frecuentes.	• Colores. • Ropa. • Tiendas y secciones del supermercado. • Números (100...). • Dinero y divisas. • Envases, pesos y medidas.	Ir de compras

EVALUACIÓN DEL BLOQUE 2

Lección 7

TEMAS Y SITUACIONES	FUNCIONES COMUNICATIVAS	GRAMÁTICA	VOCABULARIO
Acciones cotidianas	• Pedir y dar la hora. • Hablar de horarios públicos y familiares. • Expresar acciones de la rutina diaria. • Comparar acciones.	• El presente irregular **e→i**. • El presente irregular: la primera persona en **-go**. • La expresión **estar + gerundio**. • Los verbos pronominales. • El contraste entre **lavar** y **lavarse**; **acostar a** y **acostarse**; etc. • Las referencias temporales (**por la mañana, por la tarde, y el fin de semana,**...). • Los marcadores de frecuencia (**normalmente, a veces, casi nunca,**...).	• Días de la semana. • Acciones habituales.

Lección 8

TEMAS Y SITUACIONES	FUNCIONES COMUNICATIVAS	GRAMÁTICA	VOCABULARIO
Espectáculos	• Expresar gustos, emociones y opiniones. • Expresar sensaciones físicas y dolor. • Manifestar acuerdo y desacuerdo.	• Las construcciones con pronombres (**a mí me gusta, a mí me duele,**...). • La diferencia entre **ser** y **estar**. • El pretérito perfecto. • El uso de **ya** y **todavía no**.	• Ocio y espectáculos. • Partes del cuerpo.

Lección 9

TEMAS Y SITUACIONES	FUNCIONES COMUNICATIVAS	GRAMÁTICA	VOCABULARIO
Relaciones sociales	• Expresar y preguntar si es obligatorio o posible hacer algo. • Aceptar y rechazar ofrecimientos. • Pedir permiso u objetos. • Ofrecer y pedir ayuda, aceptarla y rechazarla. • Cómo agradecer. • Pedir perdón. • Cómo felicitar. • Diferencias entre **tú** y **usted**.	• Las perífrasis verbales **hay que + infinitivo, tener que + infinitivo, se puede + infinitivo,**... • El imperativo. • La posición de los pronombres. • El doble pronombre. • La condición.	• Reuniones y fiestas.

EVALUACIÓN DEL BLOQUE 3

En relación con el tiempo

Lección 10

FUNCIONES COMUNICATIVAS	GRAMÁTICA	VOCABULARIO	TEMAS Y SITUACIONES
• Referirse a acciones del pasado. • Explicar vidas pasadas. • Expresar conocimiento y desconocimiento. • Expresar probabilidad.	• El pretérito indefinido. • Los marcadores temporales (**ayer**, **el otro día**, **el año pasado**, **en abril**, etc.). • El contraste entre pretérito perfecto y pretérito indefinido.	• Meses del año.	Acciones en el pasado y biografías

Lección 11

FUNCIONES COMUNICATIVAS	GRAMÁTICA	VOCABULARIO	TEMAS Y SITUACIONES
• Referirse a hechos y circunstancias del pasado. • Relacionar acontecimientos del pasado. • Reaccionar ante un relato. • Hablar del tiempo atmosférico.	• El pretérito imperfecto. • El contraste del pretérito imperfecto respecto al pretérito indefinido y el pretérito perfecto. • El orden del relato (**primero**, **después de**, **luego** y **al final**). • El uso de **algo**, **nada**, **alguien**, **nadie**, **alguno** y **ninguno**.	• Tiempo atmosférico.	Las experiencias y los recuerdos

Lección 12

FUNCIONES COMUNICATIVAS	GRAMÁTICA	VOCABULARIO	TEMAS Y SITUACIONES
• Hablar de planes de futuro. • Referirse a planes y proyectos. • Concertar citas. • Sugerir actividades y reaccionar ante sugerencias. • Comunicarte por teléfono. • Cómo ubicar espacialmente.	• Las formas de referirse al futuro (**ir a + infinitivo**, **querer + infinitivo** y **pensar + infinitivo**). • Los marcadores temporales de futuro (**mañana**, **pasado mañana**, **el próximo verano**, etc.). • El presente con valor de futuro. • Los verbos con preposición (**ir a**, **pasar por**, **pasear por**, **salir de**, **volver a** y **volver de**, **llegar a**, **entrar en**, **quedarse en**). • Las frases de relativo (**donde** y **que**).	• Viajes y servicios. • Medios de transporte. • Accidentes geográficos.	Hacer planes y viajes

EVALUACIÓN DEL BLOQUE 4

bloque**uno**1

Índice

1

lección**uno** 1

¡Hola, amigos!

Te presentamos a
Andrew, Julián,
Begoña y Lola.
Ellos son tus
nuevos amigos.
Sigue
sus aventuras.
¡Aprende
español
con ellos!

¡Hola, amigos!

En esta lección vas a aprender:

- Saludos y despedidas
- A presentarte tú y cómo presentar a una persona
- A preguntar el nombre, la nacionalidad y la edad
- A deletrear — spell

— spell

1 ¿Puedes leer la ficha de Andrew?
Completa la que está en blanco con tus datos personales.

su apellido/a es...

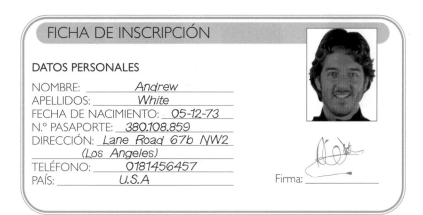

FICHA DE INSCRIPCIÓN

DATOS PERSONALES

NOMBRE: _____Andrew_____
APELLIDOS: _____White_____
FECHA DE NACIMIENTO: _05-12-73_
N.º PASAPORTE: _380.108.859_
DIRECCIÓN: _Lane Road 67b NW2_
_____(Los Angeles)_____
TELÉFONO: _____0181456457_____
PAÍS: _____U.S.A_____

Firma: _____

FICHA DE INSCRIPCIÓN

DATOS PERSONALES

NOMBRE: _____Elizabeth_____
APELLIDOS: _____Willis_____
FECHA DE NACIMIENTO: __11 12 42__
N.º PASAPORTE: _____
DIRECCIÓN: _14 Trentham Crescent_
_____Woking_____
TELÉFONO: _01483 724215_
PAÍS: _____U.K._____

Firma: _____

Escenas

Nos empezamos
a conocer:
saludos,
presentaciones
y
despedidas.

2 Nuestros amigos están en la recepción de la escuela de teatro.
¿Puedes completar los nombres que faltan?

Hola, ¿cómo
te llamas?

_____ ,
¿y tú?

Éste es _____ .
Es estadounidense.

Encantado.
Yo soy_____ .
Soy mexicano.

Mucho
gusto.

a   b

5

3a Escucha y completa los diálogos con las palabras del cuadro.

hasta mañana • cómo estás • está usted • qué tal • y usted

a1 Luis, te presento al señor Gómez.
    Mucho gusto, señor Gómez.
    ¿Cómo _está usted_ ?
    Muy bien, gracias.

2   ¡Hola Eva! ¿ _cómo estás/qué tal_ ?
    Bien, ¿y tú?
    ¡Muy bien!

3   Bueno, me voy. Tengo prisa.
    ¡Hasta mañana!
    Vale. ¡ _hasta mañana_ !
    Adiós.

4   ¡Hola! Ésta es mi amiga Eva.
    ¡Hola, Eva! ¿ _cómo estás_ ?
    Muy bien, ¿y tú? _qué tal_
    Bien.

5   Buenas tardes, ¿cómo está usted?
    Bien gracias, ¿ _y usted_ ?
    ¡Muy bien!

4, 5

3b Ahora, clasifica los diálogos anteriores.

saludo • presentación • despedida   formal usted • informal tú

1 _presentación_   _formal_   4 _presentación_ _informal_
2 _saludo_   _informal_   5 _saludo_   _formal_
3 _despedida_   _informal_

4 Relaciona las nacionalidades con los países.

francés — de Portugal
japonés — de Francia
mexicana — de Japón
estadounidense — de Alemania
portugués — de Rusia
ruso — de Gran Bretaña
alemana — de México
británico — de Estados Unidos

6, 7, 8

Galese - Wales
Irlanda de — Northern Ireland
Norte

5 Ahora, ¿puedes subrayar las nacionalidades correctas según el diálogo?

JULIÁN: Escucha: "Yo soy <u>mexicano</u>, y no <u>mexicana</u>. Ella es <u>española</u>, no <u>español</u>, y tú eres <u>norteamericano</u> y no <u>norteamericana</u>".

ANDREW: Comprendo. Y también soy estadounidenso.

BEGOÑA: <u>Estadounidense</u>. Se dice <u>estadounidense</u>. Tú eres <u>estadounidense</u>, no estadounidenso.

ANDREW: ¡Oh, my God...!

LOLA: Pero, si es muy fácil. Mira: "Hola, buenos días, me llamo Andrew y soy <u>estadounidense</u>".

JULIÁN: Sí, o mejor, "Hola, buenas tardes, soy <u>estadounidense</u>, me llamo Andrew y hablo al revés". ——→ *double dutch .*

6 Estos estudiantes son compañeros de nuestros amigos. Escucha las presentaciones y la información personal, después anota los datos en la agenda.

AGENDA

Nombre	Nacionalidad	Edad	¿Dónde vive?	Teléfono
Marie	Francesa	32	León	943578254
Peter	Británico	30	Londres	914587982
Jacques	Belgia	29	Bruges	653216897
Pietro	Italiano	35	Florencia	659307698
Rose	irlandesa	20	Dublín	no teléfono
Matthew	Norteamericano	36	San Francisco	94578625

6, 7, 8

Primer plano

¿De dónde eres? ¡Aprende tu nacionalidad y la de tus amigos!

7a Lee los nombres de estas nacionalidades.
¿A qué países corresponden?

chino: _China_   española: _España_

italiana: _Italia_   alemán: _Alemania_

francés: _Francia_   estadounidense: _Estados Unidos_

7b ¿Puedes relacionar estas fotos con las nacionalidades anteriores?

a _España_   b _Francia_   c _Estados Unidos_

d _Italia_   e _China_   f _Alemania_

7c ¿Conoces otras nacionalidades?
Escríbelas y comprueba en tu diccionario si son correctas.

_____   _____

_____   _____

_____   _____

_____   _____

8 Julián ha viajado mucho por Latinoamérica.
Señala con una cruz (x) qué países conoce y cuáles no.

Conoce		No conoce
[X]	Colombia	[ ]
[X]	Cuba	[ ]
[X]	Puerto Rico	[ ]
[ ]	Argentina	[X]
[X]	Bolivia	[ ]
[ ]	Chile	[X]
[X]	México	[ ]
[ ]	El Salvador	[X]
[ ]	Uruguay	[X]
[X]	Venezuela	[ ]
[ ]	Ecuador	[X]
[X]	Panamá	[ ]
[ ]	Perú	[X]

9 ¿De dónde eres? Escribe cada país en el continente al que pertenece.

América	Europa	África	Asia	Oceanía
Estados Unidos	Alemania	Namibia	Japón	Australia
Canadá	Francia	Etiopía	China	Nueva Zelanda
Chile	Italia	Sudán	Mongolia	
Brasil	Gran Bretaña	Guinea Ecuatorial	India	
Cuba	Grecia		Vietnam	
Argentina	España		Indonesia	

Canadá • Alemania • Estados Unidos • Australia • Chile • Brasil • Cuba • Japón
Argentina • Egipto • Francia • Guinea Ecuatorial • Italia • Namibia • Sudán
Marruecos • Gran Bretaña • Etiopía • Grecia • Nueva Zelanda • China • India
Mongolia • Indonesia • Vietnam • España

6, 7, 8

Aprende
a deletrear
tu nombre.
¿Veintinueve
letras
son
suficientes?

10a Escucha cómo se llaman las letras del alfabeto español.

A	Be	Ce	Che	De
E	eFe	Ge	Hache	I
Jota	Ka	eLe	eLLe	eMe
eNe	eÑe	O	Pe	Q cu
eRre	eSe	Te	U	uVe
W uve doble		X equis	Y i griega	Zeta

10b Ahora seguro que puedes deletrear tu nombre.
Observa antes cómo lo hace Begoña.

Be - e - ge - o - eñe - a.

Ahora hazlo tú: _____ 9

11 Ahora que conoces las letras, marca la palabra que escuchas.

1 sola ☐
  hola ☒
  bola ☐

2 caro ☐
  carro ☒
  barro ☐

3 rota ☐
  jota ☒
  bota ☐

4 Roma ☐
  coma ☐
  cosa ☒

5 lente ☐
  gente ☒
  veinte ☐

6 coche ☐
  coge ☐
  cose ☒

7 cana ☒
  casa ☐
  cama ☐

8 hora ☐
  Lola ☒
  hola ☐

9 aro ☐
  año ☒
  hago ☐

12 Ahora, escucha y completa las palabras con las letras que faltan:

1 _g_ente
2 _l_etras
3 _h_ombre
4 fá_c_il
5 espa_ñ_ol_a_
6 _s_onido
7 _r_uso
8 _v_einte
 9

13 ¿Puedes completar el cuadro con la información de los altavoces?

→ Loudspeaker.

Vuelo	Destino	Embarque	Puerta
AO475	Amsterdan	7.35	12
IB597	Sevilla	09.20	5
AS975	LaCoruna	15.05	7
LA171	LEÓN	17.05	8

14 ¿Cuántos años tienen estas personas? Busca la edad apropiada para cada persona.

> veinticinco • treinta y tres • cincuenta • ochenta
> cinco • diez • dieciocho • ~~ocho meses~~

ocho meses ·   veinticinco   cinco   treinta y tres

dieciocho   diez   ochenta   cincuenta

 14

Hola.
Me llamo Begoña.

DAR Y PEDIR INFORMACIÓN PERSONAL

informal	formal
🗨 ¿Cómo te llamas?	🗨 ¿Cómo se llama usted?
💬 Me llamo Julián.	
🗨 ¿De dónde eres?	🗨 ¿De dónde es usted?
💬 Soy mexicano.	
💬 Soy de México.	
🗨 ¿Dónde vives?	🗨 ¿Dónde vive usted?
💬 Vivo en Barcelona.	
🗨 ¿Cuántos años tienes?	🗨 ¿Cuántos años tiene usted?
💬 Tengo veinticinco años.	

PRESENTAR

informal	formal
🗨 Hola, soy Begoña.	🗨 Hola, buenos días.
💬 Hola Begoña, ¿qué tal? Soy Lola.	Me llamo Begoña.
	💬 Encantado. Mucho gusto.
🗨 Éste es Andrew.	🗨 Le presento al señor Calvo.
💬 Hola Andrew, ¿qué tal?	💬 Mucho gusto. ¿Cómo está usted, señor Calvo?

SALUDOS

informal	formal
🗨 Hola, ¿qué tal estás?	🗨 ¿Qué tal está?
🗨 ¿Cómo estás?	🗨 ¿Cómo está usted?
💬 (Muy) Bien gracias, ¿y tú?	💬 Bien gracias, ¿y usted?

Buenos días.
Buenas tardes.
Buenas noches.

DESPEDIDAS

Adiós.

Hasta mañana.
Hasta luego.
Hasta la vista.

Adiós

GÉNERO §8

masculino	femenino
argentino	argentina
italiano	italiana
brasileño	brasileña

masculino	femenino
inglés	inglesa
alemán	alemana
francés	francesa

VERBOS

llamarse

yo	*me* llamo
tú	*te* llamas
él/ella/usted	se llama

ser §40

yo	soy
tú	eres
él/ella/usted	es

vivir §29

yo	vivo
tú	vives
él/ella/usted	vive

tener §37

yo	tengo
tú	tienes
él/ella/usted	tiene

DELETREAR §1

💬 *¿Cómo te llamas?*
💬 *Begoña. Be-e-ge-o-eñe-a.*

NÚMEROS §18

1 uno	**11** once	**21** veintiuno	**31** treinta y uno
2 dos	**12** doce	**22** veintidós	**32** treinta y dos
3 tres	**13** trece	**23** veintitrés	**40** cuarenta
4 cuatro	**14** catorce	**24** veinticuatro	**41** cuarenta y uno
5 cinco	**15** quince	**25** veinticinco	**50** cincuenta
6 seis	**16** dieciséis	**26** veintiséis	**60** sesenta
7 siete	**17** diecisiete	**27** veintisiete	**70** setenta
8 ocho	**18** dieciocho	**28** veintiocho	**80** ochenta
9 nueve	**19** diecinueve	**29** veintinueve	**90** noventa
10 diez	**20** veinte	**30** treinta	**100** cien

Lección 1 La lengua es un juego

15 ¡Jugamos al bingo! Escoge nueve números del uno al treinta y escríbelos en el cartón de bingo. Después escucha el audio y... ¡SUERTE!

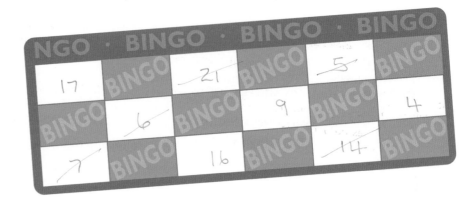

16 ¡Busca entre las letras ocho países donde se habla español!

A	M	E	X	I	C	O	S	Z
L	S	C	E	A	C	C	X	Q
R	Y	U	R	U	G	U	A	Y
B	L	A	Y	M	L	D	P	L
O	Ñ	D	Q	C	H	I	L	E
L	S	O	E	U	B	L	T	S
I	P	R	E	B	V	W	N	P
V	T	T	P	A	X	R	M	A
I	P	R	J	O	S	Q	V	Ñ
A	R	G	E	N	T	I	N	A

17 Con este texto puedes aprender algo sobre el español...

- 💬 En el 2020 todo el mundo va a hablar español o inglés.
- 💬 Y chino.
- 💬 Sí, en China... El español va a ser, con el inglés, la lengua de cultura y de negocios más importante del mundo. Su importancia cultural y comercial aumenta año tras año. Hoy, 360 millones de personas hablan español como lengua materna.
- 💬 ¿Y sabes dónde?
- 💬 Pues en Centroamérica, en el Caribe, en muchos países de Latinoamérica... ¡Sabes que es lengua oficial en Guinea Ecuatorial y que también se habla en Filipinas? ¡Ah, también hablan español en una parte del norte de África y muchos millones de personas en Estados Unidos!

¿Dónde se hablan estos idiomas? Completa las columnas con los países del cuadro.

> Estados Unidos • Ecuador • España • Filipinas • Alemania • Suiza • Austria
> Canadá • Gran Bretaña • Bélgica • Colombia • Francia

español	alemán	inglés	francés
Ecuador	Alemania	Estados Unidos	Francia
España	Suiza	Canada	Bélgica
Filipinas	Austria	Gran Bretaña	Suiza
Columbia			Canada

18 Para terminar, ¿por qué no rellenas tu tarjeta de presentación?

ESTUDIANTE

¿Quieres aprender español? Éste es el momento. Internet libros, CD-ROM, vídeos... Todo está a tu alcance.

Direcciones en Internet

La nuestra:

www.esespasa.com

Instituto Cervantes:

www.cervantesvirtual.com

Real Academia Española:

www.rae.es

1 Completa los espacios en blanco.

a 🗨 ¿De dónde (SER, tú) _eres_ ?

🗨 (SER, yo) _soy_ de Alemania, pero (VIVIR, yo) _____ en España.

b 🗨 ¿Cuántos años (TENER, usted) _tiene_ ?

🗨 (TENER, yo) _tengo_ (43) _cuarantatres_ años.

2 Las siguientes frases están mezcladas. ¿Ordenas los diálogos?

a
- ¿Cuál es tu teléfono?
- De Irlanda.
- ¿Cómo se escribe?
- En México.
- Me llamo Susana.
- El 6958714.
- ¿De dónde eres?
- ¿Cómo te llamas?
- Ese-u-ese-a-ene-a.
- ¿Dónde vives?

🗨 _¿Como te llamas?_
🗨 _Me llamo Susana_
🗨 _Como se escribe_
🗨 _Ese - u - eso - a - ene - a_
🗨 _¿De dónde eres?_
🗨 _De Irlanda_
🗨 _¿Dónde vives?_
🗨 _En México_
🗨 _¿Cuál es tu teléfono?_
🗨 _El 6958714_

b
- No, yo soy venezolano
- De Caracas, ¿y usted?
- Perdone, ¿es usted alemán?
- Yo soy de Berlín.
- ¿De dónde es usted?

🗨 _Perdone ¿es usted alemán?_
🗨 _No, yo soy venezolano_
🗨 _¿De dónde es usted?_
🗨 _De Caracas ¿y usted?_
🗨 _Yo soy de Berlín_

3 Escribe las siguientes cifras:

17 _dieciseis_   31 _treinta y uno_

58 _cincuenta y ocho_   15 _quince_

26 _¿veintiseis_   79 _setenta y nueve_

Ahora puedo:

☐ Saludar y despedirme
☐ Presentarme y presentar a otra persona
☐ Preguntar el nombre, la nacionalidad y la edad
☐ Deletrear
☐ También he aprendido otras cosas: _____

Consulta nuestra dirección en el web 📰

2

leccióndos2

Ser o no ser,
¡vaya cuestión!

¿A qué te dedicas? Nuestros amigos son estudiantes de teatro. ¿Sabes describir a Lola o a Andrew? No te preocupes, te vamos a enseñar.

Ser o no ser, ¡vaya cuestión!

Lola   Julia   Andrew   Begonia

Antonio es (un professor)

En esta lección vas a aprender:

• A preguntar por las profesiones
• A describir físicamente a las personas
• Frases para controlar la comunicación

1 Nuestros amigos son muy diferentes.
  Fíjate en la foto y elige la respuesta correcta.

1 ¿Cuántos chicos hay en la foto?
  ☐ Siete.
  ☐ Dos.
  ☒ Tres.

2 ¿De qué color tiene el pelo Julián?
  ☐ No tiene pelo.
  ☐ Pelirrojo.
  ☒ Moreno.

3 ¿Cómo es Begoña?
  ☐ Alta, delgada y rubia.
  ☒ Alta, delgada y pelirroja.
  ☐ Baja, gorda y pelirroja.

4 ¿Quién lleva barba?
  ☒ Andrew.
  ☐ Antonio.
  ☐ Begoña.

5 ¿Quién lleva gafas?
  ☐ Lola.
  ☒ Antonio.
  ☐ Begoña.

6 ¿A qué se dedica Antonio?
  ☐ Es arquitecto.
  ☐ Es peluquero.
  ☒ Es profesor de teatro.

Soy morena.

Somos altas y delgadas.

Soy rubia.

Cada
familia
es diferente.
Juan
tiene
una familia
muy numerosa.
¿Y tú?

2a María quiere conocer a la familia de Juan.
Escucha el diálogo e intenta completar el cuadro.

2, 3, 4, 6

	Carlos	Sofía	Luis	Marta
relación familiar	padre	*madre*	hermano	cuñada
aspecto físico	alto moreno	peli orojo guapa arta	morena	*rubia*
profesión	periodista	ama de casa	*policía*	psicologa
edad	sesenta y cinco	63	33	30

2b Vuelve a escuchar el diálogo e intenta contestar a estas preguntas.

a ¿María quiere ver la foto de Juan? _Si, porque quiere conocer la familia de Juan_
b ¿Cómo es la foto? _____
c ¿Es guapa la madre de Juan? ____Si_____
d ¿Cuántos hermanos tiene Juan? _____

3 ¿Necesitas ayuda?
Escucha estos diálogos y señala en qué orden dicen estas frases.

5 ¿Puedes hablar más alto?
2 ¿Puedes repetir?
1 ¿Cómo se dice *moustache* en español?
4 ¿Cómo se pronuncia autobús?
6 ¿Puedes hablar más despacio, por favor?
3 ¿Cómo se escribe?

 11

4a Escucha la conversación entre Lola y Begoña.
¿Puedes escribir los nombres de las personas que aparecen en el diálogo?
Usa la lógica e intenta completar también el cuadro de los apellidos.

Nombre	Apellido
_____	
	Sr. Martínez

4b Vuelve a escuchar el diálogo entre Lola y Begoña.
¿Puedes completar los espacios en blanco?

🖊 **8, 9, 10**

	Profesión	Relación de parentesco	Descripción física
Señor Martínez	_abogado_	_marido de Antonia y padre de Manuel_	_moreno y pelo rizado_
Antonia Alonso		y	
Manuel Martínez		y	y
Carmen Iglesias		y	y
Don Arturo			

Aprende
la profesión
y no
olvides
las
herramientas.

5 Busca el nombre de cada herramienta y relaciónala con su profesión.

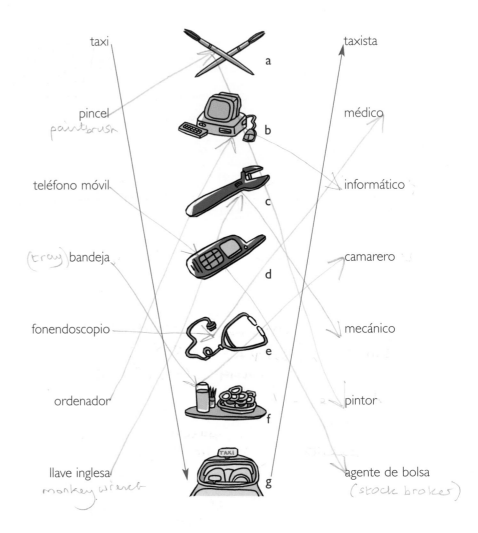

taxi

pincel
paintbrush

teléfono móvil

(tray) bandeja

fonendoscopio

ordenador

llave inglesa
monkey wrench

a
b
c
d
e
f
g

taxista

médico

informático

camarero

mecánico

pintor

agente de bolsa
(stock broker)

6 ¿Puedes completar estas frases con las profesiones del cuadro?
Fíjate en el ejemplo.   hairdresser

teachers

enfermera • peluquero • arquitecto • estudiante • florista • profesora

1 Mi hermano diseña los planos de los edificios, es ___arquitecto___ .
2 Su padre es ___peluquero___ , peina y corta el pelo.
3 María vende flores y plantas, es ___florista___ .
4 Sí, sí es ___profesora___ , enseña matemáticas a los chicos de quince años.
5 No, mi sobrina no trabaja. Es ___estudiante___ .
6 ¿Tu abuela es ___enferma___ , verdad? Sí, mi abuela trabaja en
el Hospital General.

7 En estas ofertas de empleo aparecen distintas profesiones. Fíjate bien en ellas y contesta a las preguntas.

[anotación manuscrita: level]
[anotación manuscrita: a little about]
[anotación manuscrita: Advertising]
[anotación manuscrita: traini...]

Empresa situada a 25 km al Norte de Barcelona, precisa

SECRETARIA DE DIRECCIÓN CUALIFICADA

SE REQUIERE: Edad de 25 - 40 años. Francés hablado y escrito (impecable). Buenas nociones de contabilidad. Informática a nivel de usuario. Flexibilidad de horario. Alta capacidad de comunicación, presencial y telefónica.
SE OFRECE: Incorp. inmediata. Gran posibilidad de desarrollo profesional. Salario bruto mes de 350.000 - 500.000 pts. Remitir CV a ASEMGES,SL, Aptdo.18, 17200–Palafrugell. Rf CLP11.

1

[anotación manuscrita: gross salary]

AGENCIA DE PUBLICIDAD, PRECISA

EJECUTIVA

Se requiere:
- Edad de 24 a 30 años.
- Formación BUP o similar. *[anotación: initiative]*
- Buena presencia, iniciativa y trato agradable.
- Habituada a trabajar con soporte informático. *[anotación: n]ce deal*

Se ofrece:
- Buen ambiente de trabajo.
- Incorporación inmediata.
Interesadas enviar C.V. + foto reciente a la ref. 6074 de Ronda de Universitat, 31-3º, 4º- 08007 Barcelona

2

VENDEDOR/A

Marca de prestigio busca vendedor/a para tienda en el Paseo de Gracia de Barcelona

Se requiere: Persona mayor de 25 años, con experiencia en ventas y dominio del inglés a nivel conversación. *[anotación: level]*

3

[anotación manuscrita: Network]
[anotación manuscrita: garments]
[anotación manuscrita: children's]

RED DE TIENDAS DE PRENDAS INFANTILES PRECISA PARA SUS ESTABLECIMIENTOS DE BARCELONA Y PROVINCIA:

DEPENDIENTAS

[anotación: sales assistant]

REQUISITOS:
☑ Incorporación inmediata.
☑ Experiencia mínima 1 año.
☑ Edad 20 a 27 años.

Interesadas enviar Currículum con FOTO a:
AURORA
c/. Badajoz, 32 - 08005 Barcelona

FEIXAS

4

🖉 **1, 2**

✓ **1** ¿A quién buscan en la oferta 1, a un hombre o a una mujer?
En la oferta *1 buscan a una mujer* .

✓ **2** ¿En qué otras ofertas buscan sólo a mujeres?
En los números: __uno__ , __dos__ y __cuatro__

✓ **3** ¿En qué oferta se requiere tener de veinticuatro a treinta años?
En la oferta de __ejecutiva__ .

✓ **4** De estas profesiones, ¿cuál es para hombre y cuál para mujer?
La de __vendedor/a__ .

✓ **5** ¿En qué ciudad necesitan dependientas?
Necesitan __dependientas__ en __Barcelona__ .

La familia
de Juan
está reunida.
¡Vamos
a
conocerlos!

8a ¿Te acuerdas de la familia de Juan? Aquí están todos...

hijo (mayor)   hija   hijo   hijo

Seguro que completas este texto con los nombres del dibujo.

Carlos y _____Sofía_____ tienen cinco hijos. _____Luis_____ es el mayor, _____Juan_____ , _____Marcelo_____ , _____Victoria_____ son los medianos, y Eva es la menor.

_____Luis_____ está casado con Marta, _____Victoria_____ vive con Sergio. Eva, Juan y Marcelo están solteros.

Juan y Marcelo no tienen novia y Eva tiene novio, _____Vicente_____ .

grand children

_____Carlos_____ y _____Sofía_____ (ya) son abuelos. Tienen dos nietos, Diego y _____Julia_____ . Luis y _____Marta_____ son los padres de Diego. Victoria y _____Sergio_____ , los de Julia. _____Diego_____ y _____Julia_____ son primos.

already

cousins

8b ¿Conoces las relaciones familiares? Inténtalo con la familia de Juan en frases como las del ejemplo.

3, 4, 5

1 Carlos ↔ Sofía: _Carlos es el marido de Sofía. Sofía es la mujer de Carlos. Carlos y Sofía están casados._

girlfriend
fiance

2 Luis ↔ Marta: Luis es el marido de Marta. Luis y Marta están casados.

3 Eva ↔ Vicente: Eva es la novia de Vicente ó Vicente es el novio de Eva. Eva y Vicente son novios

4 Diego ↔ Julia: Diego es el primo de Julia. Julia es la prima de Diego. Diego y Julia son primos

5 Carlos y Sofía ↔ Diego y Julia: Carlos y Sofía son los abuelos de Diego y Julia. Diego y Julia son los nietos de Carlos y Sofía

6 Juan y Marcelo ↔ Marta: son los cuñados de Marta. Marta es la cuñada de Juan y Marcello

brother in law/
sister in law

9 Intenta hacer las descripciones de nuestros amigos. ¿Necesitas ayuda?
Mira el cuadro de las palabras.

Begoña
Lola
Lázaro
Andrew
Julián
ugly.

alto/a • rizado • joven • liso • feo • mayor • gordo/a
rubio/a • bigote • barba • guapo/a • pelo corto • pelo largo
pelirrojo • nariz • moreno/a • gorra • bajo

1 Julián es joven, alto y guapo . Tiene el pelo _corto, liso y moreno_ .
2 Begoña es joven y guapa . Tiene el pelo
largo , liso y pelirrojo .
3 Andrew es ___joven___ , ___alto___ y ___guapo___ . Lleva
___bigote___ . Tiene el pelo ___corto___ y ___rizado___ .
4 Lola es ___joven___ y ___guapa___ . Tiene el ___pelo___
largo corto rubio y ___rizado___ .
5 Lázaro es ___bajo___ y ___feo___ . Lleva una ___gorra___ .

✎ 5, 6

¿Estudias o trabajas?

CONTROL DE LA COMUNICACIÓN

¿Cómo se pronuncia?
¿Cómo se escribe?
¿Puedes repetir?
¿Puedes hablar más alto?
¿Puedes hablar más despacio?
¿Cómo se dice blond en español?
¿Qué significa parentesco?

PREGUNTAR POR LA PROFESIÓN

informal	formal
¿A qué te dedicas?	¿A qué se dedica usted?
¿Qué haces?	¿Qué hace usted?
¿En qué trabajas?	¿En qué trabaja usted?

DECIR LA PROFESIÓN

[TRABAJAR] +	COMO DE	+ [PROFESIÓN]	Trabajo como médico. Trabajo de médico.
	PARA	+ [EMPRESA]	Trabajo para el Hospital General.
	EN +	[EMPRESA] [LUGAR]	Trabajo en el Hospital General. Trabajo en un hospital.
[SER]		+ [PROFESIÓN]	Soy médico.

estudiar §29		trabajar §29	
yo	estudio	yo	trabajo
tú	estudias	tú	trabajas
él/ella/usted	estudia	él/ella/usted	trabaja

CONCORDANCIA DE GÉNERO Y NÚMERO DE LOS ADJETIVOS §8

masculino singular

 es | **alto** | está | solter**o**
fotógraf**o** | | casad**o**
profesor | | viud**o**

masculino plural

 son | **altos** | están | solter**os**
fotógraf**os** | | casad**os**
profesor**es** | | viud**os**

femenino singular

 es | alt**a** | está | solter**a**
fotógraf**a** | | casad**a**
profesor**a** | | viud**a**

femenino plural

 son | alt**as** | están | solter**as**
fotógraf**as** | | casad**as**
profesor**as** | | viud**as**

ADJETIVOS POSESIVOS (I) §16

	yo	tú	él/ella/usted
singular	mi	tu	su
plural	mis	tus	sus

mi amigo/a   mis amigos/as
tu hermano/a   tus hermanos/as
su hijo/a   sus hijos/as

Lección 2 — La lengua es un juego

10 Y ahora, habla de tu familia. Dibuja el árbol genealógico de tu familia y escribe sus nombres.
¿Por qué no escribes también el nombre de las relaciones familiares?

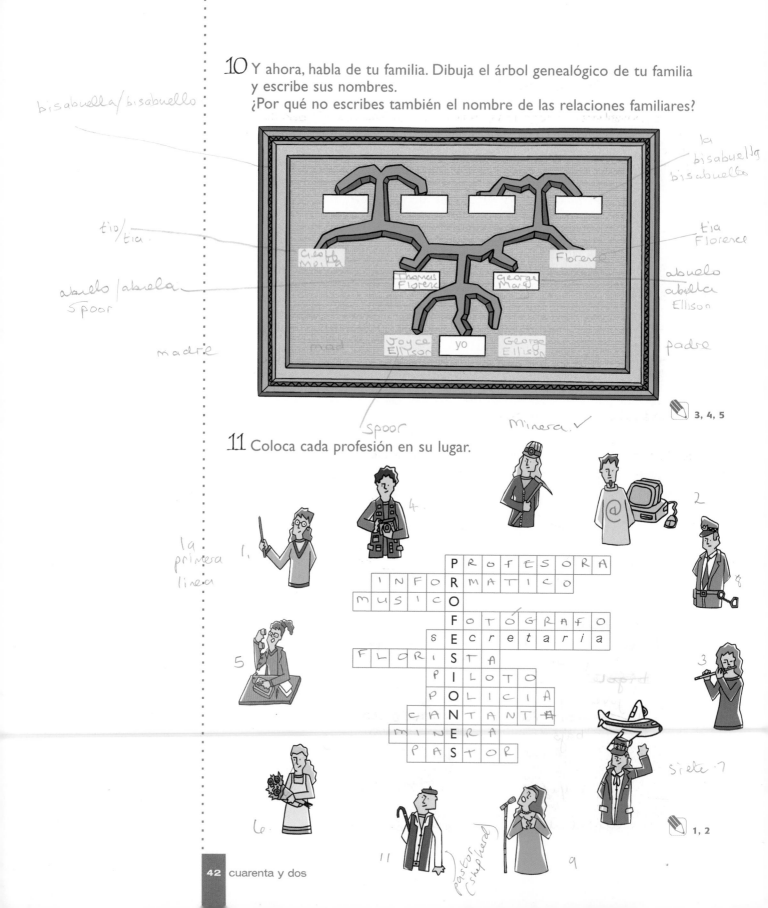

bisabuella/bisabuello

la bisabuella bisabuello

tío/tía.

tía Florence

abuelo/abuela spoor

abuelo abuela Ellison

madre

padre

spoor

Minera. ✓

3, 4, 5

11 Coloca cada profesión en su lugar.

la primera línea

		P	R	O	F	E	S	O	R	A	
	I	N	F	O	R	M	A	T	I	C	O
M	U	S	I	C	O						
			F	O	T	Ó	G	R	A	F	O
			S	e	c	r	e	t	a	r	i	a
F	L	O	R	I	S	T	A				
			P	I	L	O	T	O			
			P	O	L	I	C	I	A		
			C	A	N	T	A	N	T	E	
		M	I	N	E	R	A				
			P	A	S	T	O	R			

siete 7

pastor (shepherd)

1, 2

La lengua es un mundo

12a ¿Quieres saber qué ocurre con los apellidos en España e Hispanoamérica?

Los hispanohablantes conservamos toda la vida los apellidos. Son el regalo de nuestros padres. En los países de habla hispana, cada persona tiene dos apellidos: el primero es el del padre y el segundo el de la madre. Cuando un hombre y una mujer se casan conservan sus apellidos de solteros.

Ahora, lee este diálogo entre Altolaguirre y su amigo.

- 🗣 Enhorabuena Altolaguirre, me han dicho que has tenido una hija.
- 💬 Sí.
- 🗣 ¿Y cómo se va a llamar?
- 💬 Eva. Ya tengo cuatro niñas.
- 🗣 Se llaman... Julia, Juana... ¿Cómo se llama la otra?
- 💬 Gabriela.
- 🗣 Ah, sí. Es verdad. Oye, tu apellido es muy raro, y si no tienes un niño se va a perder.
- 💬 No importa, mis hijas y mis nietos van a conservar el apellido toda su vida...

12b Ahora que sabes qué ocurre en los países de habla hispana, ¡cuéntanos qué ocurre en tu país!

¿Cuántos nombres y apellidos tienen las personas de tu país? ___dos___

¿Cambia el apellido de las mujeres casadas? _____

también llevo una camiseta en morado y un reloj

13 Mira estas fotos e intenta contestar a las preguntas.

a ¿Cómo es el médico? _El medico es un señor mayor y lleva gafas con pelo gris._

b ¿Qué profesión tiene el chico joven? _un camarero, lleva un gorra, un camiseta en granate y un collar y lleva los vaqueros._

📝 5, 6

Direcciones en Internet:

Empresarios de Internet:
www.lafactoriadeinternet.com

Asociación Internacional de Webmasters Hispanos:
www.aiwh.org

Portal para ingenieros y arquitectos:
www.eporticus.com

Evaluación

1 ¿Podrías usar las palabras del cuadro y completar el texto?

> casado • soy • años • tengo • Málaga • mi • vivo • pelo
> norteamericana • rubia • ojos • soy

Yo _tengo_ cuarenta y tres años, _soy_ español, de _Málaga_, pero _vivo_ en Los Ángeles. Tengo los _ojos_ marrones, el _pelo_ corto y rizado. _Soy_ de estatura mediana. *(medium height)*

Estoy _casado_ con una actriz _norteamericana_, guapa, _rubia_ *(fair haired)* y delgada. Tenemos una hija, Estela, de tres _años_.

Muchas veces cambio de nombre y de aspecto por _mi_ trabajo. ¿Ya sabes quién soy?

¿Cómo se llama el personaje del texto?

Antonio Banderas

2 Lee las preguntas y elige la respuesta correcta.

1 ¿A qué _se_ dedica?
- [ ] nos
- [x] se
- [ ] te

2 ¿En _que_ trabajas?
- [ ] nos
- [x] qué
- [ ] te

3 Mi tía trabaja _como_ actriz.
- [ ] en
- [ ] para
- [x] como

4 Su padre trabaja _en_ el hospital.
- [ ] como
- [ ] de
- [x] en

5 Luis _es_ mecánico.
- [ ] está
- [ ] somos
- [x] es

6 _Su_ nieto es rubio. *(grandson)* *(fair haired)*
- [ ] Tus
- [ ] Sus
- [x] Su

7 Nuestra nieta _está_ soltera.
- [ ] estamos
- [x] está
- [ ] estás

Ahora puedo:

- [ ] Reconocer nombres de profesiones
- [ ] Describir personas físicamente
- [ ] Usar frases para controlar la comunicación
- [ ] También he aprendido otras cosas: _____

Consulta nuestra dirección en el web

3

leccióntres3

¡Amigos para siempre!

¡Amigos para siempre!

¿Qué hace Julián en su tiempo libre? ¿Y Begoña? ¿Acompañamos a Andrew a su primera entrevista de trabajo? *interview* Además, asistiremos a una sesión de radio por Internet. ¡Uf! ¿Vamos a tener tiempo? ¡Claro que sí!

En esta lección vas a aprender:

- A hablar de aficiones
- A expresar intenciones con *para* y causas con *porque*

1 Nuestros amigos se enseñan unas fotos.
Intenta relacionar las fotos con el deporte.

golf

esgrima

esquí

natación

montañismo

atletismo

ciclismo

gimnasia

atletismo • esgrima • esquí • gimnasia • montañismo
golf • ciclismo • natación

Trabajo,
deporte
y aficiones.
Cada cosa
a su
tiempo.

2 Andrew busca trabajo en España en una empresa de informática.
Después de escuchar el diálogo, ¿podrías completar el cuadro?

a ¿Qué deportes practica Andrew? *al futbol y nado*
b ¿Qué colecciona Andrew? *Andrew colecciona cómics.*
c ¿Y la secretaria? *monedas de paises*
d ¿Para qué necesitan esta información? *conoces mejor los empleados*

3 Buscamos amigos.
¿De qué hablan en este programa de radio por Internet?
Intenta completar esta tabla con todos los datos.

 7, 8

Se llama	Tiene	Vive en	Profesión (es...)	Descripción física (es / tiene...)	Llama (para / porque...)
Antonio	27 años	Sevilla	Pintor	Moreno, con el pelo castaño y los ojos verdes	Porque necesita una modelo
Miguel	37 años	Santiago de Compostela	Es profesor de español	pelo corto y rizado y rubio y con ojos verdes	para conocer chicas
Barbara	23	Sevilla	Es Estudiante	Morena con el pelo largo delgada ojos verdes	llama conocer gente
Cristina	35	Buenos Aires	Es doctora	pelo largo ojos marones	para conocer gente su edad

4 Escuchamos una conversación entre Lola y Begoña.
¿Nos ayudas a completar los huecos?

LOLA: ¿Qué haces?

BEGOÑA: Escribo a _mi_ madre.

LOLA: ¡Ah, muy bien!, pero... ¿Y para qué?

BEGOÑA: Para saber cómo están ella y _nuestro_ perro.

LOLA: ¿Tenéis un perro?

BEGOÑA: Sí, un mastín.

LOLA: ¡Ah! ¡Qué bien! ¿Y _tus_ padres pasean al perro cada día?

BEGOÑA: _mi_ padre no. Están separados ¿recuerdas?... pero _mi_ madre cada
día cuando sale del trabajo.

LOLA: ¡Parece un deporte!

BEGOÑA: Sí, _mi_ madre y _su_ amiga Arancha pasean a _sus_ perros
durante dos horas. ¡Es fantástico!

LOLA: Oye, ¿y en _vuestra_ ciudad hay muchos parques?

BEGOÑA: Sí, claro, hay muchos.

LOLA: ¡Cómo me gustaría tener un perro! ¡Sería _nuestro_ perro!

BEGOÑA: Sí, pero lo sacas a pasear tú.

11, 12

5 ¿Puedes completar estos diálogos con las palabras del cuadro?

van de • jugar al • voy de • vamos a la • vamos al • montar en

1 ● ¿Quieres _jugar al_ golf?
○ Vale, ahora cojo mi equipo.

2 ● ¿Sabes _montar en_ bicicleta?
○ Claro, ¿tú no?

3 ● _voy de_ compras, ¿vienes?
○ No, no puedo.

4 ● ¿Adónde vais?
○ _vamos al_ cine.

5 ● Esta noche _vamos a la_ ópera.
○ ¡Qué bien! ¿Puedo ir?

6 ● ¿Adónde van tus padres?
○ _van de_ paseo.

2

Primer plano

Fútbol o
baloncesto.
¿A qué juegas?
Kárate
o natación.
¿Qué practicas?

wrestling

motor racing

?

Diving board

6 Clasifica los deportes en el cuadro.

lucha libre • natación sincronizada • fútbol • ciclismo • esquí • motociclismo
patinaje sobre hielo • baloncesto • boxeo • natación • rugby • kárate
salto de trampolín • automovilismo • voleibol • hockey sobre hielo

ball *fight*

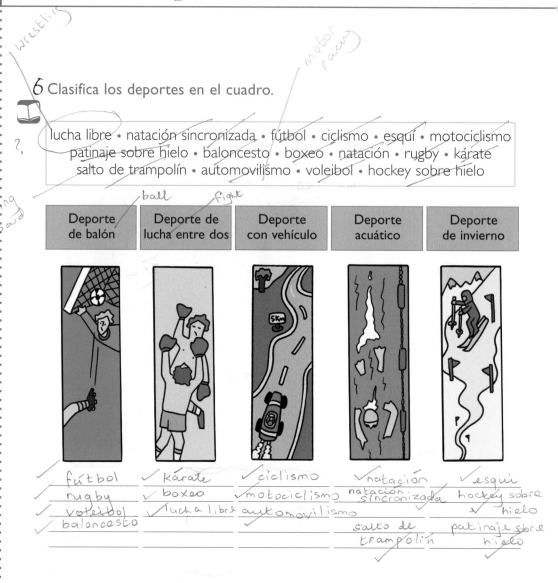

Deporte de balón	Deporte de lucha entre dos	Deporte con vehículo	Deporte acuático	Deporte de invierno
fútbol	kárate	ciclismo	natación	esquí
rugby	boxeo	motociclismo	natación sincronizada	hockey sobre hielo
voleibol	lucha libre	automovilismo		
baloncesto			salto de trampolín	patinaje sobre hielo

7 Las palabras de la columna 1 tienen una relación con las de la columna 2.
¿Cuál es?

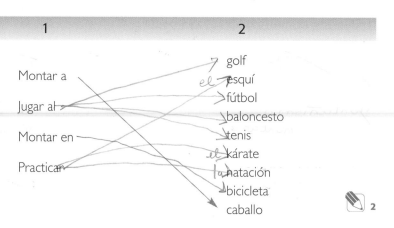

1	2
Montar a	golf
Jugar al	el esquí
Montar en	fútbol
Practicar	baloncesto
	tenis
	el kárate
	la natación
	bicicleta
	caballo

8 Ahora somos detectives.

Con la ayuda del cuadro, ¿puedes completar las fichas de estas personas? El ejemplo te puede ayudar.

10 años • casado • estudiante • golf • jardinería • 65 años • informático
patinaje • 35 años • informática • 50 años • abogado • 45 años • divorciado
baloncesto • desempleado • jubilada • viuda • soltera • ~~casado~~

1

edad: __10 años__
estado civil: __soltera__
profesión: __estudiante__
aficiones: __patinaje__

marital status

liking for

2

edad: __65 años__
estado civil: __viuda__
profesión: __jubilada__
aficiones: __golf__

5

edad: __50 años__
estado civil: __casado__
profesión: __abogado__
aficiones: __jardinería__

3

edad: __45 años__
estado civil: __casado__
profesión: __informático__
aficiones: _____

4

edad: __35 años__
estado civil: __divorciado__
profesión: __desempleado__ — unemployed
aficiones: __baloncesto__

Cantar,
bailar,
ir al teatro,
coleccionar
sellos.
¿Cuáles son
tus aficiones?

9 Relaciona los verbos de la columna A con los elementos de la columna B.

A	B
Ver	en un grupo de rock
Ir	novelas
Hacer	la televisión
Aprender	deporte
Coleccionar	puzzles
Escribir	al teatro
Leer	español
Cantar	postales _(post cards)_
	sellos
	al cine

2

10 ¿Para qué estudias español?
Quizás en estas frases aparecen tus motivos,
¿podrías señalarlos?

7, 8

- [x] **Para aprender** un nuevo idioma. _aprendo_
- [x] **Para vivir** en ~~viajar España~~ .
- [ ] **Para estudiar** en _____ .
- [ ] **Para trabajar** en una empresa española.
- [x] **Para hablar** español con mis amigos. _hablo_
- [x] **Para viajar** por Hispanoamérica o España. _viajar_
- [ ] **Para leer** libros en _____ .
- [ ] **Para escribir** cartas.
- [ ] **Para conocer** personas interesantes.
- [x] **Para ver** películas en _veo_ .
- [ ] **Para comprender** canciones en _____ .
- [ ] **Para hacer** negocios. _(to do business)_
- [ ] **Para tener** nuevos amigos.

¿Tienes algún motivo que no aparezca en esta lista?

_____

_____

_____

_____

_____

_____

11 Volvemos con nuestros amigos. ¿Qué hacen en su tiempo libre?

escuchar música • hablar por teléfono • ~~escribir~~ • hacer deporte
~~estudiar~~ • montar en bicicleta • cocinar • ~~leer~~

1

Julián y Andrew leen.

2

Lazaro escucha música

3

Julian montar en bicicleta

4

hacen deporte

5

estudiar

6

Begonia escribir en diario

7

hola y Begoña cocinar

8

hola. hablas por telefono

Juego al pádel.

HABLAR DE AFICIONES

[JUGAR] + { AL / A LA } + [NOMBRE DEL DEPORTE]   *Juego al golf / al tenis.*
Juego a la petanca.

¡ATENCIÓN!
No es correcto decir *juego a esquiar* ni *juego a natación*.
Decimos *practico el esquí, practico la natación* o *esquío y nado*.

[IR] + { AL / A LA } + [LUGAR]   *Voy al cine / al teatro.*
Voy a la playa / a la ópera.

DE + [NOMBRE EN PLURAL]   *Voy de compras / de copas.*

MONTAR + EN +[VEHÍCULO]   *Monto en bicicleta / en moto.*

INTENCIONES Y OBJETIVOS §21

Preguntar

¿PARA QUÉ
¿POR QUÉ } + [PRESENTE] + …?   *¿Para qué estudias español?*
¿Por qué estudias español?

Responder

PARA + { [INFINITIVO] + [MOTIVO]   *Para vivir en México.*
[NOMBRE]   *Para mi trabajo.*

PORQUE + [FRASE]   *Porque tengo muchos amigos en Colombia.*
Porque sus abuelos son argentinos.

VERBOS EN PRESENTE

Regulares §27

	estudiar	beber	vivir
yo	estudio	bebo	vivo
tú	estudias	bebes	vives
él/ella/usted	estudia	bebe	vive
nosotros/nosotras	estudiamos	bebemos	vivimos
vosotros/vosotras	estudiáis	bebéis	vivís
ellos/ellas/ustedes	estudian	beben	viven

Irregulares §36 y §40

Los más frecuentes son *estar*, *ser* e *ir*.
El verbo *jugar* sufre la siguiente transformación: u   ue

	estar	ser	ir	jugar
yo	estoy	soy	voy	juego
tú	estás	eres	vas	juegas
él/ella/usted	está	es	va	juega
nosotros/nosotras	estamos	somos	vamos	jugamos
vosotros/vosotras	estáis	sois	vais	jugáis
ellos/ellas/ustedes	están	son	van	juegan

EL ORDEN DE LA FRASE §58-61

*¿Cómo es **Antonio**?*
***Antonio** es alto.*

ADJETIVOS POSESIVOS (II) §16

	nosotros/as	**vosotros/as**	**ellos/as/ustedes**
singular	nuestro/a	vuestro/a	su
plural	nuestros/as	vuestros/as	sus
	Nuestro hermano	*Vuestra casa*	*Sus amigas*

La lengua es un juego

12 Ordena las letras y descubre el nombre de un deporte que ya conoces.

olfg — golf

burgy — rugby

tesonoblac — baloncesto

lobsibé — béisbol

úfbtlo — fútbol

sinte — tenis

13 ¿Y tú qué haces en tu tiempo libre?
Con estas pistas puedes empezar a jugar.
clues

1 correr
2 leer
3 nadar
4 cocinar
5 bailar
6 jugar
7 viajar
8 escribir

14 El deporte en España y Latinoamérica.

El fútbol es el deporte más popular de España y de casi todos los países de Latinoamérica. Es un deporte sencillo, sólo necesitas un balón para practicarlo y dos porterías. Cualquier lugar sirve para jugar al fútbol: la calle, el campo, un parque, la playa, etc. En otros países como México, Cuba y Venezuela se practica otro deporte muy común: el béisbol. Para jugar al béisbol sólo necesitas un bate y una pelota. El baloncesto también es muy popular, pero se practica menos, porque se necesitan una pelota y las canastas.

¿Qué objetos necesitas para practicar estos deportes?

Fútbol	un balon, dos porterias,
Béisbol	un bate de béisbol y una pelota
Baloncesto	un balon una pelota y dos canastas

Goles,
puntos, vueltas,
juegos
y carambolas.
Todos
son tantos.
¿Jugamos
un partido?

15 ¿Puedes relacionar el texto con una de las fotografías?

El ciclismo

El atletismo

El esquí

El ciclismo

Este deporte nace a finales del siglo XIX, hoy en día es uno de los deportes más populares y tiene numerosas especialidades: en carretera, en pista, en montaña, etc. Las pruebas en pista se practican en el velódromo. Francia, Italia y España celebran tres competiciones muy importantes durante los meses de verano.

Direcciones en Internet:

Portal deportivo:
www.deporweb.com

Portal deportivo:
www.infodeporte.com

Portal especializado
en fútbol:
www.servifutbol.es

1a Para leer esta carta, pon las palabras en el lugar correcto.

> periodistas • alta • escribo • estudia • mis • juego al
> tengo • hermano • viven • rizado

Querido Marcos:

Tú no me conoces pero vivo muy cerca de tu casa. __Tengo__ diecisiete años.

Soy delgada y no muy __alta__ , tengo los ojos marrones y el pelo largo y __rizado__ .

Estudio en el mismo instituto que tú.

Mis padres son __periodistas__ , trabajan en un periódico de la ciudad; mi hermana María __estudia__ periodismo para trabajar con __mis__ padres; mi __hermano__ Juan es ingeniero y vive en Londres.

En mi tiempo libre __juego al__ voleibol con el equipo del instituto. También veo la tele y __escribo__ correo electrónico a mis primos porque __viven__ en Holanda y no nos vemos mucho.

Bueno, por el momento ya sabes mucho de mí. Espero verte pronto, ¡quizá me reconozcas!

1b

¿Quién crees que ha escrito la carta a Marcos?

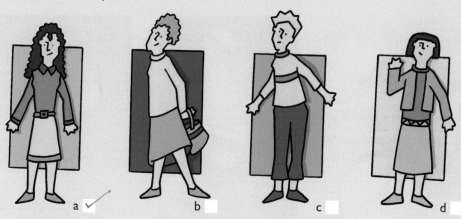

a ✓ b c d

Ahora puedo:

☐ Preguntar a los demás por sus aficiones
☐ Explicar **para qué** y **por qué** hago las cosas
☐ También he aprendido otras cosas: _____

Consulta nuestra dirección en el web

1 Andrew ha encontrado en su correo una carta. ¿De quién será?
¿Podrías ayudar a Andrew a adivinar quién la ha escrito?
Completa esta carta con las palabras del cuadro. *(dark)*

(like)

| aficiones • profesora • nombres • oscuros • años • normales |
| practicamos • tocamos • qué • conocer |

¡Hola! ¿Cómo estáis?
Somos estudiantes de la Escuela Chambucú de
Cartagena de Indias, en Colombia. Tenemos entre
quince y diecisiete _años_. ¿Os preguntáis
para _qué_ escribimos esta carta?
Nuestra _profesora_ de español nos ha
animado a conectar con vosotros para
conocer estudiantes de español de otras
culturas.
En nuestra clase, casi todos somos morenos y
con los ojos _oscuros_. Los _nombres_
más típicos de chica son Estébana y María
Eugenia, y de chico, Jon Elton. Y los apellidos
más _normales_ son Carulla y Chaparro.
¿Cuáles son los apellidos más normales de tu
país? En el colegio _practicamos_ mucho
deporte, mucho fútbol y mucho béisbol. También
tocamos la guitarra y cantamos. Queremos
tener amigos de otros países y saber cómo son,
qué _aficiones_ tienen, etc. Queremos recibir
muchas cartas de ustedes.

¡Hasta pronto!

2 ¿Puedes seleccionar la respuesta correcta?

1 ¿Cómo está usted?
- [ ] Encantado.
- [x] Bien, gracias.
- [ ] Está en Segovia.

2 ¿A qué te dedicas?
- [ ] Trabaja en una farmacia.
- [ ] Es profesora.
- [x] Soy ingeniero.

3 ¿De dónde sois?
- [ ] Soy hijo único.
- [ ] Son de Murcia.
- [x] De Mallorca.

4 ¿Cuántos años tienes?
- [ ] Tengo cuatro hijos.
- [x] Veintisiete.
- [ ] Tengo los ojos azules.

5 ¿Estás casada?
- [ ] No, estoy bien gracias.
- [ ] Sí, estoy bien gracias.
- [x] No, estoy soltera.

Evaluación del bloque 1

Así puedes aprender

¿Sabes qué significan estos símbolos?
Busca el significado para cada símbolo.

1   [2] Ejercicio con audio

2   [3] Usa el diccionario

3   [4] Relación con el *Cuaderno de recursos y ejercicios*

4   [6] Ampliación en el *Apéndice Gramatical*

5   [7] Sección de *Recursos*

6   [5] Evaluación de lección

7   [1] Búscanos en Internet

Reflexiona sobre tu trabajo en estas tres lecciones:

He aprendido	☐ mucho	☐ bastante	☐ poco
Las actividades me han parecido	☐ fáciles	☐ difíciles	☐ muy difíciles
He cooperado con los compañeros	☐ mucho	☐ bastante	☐ poco

Lo que más me ha gustado es _____

Lo que menos me ha gustado es _____

bloquedos2

lección4
lección5
lección6

Lección 4

Lección 5

Lección 6

lección cuatro 4

¡Hogar,
dulce hogar!

Una casa es un mundo. ¿Quieres ver de cerca la casa de Lola, Andrew, Julián y Begoña, su mundo? ¿Cómo es tu casa favorita? Hay muchas casas diferentes. También hay asientos *seats* diferentes: sillas, sofás, *chairs* sillones, etc. *armchairs* ¿Quieres conocerlos? ¡Toma asiento *take* y disfruta! *enjoy*

¡Hogar, dulce hogar!

En esta lección vas a aprender:

• A describir las partes y los objetos de la casa
• A situarte en un espacio interior

1a Nuestros amigos están en casa. Fíjate en la foto
y completa estas frases con la ayuda del cuadro.

> ~~sala de estar~~ • ~~sofá~~ • ~~cocina~~ • ~~mesa~~ • ~~encima~~ • ~~comedor~~ • ~~detrás del~~
> ~~entre~~ • ~~al lado~~ • ~~delante de~~ • ~~encima~~

1 Begoña está en la _sala de estar_ , sentada en el _sofá_ .
2 Andrew está en el _comedor_ , al lado de la _mesa_ .
3 Lola y Julián están en la _cocina_ , _detrás_ del mostrador.
4 El instrumento de música está _encima_ del sofá.
5 Los cojines están _al lado_ de Begoña, _encima_ del sofá. *(cushions)*
6 La columna está _entre_ Andrew y Lola.
7 Begoña está _delante de_ Julián y Lola.

1b ¿Puedes escribir las partes de la casa en este plano?
El cuadro te puede ayudar.

> comedor • cocina • ~~dormitorio~~ • baño • sala de estar

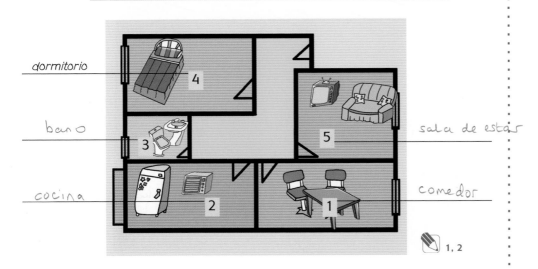

dormitorio — 4
baño — 3
cocina — 2
sala de estar — 5
comedor — 1

🖎 1, 2

Lección 4 Escenas

Cada casa
es un mundo
lleno de objetos
que debes
conocer.
Begoña
y Antonio
tienen
problemas.
Y necesitan
tu ayuda.

2 Begoña le cuenta a su madre cómo es su nueva casa.
Escucha el diálogo y señala cómo es la casa de Begoña.

		V	F
1	El piso de Begoña es grande.	X	
2	La habitación de Begoña es oscura.		X
3	La habitación de Begoña es un poco ruidosa.	X	
4	El barrio es triste.		X
5	La cocina es amplia.	X	
6	La cocina es un poco vieja.		X
7	El salón, el comedor y la cocina están en el mismo espacio.	X	
8	El piso tiene agua caliente.	X	
9	Begoña comparte piso con un chico y dos chicas.		X
10	Andrew tiene la habitación más grande.		X

1, 12

3 Ésta es la nueva oficina de Alberto, un amigo de Julián.
Después de oír la conversación entre Julián y Alberto,
¿puedes colocar en el dibujo de la oficina los elementos que faltan?

2

4a Begoña es una despistada. Lola siempre la ayuda a encontrar las cosas.
Después de escuchar el diálogo escribe dónde están las cosas que busca.

La agenda _____ *está en la habitación, encima de la mesa.*
Las gafas de sol están _____ *el lado de la television*
Las llaves están _____ *en la mesa*
La dirección de Internet está _____ *en la agenda de Begoña*
La tarjeta del metro está _____ *en el comedor al lado de*
teléfono   2, 4, 5

4b ¿Puedes encontrar el bolígrafo de Begoña?
Te damos una pista, está muy cerca de la lámpara.

5 La agencia de mudanzas es un desastre. Antonio llama a la empresa
para reclamar. ¿Dónde están los muebles? ¿Y dónde los quiere Antonio?

¿Dónde están los muebles?

La cama está _____ *debajo de la ventana.*
La mesa del comedor está _____ *en el pasillo*
El sofá está _____ *en el dormitorio.*
El frigorífico está _____ *en el recibor*
entrance hall ?

¿Dónde los quiere Antonio?

Quiere la cama _____ *enfrente de la puerta*
Quiere la mesa en el comedor _____
Quiere el sofá _____ *en el salón.*
Quiere el frigorífico _____ *en la cocina*   2, 4, 5

Primer plano

Juega
con planos
de pisos
y aprende
el vocabulario
de habitaciones
y objetos.

6a Lázaro ayuda a un amigo a buscar piso en la ciudad, pero no sabe con qué anuncio relacionar el plano, ¿por qué no le ayudas?

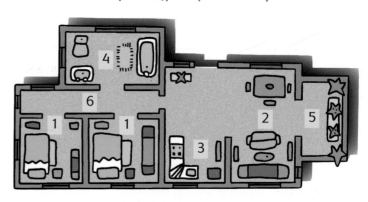

Anuncio 1	Anuncio 2	Anuncio 3
c/ Ricardo, 18. ☐ 1 dormitorio, comedor, cocina, balcón, un baño amplio, recibidor, ascensor. Finca seminueva. Euros 85.945	Plaza Cervantes. ☐ 4 dormitorios, salón-comedor, 2 baños completos, cocina, gran terraza, amplio recibidor. Euros 149.652	Gran Vía, 25. ☐ 2 dormitorios, cocina, salón-comedor, 1 baño completo, terraza soleada. Euros 179.703

6b Ahora, ¿te atreves a nombrar las partes numeradas en el plano? 🖊 1, 12

1 _dormitorio_   3 _cocina_   5 _terraza_
2 _comedor_   4 _cuarto de baño_ 6 _pasillo_

7 Éstos son los objetos que nuestros amigos tienen en su piso.
¿En qué habitaciones están normalmente estos objetos?

lavadora   mesita   lavabo   sofá   televisor   mesa

microondas   cama   ducha   váter   nevera   silla

salón o comedor: _sofá, televisor, mesa, silla_
cuarto de baño: _ducha, lavabo váter_
cocina: _nevera, lavadora microondas_
dormitorio: _cama, mesita_

🖊 1

8a En el tablón de anuncios de la escuela de teatro hay tres anuncios de pisos. Después de leerlos puedes responder a las preguntas.

Anuncio 1	Anuncio 2	Anuncio 3
50 metros. Sala, cocina, baño, un dormitorio, balcón. Alto sin ascensor. Euros 81.137	90 metros. Tres dormitorios, salón, cocina, dos baños, terraza con vistas. Garaje dos plazas. (plaçes) Euros 210.354	70 metros. Salón, comedor, dos dormitorios, baño, terraza. Todo exterior. Ascensor. Euros 111.187

1 ¿Qué piso tiene más metros? __El número 2__ .

2 ¿Los tres pisos tienen ascensor? __1 y 2 no tienen acensor__ .

3 ¿Qué piso tiene más de un baño? __El número 2__ .

4 ¿Qué piso no tiene terraza? __El número 1__ .

5 ¿Qué piso tiene garaje? __El número 2__ .

6 ¿Qué piso es todo exterior? __El número 3__ .

8b Y ahora, ¿por qué no ayudas a estas personas que trabajan en la escuela a elegir el piso apropiado?

a

b

c

anuncio __1__

anuncio __3__

anuncio __2__

Los mismos
objetos
están
en el salón
y en el
cuarto de baño.

9 ¡Hay muchos papeles! ¿Dónde están los papeles?
Completa las frases, las palabras del cuadro te pueden ayudar.

debajo de • ~~encima de~~ • al lado de • dentro de
enfrente de • entre

las macetas.

la papelera.

2, 4, 5

1 Hay papeles _encima de_ la mesa.
2 Hay papeles _debajo de_ la mesa.
3 Hay papeles _dentro de_ la papelera.
(bin)
4 Hay papeles _al lado de_ el ordenador.
5 Hay papeles _entre_ (flower pots) las macetas.
6 Hay papeles _enfrente de_ el armario.

10 ¿Qué hacen normalmente nuestros amigos en estas habitaciones?
Coloca las acciones del cuadro en la habitación correspondiente.

mirar la calle • leer • hablar por teléfono • estudiar
trabajar con el ordenador • comer • ver la televisión • ducharse
despedirse • recibir a las personas • entrar • salir • tomar el aire
escuchar música • dormir • cocinar • pasar de una habitación a otra

En el comedor: _comer_ .
En el salón: _leer_ , _hablar por teléfono_ , _ver la televisión_ , _escuchar musica_
En el baño: _ducharse_ .
En el recibidor: _recibir a las personas_ , _entrar_ , _salir_ , _despedirse_ .
En el balcón: _mirar la calle_ , _tomar el aire_ , _mirar la calle_
En la cocina: _cocinar_ , _comer_ , _____ ,

_____ .
En el pasillo: _pasar de una habitación a otra_
En el estudio: _estudiar / trabajar con_ _el ordenador_ , _hablar por teléfono_ ,
leer , _escuchar musica_
En el dormitorio: _dormir_ , _____

1

11 ¡Qué desorden! Andrew ordena su habitación.
Observa cómo estaba antes (dibujo A) y cómo está ahora (dibujo B).

| teléfono • lámpara • libro • dos cuadros |
| equipo de música • mesa • ordenador |

dibujo A

dibujo B

2, 4, 5

Ahora puedes rellenar estos cuadros.

(floor)

¿Qué objetos (7) hay en la habitación?	¿Dónde están en el dibujo A?	¿Dónde están en el dibujo B?
Hay un teléfono	*Está en el suelo*	*Está encima de la mesa*
Hay una lámpara	Está encima de equipo de musica	Está a lado del ordenador
Hay un libro	Está encima de la silla	Está entre de ordenador y el teléfono
Hay dos cuadros	Estan encima del ordenador	Están el pared
Hay equipo de musica	Está debajo de la mesa	Está en la estanería estantería (shelf)

Hay un ordenador — Está en el suelo   Está encima de la mesa.

> El piso tiene tres habitaciones.

OBJETOS Y PARTES DE LA CASA

🔊 ¿Tienes aire acondicionado en tu piso?
💬 No, es un piso poco caluroso.

🔊 ¿Cuántas habitaciones tiene el piso?
💬 Tres, un dormitorio de matrimonio y dos habitaciones pequeñas.

🔊 ¿Qué tiene el piso nuevo, terraza o balcón?
💬 Balcón, pero es muy grande.

LA DIFERENCIA ENTRE **HAY** Y **ESTÁ(N)** §43

HAY + { UN/UNA/UNOS/UNAS, DOS, TRES..., MUCHOS/MUCHAS, POCOS/POCAS } + [NOMBRE] + [LOCALIZACIÓN]

🔊 **¿Hay un** libro debajo de la mesa?
💬 **Hay dos** libros debajo de la mesa.

🔊 **¿Hay una** caja en el pasillo?
💬 **Hay muchas** cajas en el pasillo.

EL/LA/LOS/LAS + [NOMBRE] + ESTÁ(N) + [LOCALIZACIÓN]

🔊 ¿Dónde **está el** lavabo?
💬 El lavabo **está** a la derecha.

🔊 ¿Dónde **están los** disquetes?
💬 Los disquetes **están** debajo del libro.

LOS ADJETIVOS Y PRONOMBRES POSESIVOS §16

adjetivos	pronombres
mi	mío/a/os/as
tu	tuyo/a/os/as
su	suyo/a/os/as
nuestro/a	nuestro/a/os/as
vuestro/a	vuestro/a/os/as
su	suyo/a/os/as

🔊 ¿Éste es **mi** libro?
💬 No, este libro es **mío/el mío**.
🔊 ¿Ésta es **nuestra** mesa?
💬 Sí, esta mesa es **nuestra/la nuestra**.

CÓMO LOCALIZAR EN UN ESPACIO INTERIOR §52

delante (de)   detrás (de)

encima (de)   debajo (de)

ARTÍCULOS DETERMINADOS E INDETERMINADOS §9 y §10

¿Dónde está **el** libro?
Hay **unos** papeles por aquí.

CONTRACCIONES §9

Delante **del** armario.
Delante **de la** mesa.

GÉNERO DEL ADJETIVO §8

El cuart**o** de bañ**o** es ampli**o**.
La sal**a** de estar es pequeñ**a**.
El barri**o** / La zon**a** es aleg**re**.

CUANTIFICADORES §26

demasiad**o** vin**o**   demasiad**a** ag**ua**

much**o** vin**o**   much**a** ag**ua**

bastante vino   bastante agua

poc**o** vin**o**   poc**a** ag**ua**

PRESENTE IRREGULAR COMO DORMIR → DUERMO §36

dormir

yo	**du**ermo
tú	**du**ermes
él/ella/usted	**du**erme
nosotr**os/as**	dormimos
vosotr**os/as**	dormís
ell**os/as**/ustedes	**du**ermen

Otros verbos con la misma irregularidad:
poder, recordar, m**o**rder, m**o**ver.

12 Encuentra once diferencias entre los dos dibujos y escribe los nombres de los objetos que cambian en las casillas de abajo.

silla

nevera

lavadora

televisor

cuadro reloj

cama

	R	e	l	o	j			
v	e	n	t	A	n	a		
	S	o	f	a				
	C	a	m	a				
a	r	m	A	r	i	o		
	C	u	a	d	r	o		
t	e	l	e	v	I	s	i	o	r
	n	E	v	e	r	a		
	L	a	v	a	d	o	r	a
v	a	s	O	s				
	S	i	l	l	a			

13 En esta espiral hay veinte palabras que ya conoces. Todas están relacionadas con la casa: pueden ser verbos, objetos o partes de la casa. Descúbrelas, pero fíjate en las últimas letras de cada palabra: pueden ser las primeras de la siguiente.

dishwasher

La lengua es un mundo

14 ¡Ponte cómodo y lee este texto!

¿Dónde estás más cómodo, en un enorme **sillón** o en un **sillín** de bicicleta? ¿Te has estirado alguna vez en el **trono** [throne] de un rey? ¿Ves tu deporte favorito en los estrechos **asientos** de un estadio o sentado en tu **sofá** favorito con los pies sobre la **butaca** [armchair]? En invierno, seguro que pasas horas y horas leyendo en la **mecedora** [rocking chair] encima de un **cojín** [cushion] y, en verano, en la **hamaca** de tu jardín, ¿o eres de los que son capaces de estar en las duras **sillas** de las bibliotecas? ¿Qué **asientos** te faltan por probar? ¿La **silla** del dentista? ¿El **banquillo** [bench] de los acusados? ¿El **diván** del psicoanalista? ¿El **escaño** [bench M.P] de un diputado? ¿La **trona** de un bebé? ¿La **silla de montar** de un caballo? No te preocupes, seguro que tu **sillón** es mucho más cómodo.

Ahora, ¿puedes decirnos el nombre de estos asientos?

silla

sillín de bicicleta

sillón.

15 El sur de España

Andalucía está en el sur de España. Muchos turistas visitan la zona por sus playas, su comida y sus fiestas. La gente del sur es muy simpática y alegre. En ciudades como Sevilla, Málaga o Cádiz verás que las casas de los barrios típicos son de color blanco, también se llaman casas encaladas [whitewashed] porque se blanquean con cal [lime]. La razón de esta costumbre es muy sencilla: la cal limpia las paredes, reduce el número de insectos y evita las enfermedades. Las casas del sur de Grecia, de Italia y del norte de África también están encaladas y el motivo es el mismo.

Después de leer el texto, ¿son verdaderas (V) o falsas (F) estas frases?

	V	F
1 El sur de España atrae a muchos turistas.	✓	
2 La gente del sur de España es muy seria.		✓
3 El color blanco atrae a los insectos.		✓
4 En el sur de Italia también podemos encontrar casas encaladas.	✓	

Sillas, hamacas, sillones, tronos... todos son asientos.

Direcciones en Internet:

Instituto de la Juventud de España:
www.mtas.es/injuve

Portal de turismo en España:
www.tourspain.es

Portal de diseño:
www.designmp.es

1 Durante los meses de julio y agosto Andrew va a ir a Salamanca.
Va a vivir en casa de su amigo Juan. En esta carta Juan le explica
cómo es su piso.

Querido Andrew:

¿Cómo estás? Yo estoy bien, contento porque estas vacaciones voy
a Roma, y como tú vienes este verano a Salamanca... puedes usar
mi piso. ¡A ver qué te parece!
En mi dormitorio hay una gran cama, enfrente de la cama está la
televisión, encima hay un cuadro, y tengo el equipo de música al lado
de la ventana. Siempre escucho ópera en la cama.
El salón es muy grande y luminoso. Sólo tengo un sofá y una
lámpara al lado para leer.
La cocina es muy pequeña y hay una nevera vieja. ¡Ah! También hay
una terraza con pocas plantas, para tomar el sol cómodamente.
Bueno, escribe pronto.

Un abrazo,

Juan

Ahora, ¿puedes decirnos qué frases son verdaderas (V) y cuáles falsas (F)?

	V	F
a La televisión está en su dormitorio.	✓	
b Hay un cuadro nuevo encima del sofá.		F
c La casa tiene un dormitorio.	✓	
d La casa tiene un salón amplio.	✓	
e En la terraza hay muchas plantas.		F
f La televisión está detrás de la cama.		F

Ahora puedo:

☐ Describir las partes y los objetos de la casa
☐ Situar en un espacio interior
☐ También he aprendido otras cosas: _____

Consulta nuestra dirección en el web

5

leccióncinco5

La aldea global.
¡No te pierdas!

Cover — *Head*

vilage

La aldea global.
¡No te pierdas!

Don't get lot

¿Dónde viven
nuestros amigos?
Su ciudad es
luminosa, alegre
brighe — *happy*
y está cerca
del mar.
¿Cómo es tu
ciudad?
¿Vienes con
nosotros a
comer a un
restaurante
típico?
¡Te esperamos!

*we are
wading for
you*

En esta lección vas a aprender:

- A pedir y dar direcciones
- A localizar en un espacio exterior
- Formas de pedir en un restaurante

1 ¿Sabes cómo se llaman estos lugares? Con ayuda del cuadro
y de las pistas que te damos seguro que descubres sus nombres.

clues   give

> cibercafé • museo • hospital • centro comercial • farmacia
> parque • cine • iglesia • ayuntamiento • zona industrial • aeropuerto

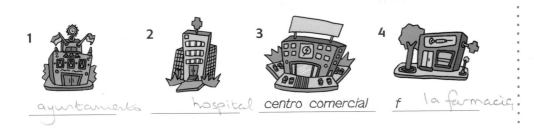

1 ayuntamiento   2 hospital   3 centro comercial   4 f la farmacia

5 c cibercafe   6 parque   7 el cine   8 zona industrial

9 el aeropuerto   10 m el museo   11 l'iglesia

Cada
ciudad
es un laberinto.
¿Quieres
un consejo?
Piérdete
en ella,
pero lleva
una guía
o un
teléfono.

2a Julián está perdido en la ciudad. Lola le da instrucciones por teléfono.
Escucha el audio y sitúa en el plano dónde se encuentra Lola
y dónde Julián.

2b Luego, marca los lugares que nombra Lola y dibuja el recorrido que hace
Julián.

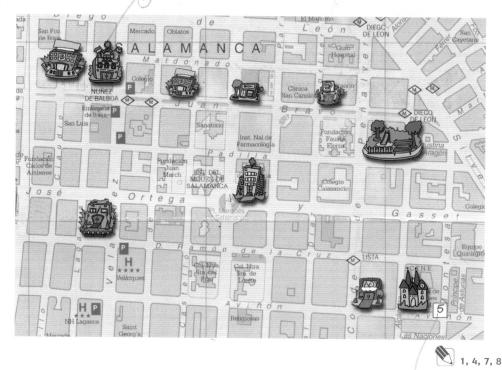

1, 4, 7, 8

3 Escucha esta conversación entre unos amigos de Lázaro. Ahora,
¿por qué no completas las frases con las palabras del cuadro?

> al lado del • lejos • del • calle • a • desde
> cerca del • al lado del • hasta • detrás de

1 José trabaja ___al lado del___ Ayuntamiento.
2 Juan trabaja un poco más ___lejos___, en la ___calle___ Huertas
3 Hay quince minutos ___desde___ la calle Huertas ___hasta___ la
casa de Juan.
4 José vive ___cerca del___ trabajo de Juan, ___al lado del___ parque.
5 Juan come en un restaurante ___detrás de___ su trabajo.
6 José come en casa porque ___del___ trabajo ___a___ su
casa sólo hay cinco minutos a pie.

4, 7, 8

4a En este restaurante tienen dos menús: el turístico y el gastronómico, con platos parecidos. Descúbrelos.

similar

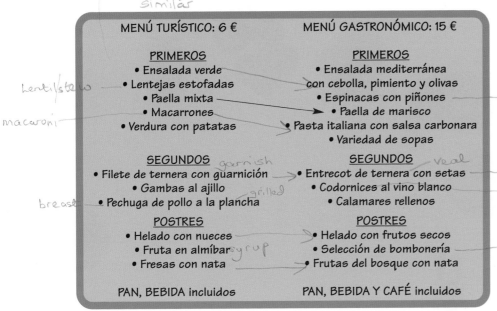

MENÚ TURÍSTICO: 6 €

PRIMEROS
- Ensalada verde
- Lentejas estofadas
- Paella mixta
- Macarrones
- Verdura con patatas

SEGUNDOS
- Filete de ternera con guarnición
- Gambas al ajillo
- Pechuga de pollo a la plancha

POSTRES
- Helado con nueces
- Fruta en almíbar
- Fresas con nata

PAN, BEBIDA incluidos

MENÚ GASTRONÓMICO: 15 €

PRIMEROS
- Ensalada mediterránea con cebolla, pimiento y olivas
- Espinacas con piñones
- Paella de marisco
- Pasta italiana con salsa carbonara
- Variedad de sopas

SEGUNDOS
- Entrecot de ternera con setas
- Codornices al vino blanco
- Calamares rellenos

POSTRES
- Helado con frutos secos
- Selección de bombonería
- Frutas del bosque con nata

PAN, BEBIDA Y CAFÉ incluidos

Lentils/stew
macaroni
garnish
breast
grilled
syrup
pine nuts
veal
mushrooms ¿quail?
¿chocolates?

4b Julián y Lola están en el restaurante y comen el menú turístico.
¿Por qué no ayudas al camarero a tomar nota de la comida?

El Rey
de la Gamba

paella
pollo
vino tinto
frutas en
melocoton.
almibar

El Rey
de la Gamba

macarrones
filette de ternera
fresas con
nata.
vi
vino tinto de la casa

4c Junto a Lola y Julián, en otra mesa, hay tres personas. Ellos han elegido el menú gastronómico. Vamos a escuchar qué quieren comer.
Toma nota de los platos; el camarero necesita tu ayuda.

	Primer plato	Segundo plato	Postre	Bebida
Señor 1.º	Espinacas con piñones	~~pescado~~ paella	helado solo	vino blanco
Señora	Sopa de almendras	calamares relleno	helado solo	vino blanco
Señor 2.º	Espinacas con piñones	entrecot	helado solo	vino blanco

2, 3, 5, 6

Aprende
a guiarte
en la ciudad.
Lee
los mapas
y da
indicaciones
a los
demás.

5 Relaciona los alimentos y los productos con la fotografía correspondiente.

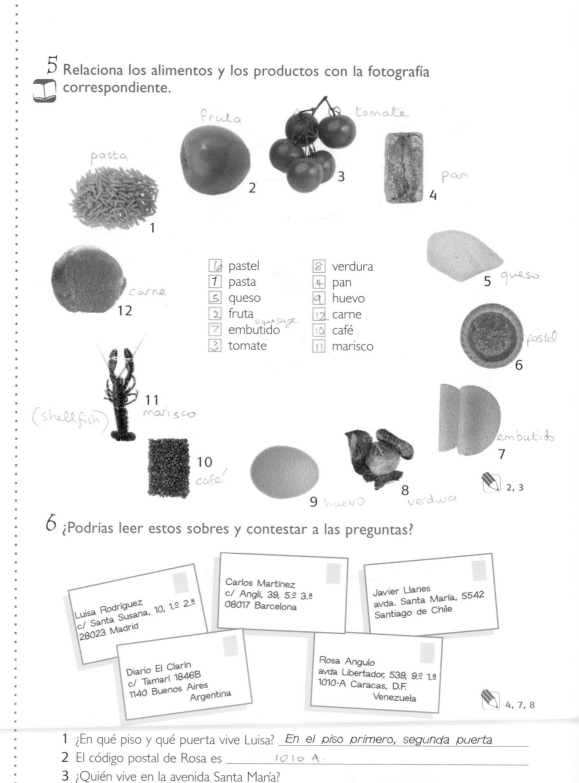

pasta

fruta

tomate

pan

carne

queso

pastel

6 pastel
1 pasta
5 queso
2 fruta
7 embutido
3 tomate

8 verdura
4 pan
9 huevo
12 carne
10 café
11 marisco

sausage

(shellfish)

marisco

embutido

café

huevo

verdura

2, 3

6 ¿Podrías leer estos sobres y contestar a las preguntas?

Luisa Rodríguez
c/ Santa Susana, 10, 1.º 2.ª
28023 Madrid

Carlos Martínez
c/ Anglí, 39, 5.º 3.ª
08017 Barcelona

Javier Llanes
avda. Santa María, 5542
Santiago de Chile

Diario El Clarín
c/ Tamarí 1846B
1140 Buenos Aires
Argentina

Rosa Angulo
avda Libertador, 539, 9.º 1.ª
1010-A Caracas, D.F.
Venezuela

4, 7, 8

1 ¿En qué piso y qué puerta vive Luisa? _En el piso primero, segunda puerta_
2 El código postal de Rosa es ___1010 A.___
3 ¿Quién vive en la avenida Santa María?
   En la avenida Santa María vive ___Javier Llanes___
4 ¿En qué calle está el diario *El Clarín*? ___La calle Tamarí___
5 ¿En qué número de la calle Anglí vive Carlos? ___Carlos vive en el número___
                                                                              39

7 Lee estos diálogos y completa las frases que aparecen a continuación para pedir y dar direcciones. Fíjate en los ejemplos.

1 🗨 Perdona, ¿sabes dónde está el cine Yelmo?
   💬 Sí, claro. Mira. ¿Ves aquella esquina? Pues está en la siguiente esquina.

2 🗨 Por favor, quiero ir al Parque del Laberinto, pero me he perdido.
   💬 Sigues todo recto hasta aquel edificio alto de allí, y justo detrás está el parque.

3 🗨 Disculpe, para ir a la calle Velázquez, ¿puedo ir a pie o en metro?
   💬 ¡Uf!, mejor en metro. ¿Ve ese semáforo? Pues al lado hay una estación de metro.

4 🗨 ¿El Hospital Clínico, por favor? Está cerca de esta plaza, ¿verdad?
   💬 Sí, aquí mismo. Justo después de esa avenida. Está a diez minutos.
   ← Right?

5 🗨 Disculpe, busco la estación de metro Ciudad Nueva. No es ésta, ¿verdad?
   💬 No, no, ésta es Ópera. ¿Ve aquella plaza? Bien, pues todo recto y la tercera calle a la derecha.

6 🗨 Perdone, ¿hay una gasolinera por aquí cerca?
   💬 Sí, hay una no muy lejos. ¿Ve aquel semáforo?
   🗨 ¿Ése de la próxima esquina?
   💬 No, el de la siguiente esquina. Pues a mano derecha y todo recto.

Para pedir direcciones:

Perdona, *¿sabes dónde está...?*
Por favor, quiero ir al Parque del Laberinto
Disculpe, para ir a la calle Velázquez
¿El Hospital Clínico , por favor?
Disculpe, busco la estación de metro Ciudad Nueva
Perdone, _____

Para dar direcciones:

Sí, claro. *Mira, ¿ves...? Pues está en la siguiente esquina.*
Sigues todo recto hasta aquel edificio alto de allí, y justo detrás está el parque
¿Ve ese semáfora. Pues al lado hay una egación de metro
Sí, aquí mismo. Justo después de esa avenida. Está a diez minutos
¿Ve aquella plaza? Bien, pues todo recto y la tercera calle a la derecha.
Pues a mano derecha y todo recto

✎ 4, 7, 8

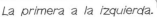

La primera a la izquierda.

Aquí
vas a
aprender
comidas
y bebidas.
¿Te apetece
algo?

8 ¿Quieres saber dónde está la catedral y el museo de arte moderno?
Fíjate en el mapa y completa la nota con las palabras del cuadro.

cerca • semáforo • ~~enfrente de~~ • al lado del • cruce
esquina • a la derecha • plaza • avenida Asturias

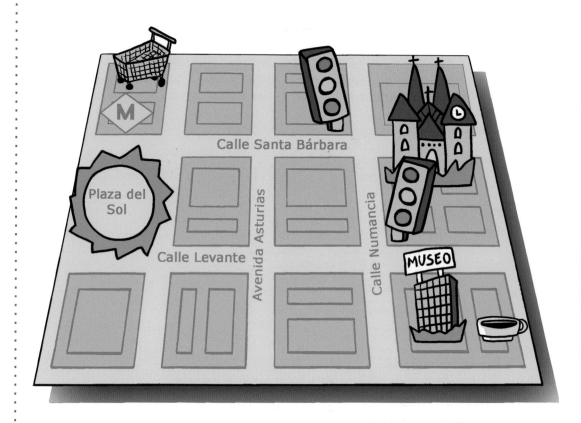

Bajas en la estación de metro de Ciudad Nueva. _Enfrente de_ la estación está la
Plaza del Sol, y detrás hay un gran centro comercial. ¡Es muy famoso! Bueno,
pues vas por la calle Santa Bárbara, cruzas la _Avenida Asturias_, sigues hasta el siguiente
semáforo y giras _a la derecha_ y ¡ahí está la catedral! ¡Es preciosa!
El museo de arte moderno está muy cerca de la catedral. Bajas la calle Numancia
hasta el segundo _cruce_ y el museo está justo en la _esquina_ de la
calle Numancia con la calle Levante. El museo está _al lado del_ el Café Oriente.
¡Es el café más antiguo de la ciudad!

1, 4, 7, 8

9 Estamos en el bar de la escuela de teatro. Escucha qué piden
al camarero e intenta poner el nombre debajo de cada dibujo.
¿Ya está? ¡Perfecto!

una jarra de
cerzeva

una lata de
coca cola

un _café_
_____

un _café_
con leche

una copa de
vino

una taza de
_té_

una tapa
de jamon

un bocadillo
_____

una bolsa de
patatas
fritas

un pincho de
tortilla

 2, 3

10a Completa el diálogo con la forma del verbo adecuada
y los números ordinales correspondientes.

CAMARERO: ¿Qué va a tomar?
CLIENTE: De (1.º) _primero_ el gazpacho de la casa.
CAMARERO: ¿Y qué (querer) _quiero_ de (2.º) _segundo_ plato?
CLIENTE: Pues... merluza a la plancha.
CAMARERO: Y de postre, ¿qué (preferir) _prefiere_ , flan o helado de vainilla?
CLIENTE: Pues (preferir) _prefiero_ el helado.
CAMARERO: ¿Y para beber?
CLIENTE: Para beber (querer) _quiero_ el vino de la casa.

 5

10b Ahora te será fácil rellenar este cuadro.

	Querer	Preferir
yo	quiero	prefiero
tú	quieres	prefieres
él/ella/usted	quiere	prefiere
nosotros/as	queremos	preferimos
vosotros/as	queréis	preferis
ellos/ellas/ustedes	quieren	prefieren

 3

Todo recto a la derecha.

PEDIR Y DAR DIRECCIONES

pedir	dar
🗨 ¿Dónde está la catedral?	🗨 Todo recto y la tercera a la derecha.
🗨 ¿Para ir a la estación, por favor?	🗨 Después de esta plaza, la primera a la derecha.
🗨 ¿La calle Alegría, por favor?	🗨 Está aquí mismo, a cinco minutos.
🗨 ¿Hay una estación de metro por aquí cerca?	🗨 Hay una en la segunda calle a la derecha.

LOCALIZAR ESPACIALMENTE EN EL EXTERIOR §52

🗨 ¿Está lejos?
🗨 No, aquí mismo, al final de la calle.

El perro está cerca del gato. El perro está cerca.

El perro está lejos del gato. El perro está lejos.

Va a pie desde su casa hasta la oficina.
De su casa a la oficina hay cinco minutos.

PEDIR EN UN RESTAURANTE

🗨 ¿Qué van a tomar?
🗨 De primero sopa y de segundo pollo con patatas.
🗨 Para mí lo mismo.

🗨 Quiero ver la carta.
🗨 Prefiero pescado.

EL PRESENTE IRREGULAR COMO QUERER → QUIERO §34

Algunos verbos de uso muy frecuente tienen formas irregulares en el presente:

	querer	pensar	entender	preferir
yo	quiero	pienso	entiendo	prefiero
tú	quieres	piensas	entiendes	prefieres
él/ella/usted	quiere	piensa	entiende	prefiere
nosotros/as	queremos	pensamos	entendemos	preferimos
vosotros/as	queréis	pensáis	entendéis	preferís
ellos/as/ustedes	quieren	piensan	entienden	prefieren

ADJETIVOS Y PRONOMBRES DEMOSTRATIVOS §17

	masculino	femenino
singular	este, ese, aquel	esta, esa, aquella
plural	estos, esos, aquellos	estas, esas, aquellas

Adjetivos demostrativos

Este/Ese/Aquel hospital es muy grande.
Esta/Esa/Aquella escuela está cerrada.

Pronombres demostrativos

Éste/Ése/Aquél es mi coche.
Ésta/Ésa/Aquélla es mi escuela.

ADVERBIOS DE LUGAR §52

Este coche de **aquí***.*

Ese coche de **ahí***.*

Aquel coche de **allí***.*

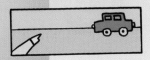

ORDINALES §19

primero/a	1.°/1.ª	sexto/a	6.°/6.ª
segundo/a	2.°/2.ª	séptimo/a	7.°/7.ª
tercero/a	3.°/3.ª	octavo/a	8.°/8.ª
cuarto/a	4.°/4.ª	noveno/a	9.°/9.ª
quinto/a	5.°/5.ª	décimo/a	10.°/10.ª

💬 *¿Dónde vives?*
💬 *En la calle Maravillas,* **5** *(número),* **9.°** *(noveno piso),* **4.ª** *(cuarta puerta).*

💬 *María y yo somos vecinas; ella vive en el* **primer piso** *y yo en* **el tercero***.*
💬 *¡Qué casualidad! Yo también vivo en el* **tercer piso***.*

¡ATENCIÓN!
El **primer** *piso / El piso* **primero**   *La* **primera** *puerta / La puerta* **primera**

11 Para descubrir el camino de vuelta a casa debes responder
a estas preguntas. Si no las recuerdas puedes consultar
la sección *Recursos*.

1 Completa: Yo (PENSAR) _pienso_

2 ¿Qué palabra falta? Este, ese, _____

3 Completa la serie: Primero, ___segundo___, tercero.

4 ¿Qué es esto? _un jamon_

5 ¿Cómo se dice "3.°"? _tercero_

6 Completa: ¿Cuál es tu coche? ___mi___ coche es éste verde.

7 ¿Qué palabra falta? ___estos___, esos, aquellos.

8 ¿Qué es esto? _una manzana_

9 Completa: Ella (QUERER) _quiere_

10 ¿Cuándo se toma el postre, al principio o al final de la comida? _al final_

11 Utiliza la palabra apropiada: Mira ___este___ árbol de aquí.

12 ¿Qué es esto? _un pollo_

13 ¿Cómo se dice "9.ª"? _noveno/a_

14 ¿Qué es esto? _un queso_

15 Utiliza la palabra apropiada: Mira ___aquel___ árbol de allí.

2, 9, 10

12 ¿La ciudad o el campo? Este texto puede ayudarte a decidir.

En el año 2025 un 65% de la población mundial, 4.500 millones de personas, va a vivir en las grandes ciudades. Las razones de este éxodo masivo desde el campo a la gran ciudad son evidentes: la comodidad y los servicios. Las ciudades dan a sus habitantes todas las ventajas de la modernidad: buenas comunicaciones, cultura, información, negocios, asistencia sanitaria, escuelas de idiomas, estadios de fútbol, etc. Sin embargo, las personas que prefieren vivir lejos de la ciudad pueden obtener la mayor parte de estas ofertas gracias a Internet. Conectados en la red pueden ir de compras, invertir en bolsa o aprender idiomas independientemente de si viven en el desierto o en un pueblecito de las montañas.

Di si las siguientes proposiciones son verdaderas (V) o falsas (F).

	V	F
1 En el año 2025, más de la mitad de la población vivirá en las ciudades.	V	
2 La ciudad ofrece más servicios que el campo. _schools._	V	
3 El texto dice que sólo hay escuelas de idiomas en las grandes ciudades.	✗	F
4 Es más fácil encontrar trabajo y diversiones en las grandes ciudades que en las zonas rurales.	V	
5 Según el texto, en muchas ciudades no hay hospitales.		F
6 Hay pocos museos en las grandes ciudades.		F
7 El texto afirma que los pueblos no tienen hospitales.		F
8 Puedes estudiar idiomas, informática y cocina conectado a la red.	V	

13 La dieta mediterránea

Los principales cultivos de la zona del Mediterráneo son el trigo, las aceitunas y la vid (uva). Estos productos básicos son los principios de la cocina mediterránea, y su éxito es fácil de explicar: el énfasis en los cereales, la fruta fresca, las verduras y el pescado. Además, no debemos olvidar dos cosas: el aceite de oliva es el mejor para cocinar, y el vino tinto ayuda a prevenir enfermedades cardíacas. En los países mediterráneos la comida es algo muy importante. Una buena digestión es una parte importante de la dieta y por eso utilizamos el tiempo necesario tanto en la preparación de la comida como en su consumo.

Después de leer el texto, decide si estas frases son verdaderas (V) o falsas (F).

	V	F
1 El trigo y las aceitunas son cultivos de la zona mediterránea.	V	
2 La carne y los productos lácteos son las piezas claves _piezas_ de la dieta mediterránea.		F
3 El vino tinto puede prevenir las enfermedades cardíacas.	V	
4 Generalmente, en los países mediterráneos se come rápido _eat fast_ y con prisas. _in a hurry_		F
5 La digestión es una fase importante en la alimentación diaria.	V	

El campo
o la montaña,
la ciudad
o el pueblo.
¡Decídete!

Direcciones en Internet:

Revista de arquitectura y arte:
www.arquitectura.com

Portal de cocina:
www.afuegolento.com

Plano de ciudades españolas:
callejero.terra.es

Evaluación

1 ¿Puedes marcar la frase correcta?

1 ¿Cuál es tu coche?
- [x] El mío es ése verde.
- [ ] El mío es aquella verde.
- [ ] El mío es éstos verde.

2 ¿Dónde trabajas?
- [ ] Todos los lunes.
- [x] En esta farmacia de la esquina.
- [ ] Una cerveza, por favor.

3 ¿Quién es tu padre?
- [ ] La tercera a la derecha.
- [ ] Mi padre es alto, rubio y un poco gordito.
- [x] Aquel señor de allí es mi padre.

4 ¿Qué quieres de segundo, carne o pescado?
- [ ] Preferimos carne.
- [ ] Preferís carne.
- [x] Prefiero carne.

5 ¿Perdone, la calle Libertadores, por favor?
- [x] La primera calle a la derecha.
- [ ] Ésta es mi casa.
- [ ] Prefiero la calle Agricultura.

6 ¿En qué piso vives?
- [ ] En la tercera piso.
- [ ] En el piso tercer.
- [x] En el tercer piso.

2 ¿Por qué no completas el diálogo entre Lola y Julián con la ayuda del cuadro?

> séptimo • cerca de • a • ciudad • allí • esquina
> aquel • enfrente • cuatro • barrio

LOLA: ¡Qué casualidad! *coincidence* He visto a María Ribas, ahora mismo. *right*

JULIÁN: ¿Sí? ¿Y qué hace por este _barrio_ ?

LOLA: Vive aquí, en el barrio, _____ la tienda de ropa de la _____ .

JULIÁN: ¿Dónde? ¿En _____ portal nuevo?

LOLA: No, _____ no. Vive _____ del Banco Español.

JULIÁN: ¿En qué piso vive?

LOLA: En el _____ _____ , es un piso alto y puede ver toda la _____ .

JULIÁN: ¡Ah, qué bien! Oye, ¿cómo va a trabajar?

LOLA: A pie, de su casa _____ la oficina hay 20 minutos.

Ahora puedo:

- [ ] Pedir y dar direcciones
- [ ] Localizar espacialmente en el exterior
- [ ] Pedir en un restaurante
- [ ] También he aprendido otras cosas: _____

Consulta nuestra dirección en el web

lecciónseis6

¡De compras!

¡Vamos de compras! Andrew no sabe dónde comprar el pan, la leche y el periódico. ¿Y tú? Juntos vais a aprender. ¡No señales con el dedo!

¡De compras!

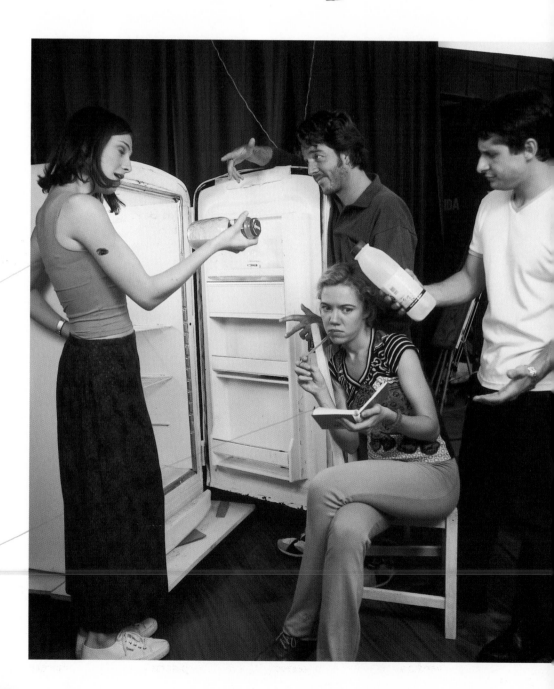

Begonia

Lola

En esta lección vas a aprender:

- A comprar en una tienda
- A describir objetos

1a La nevera de nuestros amigos está vacía. Observa atentamente la foto y señala la respuesta correcta.

a ¿Cómo están nuestros amigos?
- ☐ Alegres.
- ☐ Tristes.
- ☑ Preocupados.

b ¿Qué hace Lola?
- ☐ Compra en el mercado.
- ☑ Escribe la lista de la compra.
- ☐ Mira una botella de leche.

c ¿Qué nos enseña Andrew?
- ☐ Su camisa nueva.
- ☐ Sus pantalones nuevos.
- ☑ La nevera vacía.

d Y Julián, ¿qué mira?
- ☑ Mira a Begoña.
- ☐ Mira por la ventana.
- ☑ Mira la botella de leche vacía.

e ¿Qué tiene Begoña en la mano?
- ☐ Un libro.
- ☐ Una bolsa de patatas.
- ☑ Una botella de zumo.

f ¿Sabes qué van a hacer los chicos?
- ☐ Van a hacer un puzzle.
- ☑ Van a hacer la lista de la compra.
- ☐ Van a jugar al tenis.

1b Señala con una cruz cuáles de los siguientes alimentos deben conservarse en la nevera. fridge

fruta ☐

café ☐

carne ☒

embutido ☒

verdura ☒

queso ☒

patatas ☐

marisco ☒

Mira
qué te falta
y llena
la nevera.
Cada producto
en su sitio.
¡Vámonos
de tiendas!

2a Begoña va de compras. Escribe el nombre de las prendas con ayuda del cuadro, después escucha el audio y señala las que quiere comprar Begoña.

| camisa • guantes • falda • zapatos • bolso • pantalones • camiseta • calcetines |

1 camisa ☐   2 falda ☐   3 camiseta ☐   4 zapatos ☐

5 bolso ☐   6 pantalones ☐   7 calcetines ☐   8 guantes ☐

2b Escucha otra vez. ¿Puedes ordenar el diálogo?

☐3☐ DEPENDIENTE: ¿Qué talla tiene de falda?
BEGOÑA: La 40.

☐2☐ DEPENDIENTE: ¿Cómo las quiere?
BEGOÑA: La camisa la quiero roja, de manga corta y de algodón. La falda la quiero de color azul y larga.

☐9☐ DEPENDIENTE: De acuerdo. Pase por caja, por favor. ¿Cómo paga, en efectivo o con tarjeta?
BEGOÑA: Con tarjeta, tome.

☐1☐ DEPENDIENTE: Buenos días; ¿qué quería?
BEGOÑA: Hola, quería una falda y una camisa.

☐5☐ DEPENDIENTE: ¿Qué tal le quedan?
BEGOÑA: Bien.

☐6☐ DEPENDIENTE: Perfecto. ¿Quería alguna cosa más?
BEGOÑA: Sí, quería también unos zapatos marrones con poco tacón.
DEPENDIENTE: A ver... Acompáñeme a la sección de zapatería, por favor.

☐4☐ DEPENDIENTE: Mire, aquí la tiene.
BEGOÑA: Muchas gracias. ¿Dónde está el probador?
DEPENDIENTE: Al fondo a la derecha.

☐7☐ DEPENDIENTE: ¿Éstos le gustan?
BEGOÑA: ¡Qué bonitos! Me los pruebo ahora mismo. ¿Cuánto cuestan?

☐8☐ DEPENDIENTE: 40 euros.
BEGOÑA: Bueno pues... me lo llevo todo.

 3, 4, 5

answering machine

3a Julián tiene un mensaje de Lola en el contestador. Escucha el mensaje y señala en el cuadro las tiendas a las que tiene que ir.

estanco ☐   panadería ☐   farmacia ☐   supermercado ☐   papelería ☐
zapatería ☐   quiosco ☐   floristería ☐   droguería ☐   carnicería ☐

3b Ahora, escucha de nuevo y ayuda a Julián a completar la lista de la compra.

ramo — bunch

✓ 1 una __caja__ de galletas
✓ 2 un __paquete__ de pilas
✓ 3 tres __latas__ de atún
✓ 4 dos __bolsas__ de patatas fritas

5 un __ramo__ de flores
6 tres __barras__ de pan de cuarto
7 un __bloc__ de notas

check

3c Julián ha vuelto de la compra. Ha comprado todo en el supermercado. Escucha cómo repasa las facturas. _the bill_
¿Podrías completar la nota de Julián? ¿Sabes cuánto ha gastado? _spent_

SUPERMERCADO 653
-653-
SUPERMERCADOS
VALLDAURA, 242
08016 - BARCELONA
CIF: 0831291
Tlf.: 3350020
http://www.-653-.es

13.11.00 19:18 Tic:0371 01-0013

ELI ALBEROLA

Galletas

Latas de atún (3)

Patatas fritas

Flores de Begoña

Total . . . .

_No 27_

_4_
Pilas 1
atún 3
_P F 2_
Periódicos 1

Total. 19·45

✏️ 1, 2, 6. 14

Aprende
los nombres
de los productos,
vete
a la tienda
y no señales
con el dedo.

4a ¡Cuántas tiendas! ¿Podrías relacionar las tres columnas?
Fíjate en el ejemplo, te ayudará...

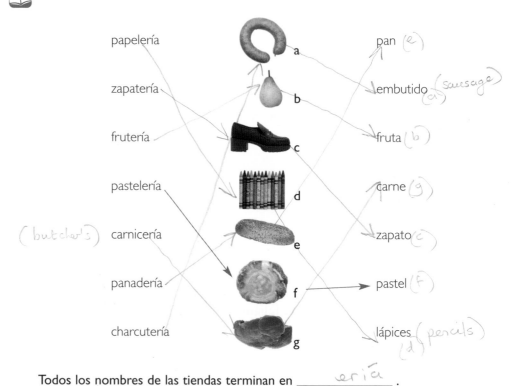

papelería

zapatería

frutería

pastelería

(butcher's) carnicería

panadería

charcutería

a

b

c

d

e

f

g

pan (e)

embutido (a) (sausage)

fruta (b)

carne (g)

zapato (c)

pastel (f)

lápices (pencils)
(d)

Todos los nombres de las tiendas terminan en _____ ería _____ .

4b Ahora, escribe los nombres de las tiendas del cuadro en el lugar
correcto.

tobacconist (1)   (5)   (9)   (3)   (7)

estanco • pescadería • bodega • zapatería • carnicería
(6) supermercado • frutería • floristería • droguería (hardware shop)

1, 2

1 estanco
2 floristería
3 zapatería

4 frutería
5 pescadería
6 supermercado

7 carnicería
8 droguería
9 bodega

5a Nuestros amigos hablan de sus preferencias pero... sus frases están desordenadas. ¿Podrías relacionar la columna A con la columna B?

A	B
1 Estos pantalones son muy anchos, *wide*	3 las busco un poco más baratas
2 Esta falda es demasiado corta,	4 lo prefiero más grande
3 Estas gafas son demasiado caras,	6 los prefiero más informales
4 Este jersey es un poco pequeño, ¿no?,	5 lo prefiero más moderno
5 Este teléfono móvil está muy anticuado,	2 la quiero un poco más larga
6 Estos zapatos son muy formales,	1 los prefiero más estrechos

5b Ahora, lee las frases anteriores y escribe las palabras de sentido contrario. Fíjate en el ejemplo.

1 *anchos* / *estrechos*
2 corta / larga
3 caras / baratas
4 pequeño / grande
5 anticuado / moderno
6 formales / informales   8, 9

6 Ésta es la ropa de nuestros amigos, ¿puedes ordenarla por colores? Fíjate en el ejemplo.

camisa   bufanda   botas   chaqueta   guantes

abrigo   gorra   pijama   cinturón   chándal   → tracksuit

traje   pantalones   zapatillas   corbata   vestido   5

rojo: *bufanda,* chándal
verde: chaqueta gorra, corbatta
azul: pantalones zapatillas
amarillo: camisa, pijama, vestido
marrón: botas, guantes, abrigo, cinturón
gris: traje

Aprende
a comprar y
a pagar
con euros.
Con la moneda
única,
¡es más sencillo!

(handwritten annotations: "Learn" above "Aprende"; "money" beside "moneda"; "simple/natural" below "sencillo")

7 Julián mira este escaparate.
Fíjate en las palabras subrayadas, sirven para comparar.

(handwritten annotations: "shop window" near top; "underline" below "subrayadas")

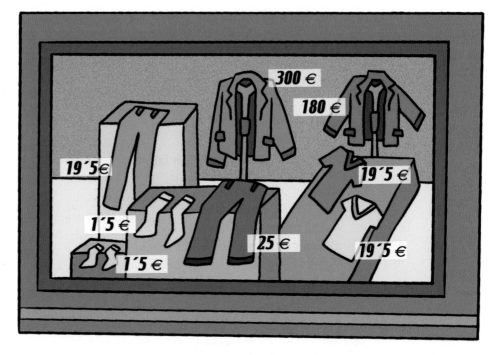

1 Los jerséis son <u>más</u> baratos <u>que</u> las chaquetas.
2 La chaqueta roja es <u>tan</u> bonita <u>como</u> la chaqueta verde.
3 El pantalón estrecho cuesta <u>tanto como</u> los jerséis.
4 La chaqueta verde es <u>la más</u> cara.
5 La chaqueta verde es <u>carísima</u>.
6 Los calcetines cortos son <u>menos</u> caros <u>que</u> la chaqueta roja.

 8 , 9

Ahora, ¿puedes observar en el dibujo la diferencia de precio entre
las prendas y escribir comparaciones como en las frases anteriores?

(handwritten annotation: "(previous)")

1 el jersey azul → amarillo. → El jersey azul cuesta _tanto como_ el jersey amarillo.
2 los calcetines largos → calcetines cortos. → Los calcetines largos son _tan_
caros _como_ los cortos.
3 el jersey azul → pantalón estrecho. → El jersey azul es _tan_ barato _como_ el
pantalón estrecho.
4 el pantalón ancho → pantalón estrecho. → El pantalón ancho es _más_ caro
que el pantalón estrecho.
5 la chaqueta roja → pantalón ancho. → La chaqueta roja _es_ más _cara_ que
el pantalón ancho.
6 los calcetines → y el jersey amarillo. → Los calcetines _son_ _más_ _barato_
que _el_ _jersey_ _amarillo_

8a Lola y Begoña van a hacer un pastel de limón. Aquí hay muchos
productos, escribe el nombre debajo de cada dibujo.

> naranjas • botella de vino • docena de huevos • paquete de sal
> botella de aceite • paquete de harina • limones • paquete de arroz
> mantequilla • zumo de limón • sobre de levadura • nata
> lata de aceitunas • tableta de chocolate

12 nata

2 botella de vino

paquete de arroz 8

3 paquete de harina

sobre de levadura 11 (yeast)

9 mantequilla

lata de aceitunas 13

limones 1

docena de huevos 7

10 tableta de chocolate

paquete de sal 14

5 botella de aceite

6

4 zumo de limón

naranjas

8b Ahora escucha el diálogo y marca los productos que necesitan
para hacer el pastel.

Para hacer el pastel de limón, necesitan:

_____ un _____ kilo de limones, _____ dos _____ naranjas, _____ un _____ paquetta de harina,
_____ media _____ 6 de huevos, _____ 50 gramos _____ de mantequilla,
_____ un sobre _____ de levadura, _____ un _____ poco de sal y _____
_____ 400gramos de nata.

6, 14, 15

¿Cuánto cuesta?

COMPRAS

QUIERO/QUERÍA		Quiero un diccionario de español.
¿TIENEN		¿Tienen diccionarios?
¿NO TIENEN	+ [OBJETO] (?)	¿No tienen diccionarios?
¿PUEDO VER		¿Puedo ver ese diccionario?

	ES?	¿Cuánto es esto?
¿CUÁNTO +	VALE(N)?	¿Cuánto vale esta chaqueta?
	CUESTA(N)?	¿Cuánto cuestan estos zapatos?

¿QUÉ PRECIO TIENE(N)?   ¿Qué precio tiene esta camisa?

¿ME COBRA?   ¿Me cobra, por favor?

COMPARACIONES §53

Adjetivos y sustantivos §54

OBJETO + { MÁS / MENOS } +[ADJETIVO]/[SUSTANTIVO] + QUE + [OBJETO]

Este jersey es más/menos moderno que aquél.
Esta corbata cuesta más/menos dinero que ésa.

[OBJETO] + TAN/TANTOS + [ADJETIVO]/[SUSTANTIVO] + COMO + [OBJETO]

El vestido es tan caro como los pantalones.
Tus calcetines tienen tantos agujeros como los míos.

Comparativos irregulares §55

más bueno → mejor   más malo → peor

[OBJETO] + { MEJOR / PEOR } + QUE + [OBJETO]

El vestido es mejor/peor que el jersey.

Para el tamaño §55

Se pueden usar las dos formas:

más grande o **mayor**.

más pequeño o **menor**.

La casa es más grande/mayor que el piso.
El piso es más pequeño/menor que la casa.

Para la edad §55

Sólo se pueden usar: **mayor** o **menor**.

Mi hermano es mayor/menor que yo.

SUPERLATIVO §56

Superlativo absoluto

MUY + [ADJETIVO]

caro/a → **muy** caro
interesante → **muy** interesante

[ADJETIVO] + -ÍSIMO/A

bueno/a → buen**ísimo/a**
difícil → dific**ilísimo/a**

¡ATENCIÓN!
La última vocal del adjetivo desaparece.

Superlativo relativo

EL/LA/LOS/LAS + (SUSTANTIVO) + MÁS/MENOS +[ADJETIVO] + DEL/DE LA

El (cuadro) más/menos caro del mundo.
La (chaqueta) más/menos barata de la tienda.

PRONOMBRES DE COMPLEMENTO DIRECTO §12

	masculino	femenino
singular	lo	la
plural	los	las

- *Quería **un abrigo**.*
- *¿Cómo **lo** quiere?*
- *¿De qué color quiere **la chaqueta**?*
- ***La** quiero azul.*
- *Tengo **unas faldas** azules muy bonitas.*
- *¿**Las** puedo ver?*

EL USO DE ¿QUÉ? Y ¿CUÁL? §21

Preguntas para elegir entre elementos de distinta especie
¿QUÉ + [VERBO]?

¿Qué quieres un jersey o una falda?

Preguntas para elegir entre elementos de la misma especie
¿QUÉ + [SUSTANTIVO] + [VERBO]?
¿CUÁL + [VERBO]?

Tengo dos camisas, una blanca y otra gris.
¿Qué camisa prefieres?/¿Cuál prefieres?

DESCRIBIR OBJETOS

Una camisa verde
{ de algodón.
de 3.000 pesetas.
de manga larga.

Un anillo
{ de oro.
con un diamante.
como ése de ahí.

NÚMEROS A PARTIR DE 100 §18

100	cien
101	**ciento** uno
200	doscient**os/as**

La lengua es un juego

9 Rellena esta rueda con los nombres de los productos de los dibujos. ¡Fíjate! El final de una palabra puede ser el principio de la otra.

zapato   tomate   chandal   anillo

a t o m a t e f r u t a b a c o ch a n d a l i b r o r ch o q u e t p b s g o r a c a p a c i l l o z

tobaco

libro

abrigo

gorra

parillo

fruta

10a ¿Sabes cómo se llaman estas formas geométricas? Ordena las letras y aprenderás a describir objetos

adjective

1 c d a / a o / ru d   <u>cuadrado</u>

2 i r / t l u / og na   <u>triángulo</u>

3 c o / o c i / u l   <u>círculo</u>

4 t l / ra / o / e g / n / cu   <u>rectángulo</u>

5 g a / r l / re / r i u   <u>irregular</u>

10b Ahora que conoces los nombres de las formas, ¿puedes completar estas frases?

noun

a Tiene forma de _<u>cuadrado</u>_ o es cuadrangular.
b Tiene forma de _<u>triángulo</u>_ o es triangular.
c Tiene forma de _<u>círculo</u>_ o es circular.
d Tiene forma de _<u>rectángulo</u>_ o es rectangular.
e Tiene forma _<u>irregular</u>_.

6

The tongue is a word

11 Ir de compras puede ser muy divertido. Después de leer este texto seguro que nos entiendes mejor. Puedes usar el diccionario.

enjoyable

Hoy en día podemos hacer la compra de distintas maneras. Aquí hay algunas: se puede comprar como las **abejas**, compras tranquilamente de tienda en tienda; como las **hormigas**, compras una sola vez al mes y llenas la despensa; como la **cigarra**, no compras, llamas por teléfono a la pizzería; como el **león**, eres el rey de la tienda y compras todo, todo, todo; como la **jirafa**, compras lo mejor de lo mejor: el tallo más tierno de la copa de los árboles; como la **hiena** o el **buitre**, el vecino hace la compra y tú comes en su casa; y, por último, como el **águila**, que está siempre alerta y es capaz de ver a kilómetros de distancia lo que busca. Cada manera tiene sus ventajas y sus inconvenientes. ¿Conoces alguna más? ¿Cuál prefieres?

Nowadays different ways Larder bees neighbour advantage alert sweet trees best of the best stem

Ahora, ¿puedes escribir el nombre de estos animales?

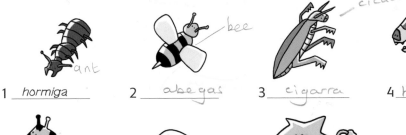

ant · bee · cicada

1 _hormiga_ 2 _abejas_ 3 _cigarra_ 4 _hiena_

eagle · vulture

5 _jirafa_ 6 _águila_ 7 _león_ 8 _buitre_

12 Imagina que una lluvia de fruta, dulces y regalos cae sobre tu cabeza... Vamos a resolver el misterio. Puedes usar el diccionario.

rain · fall · parcel · inside · a pot of clay

El misterio se llama piñata. La piñata es una tradición de origen italiano. Luego pasó a España y a Latinoamérica. La elaboración de una piñata es muy sencilla: primero elegimos una olla de barro y ponemos dentro fruta, dulces y pequeños regalos; a continuación la envolvemos en papel de periódico; luego la colgamos de un árbol o de un lugar alto. ¿Ya está? No, ahora empieza lo divertido: escogemos un niño de la fiesta, le vendamos los ojos, le ponemos un palo en las manos y le damos tres vueltas para que pierda la orientación. El niño rompe la piñata con el palo para disfrutar de la lluvia de regalos y dulces. Desde hace más de 450 años, los niños del mundo hispánico han disfrutado en las fiestas con la piñata.

passed to · we wrap · simple · we hang · we choose · blindfold · turns · lose · break · For more than 450 years

Contesta ahora a estas preguntas y consulta luego las soluciones.

¿Cuál es el origen de la piñata? ___de origen italiano___

¿Qué contiene una piñata? ___contiene fruta, dulces y pequeños regalos___

¿Con qué se rompe la piñata? ___con un palo___

¿Cuántas vueltas da el niño que va a romper la piñata? ___El niño da tres vueltas___

Dime
dónde compras
y te diré
quién eres.

and I'll tell you who you are

Direcciones en Internet:

Compras por Internet:
www.elcorteingles.es

Compra de libros
por Internet:
www.bol.es

Compras por Internet:
www.terra.com/compras

Evaluación

1 Lee y completa el texto con: nombres de tiendas, nombres de productos, comparativos y pronombres.

En mi ciudad hay un gran centro comercial. La carne siempre ___la___ compro en la ___carnicería___ porque es muy buena y ___más___ barata ___que___ en otros centros. La ___frutería___ tiene todo tipo de frutas; ¡hasta tienen papaya! Aunque la *Although* mayoría de las tiendas son muy baratas jamás compro ___todo___. ¡La pescadería es *es cacera* ___cacera___! Y la calidad no es demasiado buena.

Muchos días paseo por el centro comercial. Si busco zapatos, voy a la ___zapatería___ *Tacón* porque los precios son ___los___ ___más___ baratos de la ciudad.

Si tengo que hacer un regalo voy a la ___librería___ *Rítaca* porque tienen casi todos los libros que existen. A veces voy a la ___joyería___, pero las joyas son ___más___ caras ___que___ los libros y no siempre tengo tanto dinero. *so much*

La ropa también ___le___ compro allí. Ahora mismo acabo de comprar una ___falda___, tenían muchas en la tienda y dudaba entre una gris y otra roja. Al final me quedé la roja. ¡Creo que el rojo me sienta mejor! *suits me better* *doubting*

2 ¿Cuál de las tres respuestas es la correcta?

1 ¿Compramos manzanas?
- [ ] Vale, ¿en la nueva joyería?
- [x] Bueno, ¡pues vamos a la frutería!
- [ ] No podemos, la pescadería está cerrada.

2 ¿Cuántos años tiene este edificio?
- [x] Casi doscientos años.
- [ ] Yo diría que trescientas años.
- [ ] Unas doscientas años.

3 ¿Cuánto dinero ha ganado Begoña en la lotería?
- [ ] Cuatrocientas millones.
- [ ] Cuatrocien millón.
- [x] Cuatrocientos millones.

4 ¿De qué color quiere los pantalones?
- [ ] Las quiero negros.
- [ ] Lo quiere negros.
- [x] Los quiere negros.

5 ¿El precio de mi televisor es el mismo que el del tuyo?
- [ ] Sí, es más barato como el tuyo.
- [ ] No, es menos barato como el tuyo.
- [x] No, es más barato que el tuyo.

6 ¿Está bueno el pastel de Lola?
- [ ] Sí, está menos bueno.
- [ ] Sí, está más buenísimo.
- [x] Sí, está buenísimo.

Ahora puedo:

- [ ] Expresarme cuando entro a comprar en una tienda
- [ ] Describir objetos
- [ ] También he aprendido otras cosas: _____

Consulta nuestra dirección en el web

1 Estos amigos están hablando del barrio. ¿Quieres saber qué dicen?
Completa el diálogo con las palabras del cuadro.

> barrio • comida • supermercado • tienda • ropa
> piso • parque • cine • películas • calle

🗨 Hombre, tú por aquí. ¿Qué tal tu nuevo barrio?

🗨 ¡Muy bien! Estoy muy contenta.
Es un ___barrio___ antiguo, pero parece que hay muchos servicios.

🗨 Uy, sí. Mira, a unos cinco minutos está el ___supermercado___.
Allí compramos casi toda la ___comida___.

🗨 Muy cerca, ¿no?

🗨 Sí, y un poco más lejos está el ___parque___.
Los niños van a jugar allí todas las tardes.

🗨 Y la farmacia. ¿Está muy lejos?

🗨 No, no. Está al lado de mi ___piso___. Y ¿ya conoces el ___cine___?

🗨 Pues no. ¿Dónde está?

🗨 En la ___calle___ San Miguel, delante del Banco Central. Las ___películas___ son muy
buenas, pero los sábados y los domingos siempre hay mucha gente.

🗨 Oye, por cierto. Yo no sé dónde comprar la ___ropa___.

🗨 Pero si hay una ___tienda___ muy barata en la calle del Mar.
Yo siempre voy allí. Si quieres podemos ir juntas.

🗨 Muy bien, perfecto.

Así puedes aprender

Observa la forma en que Begoña ha organizado este mapa de palabras.
Fíjate en las diferentes formas de relacionar las palabras:
- por el tema (*ropa, camisa, falda*)
- por derivación (*comedor, comida, comer*)

¿Te parece útil para recordar el vocabulario?
Intenta ampliar este mapa con más palabras.
También puedes crear nuevos mapas sobre otros temas.

2 Completa estas frases con la forma correcta del tiempo del verbo indicado entre paréntesis.

Excuse me

pueblo (village)

1 Disculpe, ¿cuánto (VALER) __valen__ estos pantalones?

2 ¿Qué (QUERER, ustedes) __quieren__ de primer plato?

3 ¿Qué (PREFERIR, tú) __prefieres__, carne o pescado?

4 En la habitación de mi hotel no (HABER) __hay__ cuarto de baño.

5 El ayuntamiento (ESTAR) __está__ en la plaza principal del pueblo.

6 En esta ciudad (HABER) __hay__ muchos teatros.

7 ¿(TENER, ustedes) __Tienen__ camisas de manga larga? (shirt)

8 Mi marido y yo siempre (COMPRAR) __compramos__ la fruta en el mercado.

9 Mis hermanos pequeños (DORMIR) __duermen__ en la misma habitación.

10 ¿Qué talla (TENER, usted) __tiene__?

3 Selecciona la opción más adecuada. (suitable/appropriate)

| derecha • encima • lado |

1 💬 Disculpe, ¿el Museo de Historia?
   💬 Sí, está aquí mismo. Siga todo recto y la primera a la __derecha__.

| está/ hay • hay/ está • hay/ están |

2 💬 ¿__Hay__ un banco por aquí cerca?
   💬 Sí, __está__ en esa calle.

| primero • beber • postre |

3 💬 Y de __postre__, ¿qué quiere?
   💬 Un trozo de pastel de chocolate, por favor.

| baratísimos • carísimo • carísimos |

4 💬 Estos pantalones son muy caros.
   💬 Sí, son __carísimos__

| primera cuarto (1.ª, 4.º) • cuarto primero (4.º, 1.º) • cuarto primera (4.º, 1.ª) |

5 💬 ¿Dónde vives?
   💬 En la avenida San Juan, número 341, __cuarto primeria (4° 1ª)__ (el piso

Reflexiona sobre tu trabajo en estas tres lecciones:

He aprendido   ☐ mucho   ☐ bastante   ☐ poco
Las actividades me han parecido ☐ fáciles ☐ difíciles ☐ muy difíciles

Lo que más me ha gustado es _____

Lo que menos me ha gustado es _____

Ahora quiero aprender más cosas: _____

bloquetres3

lección7
lección8
lección9

Lección 7

Despierta, despierta.

Lección 8

Y tú...

Lección 9

Reunión

7

lección siete 7

Despierta, despierta.
Los días y las horas

Lección 7 En portada

Comienza
un nuevo día.
¿Qué vas
a hacer hoy?
Salta de
la cama
y prepárate
para tus citas.
appointments / meetings

Pero recuerda
que nosotros
te esperamos
a cualquier
hora. _any hours_

Despierta, despierta.
Los días y las horas

En esta lección vas a aprender:

- Cómo hablar de acciones habituales
- Cómo hablar de horarios — timetable.

1a Nuestros amigos pasan muchas horas al día juntos.
Fíjate en la foto y contesta a las preguntas.

1 ¿Qué momento del día es?, ¿por la mañana, por la tarde o por la noche? *Es por*
   la mañana

2 ¿Qué hacen nuestros amigos? *Nuestros amigos* estar desayunando

3 ¿Qué desayunan? Fíjate en lo que tienen encima de la mesa café, te, pasteles
   te , pastas , fruta y zumo

4 ¿Crees que alguno de ellos tiene prisa? ¿Quién? _____

1b ¿En qué momento del día acostumbramos a hacer
las acciones del cuadro?

to have tea

| despertarse • ducharse • afeitarse • cenar • merendar • leer en la cama |
| ir a pasear • acostarse • dormir • vestirse • ir de fiesta • ir de compras |

Por la mañana	Por la tarde	Por la noche

Por la mañana	Por la tarde	Por la noche
despertarse	merendar	cenar
ducharse	ir a pasear	leer en la cama
afeitarse	~~ir de compras~~	acostarse
vestirse		dormir
ir de compras		ir de festa

¿Qué hora es?
Vamos
a pasear
por las horas
del reloj.
¡Date prisa,
que es tarde!

2a Al vecino de nuestros amigos se le ha estropeado la radio.
Escucha qué ocurre cuando llama al servicio de reparación.
¿Puedes rellenar ahora estos cuadros?

¿Cuándo puede el técnico?	¿Cuándo puede el vecino?	¿Cuál es el horario del taller?
1 _a las 16:30_	3 _a las 18.30_	5 _9.00_
2 _a las 12.00_	4 _10.30_	6 _16.30_

2b Ahora, vuelve a escuchar el audio y completa el cuadro
con las actividades del vecino.

Hoy a las 4:30 _va al médico_

Mañana a las 9:00 _compra en el supermercado_

Después _limpian un poco la casa_

Mañana a las 12:00 _sala de casa para_
ir a trabajar

12

3 La madre de Begoña está en un viaje organizado. Escucha cómo la guía
turística da el horario de las actividades para hoy. Luego puedes
completar el cuadro.

Actividad	Inicio	Final
_____	- - - - - - -	9.00
Visita a _____	_____	11.45
Visita a la fábrica de _____	12.30	_____
Visita a la _____	_____	20.30
Fiesta de _____	22.00	- - - - - - -

12

4 Escucha los diálogos y escribe al lado de los números
las distintas horas que oyes.

1   *A las 2*
2 _____
3 _____
4 _____
5 _____
6 _____
7 _____
8 _____

5 Escucha estos diálogos y señala las horas que oigas.

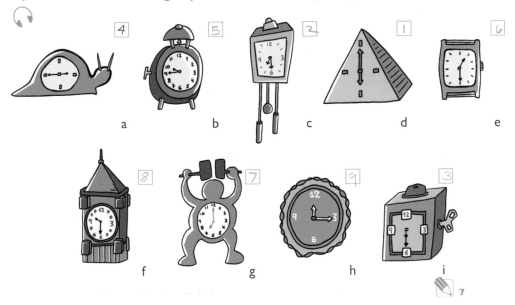

4   5   2   1   6

a   b   c   d   e

8   7   9   3

f   g   h   i

6 Ana está hablando de Lola y de Begoña con una amiga suya.
Escucha el audio y completa lo que dice Ana.

1   *Lola*   sale de casa a las nueve y media ____*casi siempre.*_____
2 _____ va al gimnasio _____
3 _____ sale con Lola _____ a las nueve y media.
4 _____ trabaja _____
5   *Ellas* tienen ensayo _____ los martes y jueves.
6 _____ comen _____ en un bar.
7 _____ compran _____
8 _____ de Ana compra _____ por la mañana.

1, 2, 3, 13

¿Qué estás
haciendo?
Si quieres
contestar
a esta pregunta...
¡Deja
lo que estás
haciendo
y ven
con nosotros!

7 ¿Qué están haciendo estas personas?

1 El señor mayor con gafas (LEER) __está leyendo__ un libro.
2 La señora joven morena (BUSCAR) _está buscando_ algo en el bolso.
3 El abuelo (FUMAR) _está fumando_ un cigarrillo.
4 El niño moreno (COMER) _está comiendo_ un bocadillo.
5 El niño rubio (LLORAR) _está llorando_
6 El chico de la izquierda (LEER) _está leyendo_ el periódico.
7 El perro (LADRAR) _está ladrando_ al gato.
8 La chica sentada a la derecha (ESCUCHAR) _está escuchando_ música.
9 La chica morena de pelo corto (HABLAR) _está hablando_ con una amiga.
10 Todos (ESPERAR) _estan esperando_ el autobús.

barking

 9, 10, 11

8 ¿Recuerdas a la madre de Begoña? Quiere saber qué están haciendo
su hija y sus amigos. Anótalo después de escuchar el audio.

1 Begoña está _____ la tele.
2 Andrew y Julián están _____ .
3 Lola está _____ .
4 La madre está _____ .

 9, 10, 11

9a ¿Qué decimos en las siguientes situaciones? Lee con atención
los diálogos. En todos hay una pista que te puede ayudar.

¿qué hora es? • ¿me puede decir la hora, por favor?

1
● Oye _¿qué hora es?_ . Es que me he dejado el reloj en casa.
◌ Son las once y media.
● ¡Qué bien! Es la hora del descanso.

¿tienes hora? • ¿tiene hora?

2
● Perdone, _¿tiene hora?_
◌ Sí, las seis y cuarto.
● Gracias.
◌ De nada.

¿tiene hora, por favor? • ¿qué hora es?

3
● Ramón, la reunión va a empezar ya. Prepárate.
◌ Uy, pero _¿qué hora es?_
● Las cinco.
◌ ¿Las cinco? ¿Ya? ¡Qué rápido pasan las horas!

¿me puede decir la hora, por favor? • ¿me puedes decir la hora?

4
excuse ● Disculpe, _¿me puede decir la hora, por favor_
_me_ ◌ Sí, claro. La una menos veinte.
● Gracias.
◌ De nada.

¿tienes hora? • ¿tiene hora?

5
● Julia, _¿tienes hora?_
◌ Son las cuatro menos cuarto.
● ¡Qué tarde! Y todavía quedan cosas por hacer.

9b ¿Puedes identificar en qué diálogos hablan de _tú_ o de _usted_?

1 En los diálogos 1, 3 y 5 hablan de _tú_ .
2 En los diálogos 2 y 4 hablan de _usted_

 4

Lección 7 Primer plano

¿Te levantas
cada día
a la misma hora?
¿A qué hora
te acuestas?
Aprende con
nosotros a
expresar
lo que haces
todos los días.

10a Fíjate en estas viñetas y ordénalas. Después, con la ayuda del cuadro, escribe el verbo correcto debajo de cada dibujo.

14:00	08:00	24:00	07:10
a	b	c	d
9 comer	7 salir de casa	12 acostarse	3 ducharse

07:20	20:30	07:00	07:30
e	f	g	h
4 vestirse	11 mirar las noticias	1 despertarse	6 desayunar

de 08:30 a 19:00	07:05	20:00	07:25
i	j	k	l
8 trabajar	2 levantarse	10 cenar	5 peinarse

despertarse • levantarse • ducharse • vestirse • peinarse • desayunar
salir de casa • comer • trabajar • mirar las noticias
cenar • acostarse

10b Después de mirar los dibujos, ¿puedes responder a estas preguntas?

1 ¿A qué hora se despierta? _Ana se despierta a las siete._
2 ¿A qué hora come? _Ana come los dos_
3 ¿A qué hora trabaja? _Trabaja de ocho y media hasta las siete_
4 ¿A qué hora mira las noticias? _a las ocho y media_
5 ¿A qué hora cena? _a las ocho_
6 ¿A qué hora se acuesta? _acuesta a las doce_

1, 2, 3, 5, 6

11 Completa los siguientes diálogos
con la forma correcta de los verbos del cuadro.

decir • tener • vestirse • hacer • ponerse • repetir
venir • pedir • seguir • levantarse

1 Cada día _se levanta_ a las siete.
2 Yo nunca ___digo___ mentiras.
3 Su hermana ___tiene___ muchos vestidos.
4 ¿Cómo ___te vistes___ tú para ir a la fiesta?
5 Siempre ___hago___ lo que me dices.
6 ¿(Yo) ___me pongo___ estos pantalones o esa falda?
7 Tú siempre ___repites___ mis frases.
8 ¿Y a qué hora ___vengo___ yo?
9 Su hermano siempre ___pide___ dinero.
10 Sí ya lo sé. Yo ___sigo___ a ese coche.

 12

12 ¿Puedes encontrar los días laborables?

S	E	I	A	M	D	M
I	T	L	B	I	O	I
F	A	R	N	E	J	L
M	A	V	E	R	U	U
A	L	D	A	C	E	M
J	U	U	B	O	V	R
O	E	S	N	L	E	R
M	A	R	T	E	S	N
V	I	C	R	S	S	E
I	T	U	R	S	L	V
V	I	E	R	N	E	S

Son las dos menos cuarto. Llegas tarde.

HABLAR DE ACCIONES HABITUALES

TODOS + { LOS DÍAS
LOS MESES
… }

TODAS + { LAS MAÑANAS
LAS SEMANAS
… } + [PRESENTE DE INDICATIVO]

NORMALMENTE

Todos los días me lavo los dientes.

PRESENTE IRREGULAR e → i §35

vestir(se)

(me)	v**i**sto
(te)	v**i**stes
(se)	v**i**ste
(nos)	vestimos
(os)	vestís
(se)	v**i**sten

Otros verbos de la misma irregularidad:
pedir, decir, reír, repetir, seguir.

REFERENCIAS §51 TEMPORALES

por la mañana
al mediodía
por la tarde
por la noche
de madrugada
de día
de noche

Por la mañana escucha las noticias de la radio.

VERBOS PRONOMINALES §13

lavarse

me	lavo
te	lavas
se	lava
nos	lavamos
os	laváis
se	lavan

Otros verbos pronominales:
acordarse, peinarse, levantar**se**, duchar**se**, vestir**se**, acostar**se**.

Diferencia entre lavar y lavarse

Luis lava el coche.
Luis se lava los dientes.

PRESENTE IRREGULAR EN LA 1.ª PERSONA -go §37

salir

sal**go**
sales
sale
salimos
salís
salen

Otros verbos irregulares terminados en -go:

decir → di**go**, dices…
tener → ten**go**, tienes…
venir → ven**go**, vienes…
hacer → ha**go**, haces…
poner → pon**go**, pones…

ESTAR + GERUNDIO §41

estoy
estás
está
estamos
estáis
están
} + [GERUNDIO]

*El niño **está esperando** en la puerta.*

Formación del gerundio
trabaj**ar**   com**er**   viv**ir**
trabaj**ando**   com**iendo**   viv**iendo**

Irregulares:
Leer → le**yendo**; creer → cre**yendo**; oír → o**yendo**.
Dormir → **dur**miendo; vestir → **vis**tiendo.

Forma con pronombre de *estar + gerundio*

*Está levantándo**se** = **Se** está levantando.*

CÓMO HABLAR DE LA HORA

Pedir la hora
¿Qué hora es?
¿Tiene(s) hora, por favor?
¿Me puede(s) decir la hora?

Dar la hora
(SON) LAS ocho EN PUNTO.
(SON) LAS dos MENOS / Y cuarto.
(SON) LAS tres MENOS / Y diez.
(SON) LAS siete Y MEDIA.
(ES) LA una MENOS/Y veinticinco.

PREGUNTAR POR HORARIOS §51g

- ¿A qué hora empieza la película?
- A las seis y media.

- ¿A qué hora cierran / abren, por favor?
- A las ocho y media.

MARCADORES DE FRECUENCIA

- siempre
- todos los días
- muchas veces
- normalmente
- una vez a la semana
- una vez al mes
- dos veces al año
- a veces
- casi nunca
- nunca

*Todos los lunes
voy a la piscina.*

DÍAS DE LA SEMANA

el lunes
el martes
el miércoles
el jueves
el viernes
} **la semana**

el sábado
el domingo
} **el fin de semana**

*Hoy es **martes**.*
***El martes** voy al cine.*
***Los martes** voy al cine.*

Lección 7   La lengua es un juego

13 Éstos son los símbolos que dejan los excursionistas en la montaña.
Nuestros amigos no los conocen, pero tú puedes ayudarles.
¿Podrías escribir frases para que entiendan qué significan los símbolos?
Fíjate en los modelos que damos.

hardly never

A menudo
Casi nunca
Siempre
Muchas veces
Normalmente
Nunca

Rain   Lluvia
Snow   Nieve
Landslide   Desprendimientos

dog /seals   Lobos
Snakes.   Serpientes
spiders.   Arañas

1 En esta zona no (△) __nunca__ (✳) __nieve__ .
2 En esta zona (☁, ✳) __llueve siempre__
3 ¡Cuidado! (—) __a menudo__ puedes encontrar (🕷) _____
4 Lleva agua contigo aquí (✳, ☁) __nunca llueve__ .
5 Tranquilo, se acabaron los (🌋) __desprendimientos__
6 Guarda bien tu comida aquí (✳) __normalmente__ hay (🐍) __serpientes__
7 Abrígate bien en el pico (✳, △) __siempre nieve__ .
8 Atención, (—) __a menudo__ se han visto (🐺) __lobos__ .

14 ¿Ya conoces los cuatro elementos?
Son éstos: tierra, agua, aire, fuego.
Sólo uno de ellos no nos ayuda a medir el tiempo, ¿cuál? __el aire.__

La lengua es un mundo

15 La diferencia de horario

Como ya sabes, existen diferencias entre los horarios de los distintos países de habla hispana. Cuando en España, o en Guinea Ecuatorial, son las siete de la tarde, en Argentina son las tres y en Bolivia, Venezuela o Chile las dos de la tarde. Entre España y México hay una diferencia de siete horas, u ocho en la zona del Pacífico. Cuando amanece en Tijuana, en España la gente está sentada a la mesa o haciendo la digestión. Una circunstancia curiosa: los ciudadanos de la República Dominicana y Haití, dos estados que comparten una pequeña isla, tienen sus relojes a una hora de distancia.

[handwritten notes: dawn, shared, (distance)]

Ahora, con ayuda del texto, ¿puedes marcar la hora en estos relojes cuando en Chile son las siete de la mañana?

España   Bolivia   Argentina   Guinea Ecuatorial

 12

16 Hay muchos tipos de tiendas y es difícil hablar de horarios comerciales, pero vamos a darte algunos datos generales:

En España, durante la semana, normalmente las tiendas o establecimientos comerciales abren temprano, a las ocho o nueve de la mañana, y cierran aproximadamente a las nueve de la noche. Algunas tiendas cierran al mediodía, entre las 2 y las 5.

Los fines de semana los horarios de apertura y cierre son distintos. Los sábados se acostumbra a cerrar al mediodía y ya no se abre hasta el lunes, pero hace ya años que muchas tiendas abren los sábados por la tarde.

La mayor parte de los establecimientos se toman el domingo como día de descanso. Los bares y restaurantes acostumbran a descansar entre semana, los lunes o los martes por ejemplo.

Aunque es cierto que los grandes almacenes y los supermercados siguen manteniendo los horarios clásicos, cada día hay más establecimientos que sólo cierran las horas indispensables para limpiar, ordenar y reponer los productos.

Indica si las siguientes frases son verdaderas (V) o falsas (F).   V F

a Todas las tiendas tienen los mismos horarios. ☐ ☑
b Las tiendas acostumbran a abrir los domingos. ☐ ☑
c Cada vez son más comunes los establecimientos que apenas cierran. ☑ ☐
d Algunas tiendas cierran al mediodía. ☑ ☐

 12, 13

[handwritten poem, right margin:]
La Luna y el Sol nunca trabajan juntos. ¿Sabes que cuando la mitad del planeta duerme, la otra mitad se despierta? Caprichos de la naturaleza.
[glosses: moon, middle, sleep, wake, whim, nature]

Direcciones en Internet:

Servicio de páginas amarillas:
www.paginas-amarillas.es

Búsqueda de empleo:
www.infojobs.net

Portal de Internet:
www.eresmas.com

Evaluación

1 ¿Qué has aprendido? ¡Compruébalo! Selecciona la respuesta adecuada.

[handwritten: answere / suitable]

1 ¿Tienes hora?
- ☐ A las 17.35.
- ☑ Son las 19.45.
- ☐ Dentro de 20 minutos.

2 ¿A qué hora te levantas?
- ☑ A las 9.00.
- ☐ Son las 8.15.
- ☐ Dos veces por semana.

3 ¿Qué está haciendo tu madre ahora?
- ☐ Mi madre está morena.
- ☑ Mi madre está trabajando.
- ☐ Mi madre es alta.

4 ¿Cuántas veces vas a nadar por semana?
- ☐ Voy cada día tres veces.
- ☐ Voy a comprar.
- ☑ Voy dos veces a la semana.

5 En España, ¿a qué hora se merienda? *[handwritten: afternoon]*
- ☐ Normalmente, a las 8 de la mañana.
- ☐ Normalmente, a las 9 de la noche.
- ☑ Normalmente, a las 6 de la tarde.

6 ¿Qué está haciendo Javier?
- ☐ Está enfadado.
- ☑ Está acostando a su hija.
- ☐ Están acostando a su hija.

2 Julián le explica a un amigo cómo le va por España.
¿Podrías completar el texto con las palabras del recuadro?

> va • se levantan • estudia • vamos • sale • nos levantamos
> trabaja • salen • comemos • desayunan

En España todo sigue igual.

Mis compañeros de piso son muy simpáticos, pero a veces el piso parece una casa de locos. ¡Todos tenemos horarios tan distintos!

Por la mañana Lola y Begoña _se levantan_ primero. Menos mal, porque sólo hay un cuarto de baño y es muy pequeño. _Desayunan_ y, a veces, _salen_ de casa juntas.

Andrew y yo _nos levantamos_ más tarde, a las diez. Nunca _vamos_ a la escuela de teatro antes de las once.

Muchos días _comemos_ todos juntos en un bar que está cerca de la universidad. El menú está muy bien y es barato.

Por la tarde hacemos muchas cosas. Lola _trabaja_ tres días a la semana y los otros dos días _va_ al teatro. Begoña muchas tardes _estudia_ en la biblioteca de la universidad con otros compañeros. Andrew siempre _sale_ con algún amigo. Y yo, ya me conoces, siempre tengo un montón de cosas por hacer.

Ahora puedo:

- ☐ Expresar acciones habituales
- ☐ Hablar de horarios
- ☐ También he aprendido otras cosas: _____

Consulta nuestra dirección en el web

8

lecciónocho8

Y tú...
¿qué opinas?

Y tú... ¿qué opinas?

Ya sabes que la lengua es un mundo. Ahora te toca explicar tus gustos y tus opiniones: ¿qué te apetece hacer?, ¿cuáles son tus preferencias? ¡Decídete!

En esta lección vas a aprender:

- A expresar gustos, emociones, opiniones
- Cómo explicar sensaciones físicas y dolor
- Formas para manifestar acuerdo y desacuerdo

1a Observa con atención la fotografía que tienes a la izquierda porque vamos a hacerte unas preguntas. Usa la lógica y seguro que aciertas.

1 ¿Qué están haciendo Lola y Begoña?

- [x] Lola y Begoña están discutiendo.
- [ ] Lola y Begoña están comiendo.
- [ ] Lola y Begoña están hablando.

2 ¿Qué hacen Julián y Andrew?

- [ ] También discuten.
- [x] Están escuchando y riéndose.
- [ ] Están ensayando.

3 ¿Dónde están nuestros amigos?

- [ ] En la calle.
- [x] En el teatro.
- [ ] En el cine.

4 ¿Qué tienen en las manos?

- [ ] Unos bocadillos.
- [x] El guión que están ensayando. *script — rehearsing*
- [ ] Las notas de la escuela.

5 ¿Por qué crees que discuten?

- [x] Porque opinan cosas diferentes.
- [ ] Para hacer reír a Andrew y Julián.
- [ ] Porque se aburren.

1b Después de elegir la opción adecuada seguro que puedes rellenar este resumen.

Lola y Begoña están _discutiendo_ . Julián y Andrew están _escuchando_ y _riéndose_ . Nuestros amigos están _en el teatro_ . En las manos tienen _el guión que están ensayando_ . Están discutiendo _porque opinian cosas diferentes_ .

Recuerda

El verbo **estar**

yo estoy	nosotros estamos
tú estás	vosotros estáis
él, ella y usted está	ellos están

¡Qué bueno!

¡Qué rico!

¡Me encanta!

¡Está para chuparse los dedos!

Ahora ya sabes expresar tus gustos.

2 Completa los siguientes diálogos con las palabras del cuadro. Las fotos te pueden ayudar.

| gustan • mucho • ~~gusta~~ • me • te • gusta • me • gusta • me • interesa |

 1    2   3

1 JULIÁN: Me _gusta_ mucho la pasta. ¿Y a ti?

2 ANDREW: _me_ gusta jugar al pádel con mis amigos.

3 BEGOÑA: ¿Te _gusta_ esta blusa?

   LOLA: Sí, _me_ gusta _mucho_.

4 BEGOÑA: _me_ _gusta_ este jersey.

5 JULIÁN: ¿ _te_ interesa el arte?

   LOLA: Sí, me _interesa_ mucho.

6 JULIÁN: ¡Ya están hechos los macarrones!

   ANDREW: ¡Qué bien! Me _gustan_ mucho los macarrones.

 4    5    6

3 Lola tiene un problema. Después de escuchar el diálogo, ¿puedes contestar a las preguntas?

 8

1 ¿Por qué no le ha ido bien el examen a Lola? _Porque tiene un dolor de muelas horrible._

2 ¿Lola quiere ir al dentista? _No, no quiere_

3 ¿Por qué? _le da miedo_

4 ¿Begoña y Lola han comido? _No, todavía._

5 ¿Qué tomará Lola después de comer? _Una aspriny_

6 ¿Cuántas veces ha ido Lola al dentista? _Una vez_

4 ¿Podrías escuchar estos diálogos y decir si nuestros amigos
están de acuerdo o en desacuerdo?

	Acuerdo		Desacuerdo
1	X		☐
2	☐		☐
3	☐		☐
4	☐		☐
5	☐		☐
6	☐		☐
7	☐		☐

 2, 3, 4

5 Carolina prepara un viaje a Salamanca. Hoy es el último día en su país.
Escucha el audio y señala qué ha hecho **ya** y qué no ha hecho **todavía**.

5

		ya	todavía no
1	Ha confirmado la reserva de la residencia.	☐	X
2	Ha confirmado el billete de avión.	☐	☐
3	Ha comprado ropa de verano.	☐	☐
4	Ha comprado unas sandalias.	☐	☐
5	Ha preparado la maleta.	☐	☐
6	Ha llamado a Andrew.	☐	☐
7	Ha llamado a Lucía.	☐	☐
8	Se ha despedido de la familia.	☐	☐
9	Ha revisado el pasaporte.	☐	☐
10	Ha llevado el perro a casa de su hermano.	☐	☐

Lección 8 · Primer plano

¿Te gusta
o no te gusta?
Decídete,
sobre gustos
hay mucho
escrito.

6 ¿Por qué no intentas completar los diálogos con la ayuda de las palabras que aparecen al lado?

1 🔊 ¿Has visto la final de fútbol?
   💬 No, no _me interesa_ el fútbol, ¿ _y a ti_ ?
   🔊 _A mí sí_ . No me pierdo un partido

{ me interesa
a mí sí
y a ti }

2 🔊 Hoy estrenan la última película de Berlanga.
   💬 ¿ _A ti te gusta_ Berlanga?
   🔊 No, no mucho, ¿ _y a ti_ ?
   💬 _a mi tampoco_

{ y a ti
a ti te gusta,
a mí tampoco }

3 🔊 ¿Puedes poner otro CD?, ¡esta música es aburrida!
   💬 ¡ _No te gusta_ Camarón de la Isla!
   🔊 No, el flamenco _me aburre_

{ me aburre
no te gusta }

4 🔊 ¿ _Os ha parecido_ interesante la conferencia?
   💬 No, no nos interesa el tema, ¿ _y a vosotros_ ?
   🔊 _a nosotros tampoco_ .

{ a nosotros tampoco
y a vosotros
os ha parecido }

5 🔊 ¿Tus padres ya tienen el billete de avión?
   💬 Sí, ¿ _y tu_ ?
   🔊 Yo _tambien_ .

{ y tú
también }

6 🔊 _Me parece_ que Andrew está enfadado.
   💬 Sí, _a mi tambien_

{ a mí también
me parece }

7 🔊 ¡Qué película más buena!
   💬 ¿ _Te ha gustado_?
   🔊 Sí, mucho, ¿ _y a ti_ ?
   💬 A mí _me ha parecido_ algo lenta.

{ me ha parecido,
te ha gustado
y a ti } _similar_

7 ¿Y tú cómo estás cuando te levantas? Imagínate las situaciones que te proponemos y di cómo reaccionas ante ellas.

fed up   _awake_
| s̶u̶e̶ñ̶o̶ • harto • hambre • despierto • cansado
contento • nervioso • relajado • sed |

1 7.30, suena el despertador: _Tengo sueño_
2 11.15, has tomado un café: _Estoy despierto_
3 13.30, es la hora de comer: _Tengo hambre_
4 18.20, terminas de trabajar después de ocho horas: _Estoy cansado_
5 18.50, vas a ver a un amigo: _Estoy contento_
6 20.00, todavía no has bebido nada: _Tengo sed_
7 21.00, mañana tienes una reunión importante: _Estoy nervioso_
8 22.00, tomas una ducha: _Estoy relajado_
9 24.00, te llama tu jefe para hablar de la reunión: _Estoy harto_

8

8 Después de escuchar el diálogo, ¿puedes señalar si las siguientes frases son verdaderas (V) o falsas (F)?

	V	F
1 A Julián le ha gustado mucho la obra.	☐	☒
2 Lola cree que el escenario es maravilloso por los colores.	☐	☐
3 A Julián le duele la cabeza.	☐	☐
4 A Lola también le duele la cabeza.	☐	☐
5 Julián pide una aspirina.	☐	☐
6 A Lola no le gustan las aspirinas.	☐	☐
7 Lola prefiere descansar y Julián prefiere pasear.	☐	☐

🖎 8

9 ¿Puedes transformar las siguientes frases con la ayuda del ejemplo? Fíjate en los cuadros.

ser • estar

~~serio~~ • ~~tranquilo~~ • ~~aburrido~~ • ~~alegre~~ • ~~guapo~~ • ~~nervioso~~

1 Ana no se ríe nunca. _Ana es muy seria_ .
2 Estás en una fiesta y no te gusta nada. _Estoy aburrido_
3 Andrew y Julián leen en el sofá. _A + Julián están tranquillos_
4 Lola siempre se ríe. _hola es alegre_
5 Begoña esta noche lleva un vestido de fiesta muy elegante. _Begoña esta guapa_
6 Hoy estás fumando muchísimo. _Estoy nervioso_ .

🖎 2, 3, 4, 8

10 Begoña quiere ir al cine, ¿Lola la va a acompañar? Rellena los espacios en blanco después de escuchar el diálogo.

1 Lola ___todavía___ no ___ha visto___ la película de Buñuel.
2 Begoña _____ la _____ .
3 Julián _____ ha visto la película y no le _____ mucho.
4 Begoña _____ verla antes de opinar.
5 Lola _____ .

🖎 8, 11

¿Has aprendido
mucho?
Todavía puedes
aprender más.
Sigue con
nosotros.

11 Nuestros amigos están hablando de cine, ¿quieres saber qué dicen?
¡Ordena el diálogo!

5 **a** JULIÁN: Sí, claro. La he visto muchísimas veces y nunca me aburre.
Para mí es un clásico del cine español.

4 **b** ANDREW: Sí, ¿y tú?

1 **c** JULIÁN: Oye, Andrew, ¿tú conoces algo de Almodóvar?

6 **d** ANDREW: Sí, lo sé, pero yo todavía no la he entendido bien.

7 **e** JULIÁN: Ya sabes que Almodóvar siempre ha sido un poco surrealista.

3 **f** JULIÁN: A mí me encanta Almodóvar. ¿Has visto su última película?

2 **g** ANDREW: Sí, un poco. Siempre me ha gustado mucho. Es muy interesante.
¿Y a ti, qué te parece?

6, 7

12 ¡Atrévete a completar el diálogo con los verbos del cuadro!
Después escúchalo en el audio para comprobar si lo has hecho bien.

ha parecido • has comprado • has visto • he visto • he comprado
he ahorrado • he ido

LOLA: ¡Pareces muy contento!

JULIÁN: Sí, ¡estoy contento! Porque _____ un cuadro precioso de un pintor
joven.

LOLA: ¿Ah, sí? y... ¿dónde lo _____ ?

JULIÁN: En la galería de un amigo. Todos sus cuadros son muy interesantes.

LOLA: Yo nunca _____ a una galería de arte.

JULIÁN: Pues, si quieres, vamos a la de mi amigo. Está aquí mismo.

LOLA: Vale, me apetece ver una exposición de pintores jóvenes, y... ¡quién sabe!, con el
dinero que _____ a lo mejor puedo comprar algún cuadro.

JULIÁN: Por cierto, ¿ _____ la exposición de Frida Kahlo en el Museo de Arte
Moderno?

LOLA: Sí, ya la _____ .

JULIÁN: ¿Y qué te _____ ?

LOLA: ¡Fantástica! ¡Me encanta esa pintora!

JULIÁN: A mí también.

1, 5

13 ¿Qué te parece este libro? ¿Puedes dar tu opinión?

Me gustan mucho
No me gustan mucho
Me aburren
Me interesan
Me encantan

{
los ejercicios
los diálogos
las fotos
los textos
las páginas de gramática
los dibujos
los temas
}

+ Me parecen

{
aburridos
divertidos
claros
confusos
útiles
interesantes
atractivos
}

Me encantan los diálogos. Me parecen muy divertidos.

_____

_____

_____

_____

✏ 5

14 ¿Por qué no señalas los diálogos incorrectos?
Después, escribe la respuesta correcta.

[X] 1 💬 ¿Qué te parece la nueva casa de mi primo?
💭 No me gusta nada.
💬 A mí también. _A mí tampoco_

☐ 2 💬 ¿Te gusta el conejo?
💭 ¡Noooo! ¿Y a ti?
💬 No, no, a mí tampoco. _____

☐ 3 💬 A mí, me gusta ir a la playa. ¿Y a ti?
💭 A mí también. Me encanta. _____

[X] 4 💬 No nos gusta nada comprar en esta tienda.
💭 A nosotros también. _a nosotros tampoco_

☐ 5 💬 ¿A quién le gusta el pescado?
💭 A mí no.
💬 A mí tampoco. _____

[X] 6 💬 ¿Te gusta navegar por Internet?
💭 Sí, ¿y a ti?
💬 A mí tampoco. Es muy lento. _a mí no_

☐ 7 💬 ¿No os gusta viajar en avión?
💭 No, ¿y a vosotros?
💬 No, no, a nosotros tampoco. _____

✏ 1

Recursos

Nos gusta esta blusa.

GUSTOS Y OPINIONES §45

(A mí)	ME		
(A tí)	TE	GUSTA(N)	
(A él/ella/usted)	LE	INTERESA(N)	[INFINITIVO]
(A nosotr**os/as**)	NOS +	ABURRE(N) +	[NOMBRE SING./PL.]
(A vosotr**os/as**)	OS	PARECE(N)	
(A ell**os/as**/ustedes)	LES		

¡ATENCIÓN!

El infinitivo y el nombre singular siempre van con el verbo en tercera persona del singular.

🗨 ¿Qué os parece salir esta noche?　　🗩 Nos parece bien.

🗨 ¿A ustedes les interesa el cine de acción?　　🗩 No, no nos interesa.

El nombre plural siempre va con el verbo en tercera persona del plural.

🗨 ¿Te gustan las patatas fritas?　　🗩 Sí, me gustan mucho.

SENSACIONES FÍSICAS Y DE DOLOR

		TE		
¿QUÉ	+	LE	+	PASA?
		OS		DUELE?
		LES		

🗨 ¿Qué te pasa?
🗩 Tengo frío.

🗨 ¿Qué le duele?
🗩 Me duelen las muelas.

🗨 ¿Qué os pasa?
🗩 Nos duele la espalda.

🗨 ¿Qué le pasa a Juan?
🗩 Le duele la barriga.

LA DIFERENCIA ENTRE SER Y ESTAR §42

Mi hermana **es** una chica muy tranquila, pero últimamente **está** muy nerviosa por los exámenes.

Pepe no **es** muy guapo, pero con ese traje **está** muy guapo.

MOSTRAR ACUERDO O DESACUERDO §25

Una persona coincide en algo con otra

🗨 *Me ha gustado mucho la película.*
💬 *A mí también.*

🗨 *Yo leo todas las noches.*
💬 *Yo también.*

🗨 *No me gusta hacer deporte.*
💬 *A mí tampoco.*

🗨 *Yo no fumo.*
💬 *Yo tampoco.*

Una persona no coincide en algo con otra

🗨 *No me interesa el fútbol.*
💬 *A mí sí.*

🗨 *No voy al cine nunca.*
💬 *Yo sí, siempre que puedo.*

🗨 *Me encanta viajar.*
💬 *A mí no.*

🗨 *Todos los domingos voy al teatro.*
💬 *Yo no, prefiero ir al cine.*

PRETÉRITO PERFECTO §32

yo	he	
tú	has	
él, ella, usted	ha	**+ PARTICIPIO**
nosotr**os/as**	hemos	
vosotr**os/as**	habéis	
ell**os/as**/ustedes	han	

Formación del participio pasado §28

Verbos en **-ar** → **ado**
cant**ar** → cant**ado**

Verbos en **-er** e **-ir** → **ido**
com**er** → com**ido**
ven**ir** → ven**ido**

*Lola ha **estudiado** mucho.*

Algunos participios irregulares §40

ver → **visto**, escribir → **escrito**, poner → **puesto**,
hacer → **hecho**, abrir → **abierto**, volver → **vuelto**,
decir → **dicho**.

*Ya he **visto** la película.*
*Todavía no hemos **escrito** a Julián.*

EL USO DE YA Y TODAVÍA NO §24

🗨 *¿**Ya** ha empezado la película?*
💬 *Sí, **ya** ha empezado.*

🗨 *¿**Ya** has comido?*
💬 *No, **todavía no**.*

15 Un poeta del siglo XIX creó un cuestionario al que llamaba *El retrato interno*. Es muy sencillo, sólo debes contestar a las siguientes preguntas:

- ¿Qué cualidades prefieres en el hombre? _____
- ¿Y en la mujer? _____
- ¿Cuál es tu ocupación favorita? _____
- ¿Cuál es tu color favorito? _____
- ¿Y tu flor favorita? _____
- Si no fueras tú, ¿quién te gustaría ser? _____
- ¿Quiénes son tus autores favoritos en prosa? _____
- ¿Y tus pintores y músicos favoritos? _____
- ¿Quién es tu héroe favorito de novela? _____
- ¿Cuál es tu comida favorita?, ¿y tu bebida? _____
- ¿Tienes un nombre favorito? ¿Cuál? _____
- ¿Cuál es el objeto que menos te gusta? _____
- ¿Qué personajes de la historia odias más? _____
- ¿Cuál es tu estado de ánimo actual? _____
- ¿Cuál es tu frase favorita? _____

 2, 3, 4

16 ¿Sabrías decir por qué partes del cuerpo son famosos estos personajes?

> orejas • manos • bigote • boca • ojos
> pelo • piernas • músculos • nariz

Cleopatra
_____

La Gioconda
boca

Clark Gable
orejas

Paul Newman
ojos

Pelé
piernas

A. Schwarzenegger
múscolos

Groucho Marx
bigote

Sansón
pelo

17 Lee atentamente esta noticia de periódico, y dinos qué respuestas son verdaderas. Recuerda que no es necesario que lo entiendas todo.

Una decisión inesperada

D. B, de 29 años, ha decidido irse a vivir a una residencia de ancianos. La noticia puede sorprender, pero este joven de Buenos Aires ha adoptado esta decisión después de buscar, sin éxito, un piso de alquiler durante meses. D. B se ha instalado en una de las habitaciones del centro y a cambio se encarga de la limpieza y del mantenimiento de las instalaciones. Después de dos meses de convivencia con los ancianos dice que está muy contento con su nueva residencia: "Es grande y soleada", asegura.

1 D. B está viviendo...
- ☑ en una residencia de ancianos.
- ☐ en un piso de alquiler.
- ☐ en un rascacielos.

2 D. B ha ido a vivir a un residencia de ancianos...
- ☑ porque no ha encontrado un piso de alquiler.
- ☐ porque no encontraba trabajo.
- ☐ porque le gustan los lugares exóticos.

3 La habitación de D. B...
- ☑ es grande y soleada.
- ☐ es muy bonita.
- ☐ no tiene puertas.

4 ¿Cómo se encuentra D. B en su nueva residencia?
- ☐ Un poco deprimido.
- ☑ Muy contento.
- ☐ Aún no se ha acostumbrado.

 8

18 Imagina que estás en un escenario y que tu compañero te pisa. A este actor le ha sucedido. Indica, ayudado por el cuadro, qué expresa cada rostro.

concede   suspicion   think about / reflect

dolor • sorpresa • disimulo • alegría • sospecha • grito • reflexión

 1 alegría

 2 dolor

 3 sorpresa

 4 reflexión

 5 grito

 6 sospecha

 7 disimulo   8

Direcciones en Internet:

Portal empresarial:
www.guiacom.es

Portal de turismo:
www.guiaoro.es

Revista de entretenimiento on-line:
www.guiadelocio.com

Grita, ríe, disimula, quéjate, sorpréndete. ¡Ahora ya puedes! ¿Verdad?

1 ¡Anímate a utilizar las palabras del cuadro para completar el texto!

> interesante • gusta • todavía • me interesa • músicos
> he decidido • llegado • hemos • a mí • dolor

Mi nombre es Carlos, tengo diecisiete años y _me interesa_ muchísimo la música.

Mis hermanos y yo tocamos en un grupo. La verdad es que nuestra música es un poco rara, pero a nosotros nos _gusta_ . Casi todos mis amigos son _músicos_ aficionados.

enthusiast —

Esta tarde, mi hermana pequeña ha estado escuchando un disco de Enrique Templos. ¿Lo has oído? ¡Es horrible!

still/yet —

Ella _todavía_ no ha ido a ningún concierto, pero quiere ir. Bueno... pues mi hermano Pablo y yo _hemos_ decidido ir al ensayo de unos amigos. *rehearsal* Ha sido realmente _interesante_ , pero yo he tenido un _dolor_ de espalda terrible y me he vuelto a casa. Pero cuando he _llegado_ a casa, mi hermana seguía con la música a todo volumen. No he podido soportarlo y _he decidido_ volver al ensayo.

Como ves, ¡no me gusta toda la música! *rehearsal*

2 Entre las tres posibles respuestas, ¿podrías seleccionar la correcta?

1 ¿Qué te ha parecido el concierto?
- ☑ Ha sido muy divertido.
- ☐ Ha sido muy doloroso.
- ☐ Ha sido con el brazo.

2 Tengo un dolor terrible en...
- ☐ mi casa.
- ☑ la espalda.
- ☐ el cine.

3 Me parece que llueve.
- ☐ A mí tampoco.
- ☐ A mí en el teatro.
- ☑ A mí también.

4 ¿Qué te duele?
- ☐ La cena.
- ☐ La película.
- ☑ El brazo.

5 ¿Ya has comido?
- ☑ No, no he tenido tiempo.
- ☐ Sí, he visto la obra.
- ☐ No, no he comprado el tabaco.

6 ¿Te han gustado sus canciones?
- ☐ No, me han invitado.
- ☐ Sí, me han comprado.
- ☑ Me han encantado.

Ahora puedo:

- ☐ Saludar y despedirme
- ☐ Expresar gustos y opiniones, y preguntar por ellos
- ☐ Explicar sensaciones físicas y de dolor
- ☐ Manifestar acuerdo y desacuerdo
- ☐ También he aprendido otras cosas: _____

Consulta nuestra dirección en el web

9

lecciónnueve9

Reunión
de amigos

Reunión de amigos

Hay muchas maneras de decir las cosas. En esta lección vas a aprender algunas. Cuando te reúnas con tus nuevos amigos vas a saber utilizar las expresiones adecuadas. No importa dónde vayas, siempre serás bienvenido.

En esta lección vas a aprender:

- Cómo invitar y ofrecer
- La manera de pedir cosas
- A indicar si es posible u obligatorio hacer algo

1a ¡Por fin Antonio ha ido a casa de nuestros amigos!
Están haciendo una fiesta. Fíjate bien en la foto
y di cuál es la respuesta adecuada.

1 ¿Dónde están nuestros amigos?

- ☐ En la escuela.
- ☐ En un parque.
- ☑ En casa de Lola.

2 ¿Qué hacen?

- ☐ Están estudiando.
- ☐ Están leyendo.
- ☑ Están haciendo una fiesta.

3 ¿Quién ofrece bebida a Antonio?

- ☐ Julián.
- ☑ Andrew.
- ☐ Begoña.

4 ¿Qué hacen Begoña, Lola y Julián?

- ☐ Están comiendo.
- ☑ Están brindando. — toasting
- ☐ Están bailando.

5 ¿Cómo están?

- ☐ Están llorando.
- ☐ Están tristes.
- ☑ Están alegres.

1b Señala con una cruz cuáles de los siguientes objetos puedes encontrar
en una fiesta. ¿Conoces sus nombres? El cuadro te puede ayudar.

compass   balloons   mask

bicicleta • brújula • globos • cartas • antifaz

1 artifaz ☒

2 globos ☒

3 _____ ☐

4 cartas ☒

5 _____ ☐

¡Quieres venir
a una fiesta
con nosotros?
Nos lo vamos
a pasar
muy bien.
¡Puedes traer
a tus amigos!

2a Imagina qué ocurre en la imagen.
Ahora escucha los diálogos y contesta a las preguntas.
Fíjate en el ejemplo.

1 ¿Quién ofrece zumo a Antonio?

  Andrew ofrece zumo a Antonio.

2 ¿Quién de nuestros amigos no quiere tomar nada?

  _____ no quiere _____ .

3 ¿Qué ofrece Antonio a Lola?

  Antonio le _____ _____ _____ .

4 ¿Qué contesta Lola?

  _____ , _____ . Están buenísimas.

5 ¿Cómo pide Begoña agua a Julián?

  ¿ _____ traerme un poco de agua, _____ _____ ?

6 ¿Qué responde Julián?

  Sí, _____ . _____ quieres con _____ o
  _____ hielo?

7 ¿Cómo contesta Begoña?

  Sin hielo, _____ .

8 ¿Qué les dice Antonio a nuestros amigos?

  ¿Os _____ cenar en mi casa el _____ ?

1, 6

2b ¿Puedes localizar en el ejercicio anterior las cinco preguntas que
se utilizan para **invitar** y **ofrecer**?

Invitar y ofrecer: _¿Quieres un poco más de zumo?_____

_____

_____

_____

3 Lola y Begoña están hablando para organizar la fiesta de cumpleaños de Julián. Escúchalas en el diálogo. ¿Quién hace cada cosa?

Begoña		Lola
☐	Comprar el pastel y las velas.	☒
☐	Preparar la comida.	☐
☐	Comprar el regalo de cumpleaños.	☐
☐	Llamar a los amigos.	☐
☐	Avisar a los vecinos.	☐
☐	Traer la música.	☐

4, 5, 6, 7

4a Andrew aprende nuestras costumbres. Escucha los diálogos. ¿Sabes dónde ocurren?

Hospital ☐

Aeropuerto ☐

Cine ☐

Bar ☐

4, 5, 6, 7

4b Ahora, escucha de nuevo y completa las frases.

1 En el bar __se pueden__ tirar los papeles al suelo.
2 Dentro del cine _____ fumar. Hay que salir de la sala.
3 En el hospital _____ hablar alto. Para fumar _____ salir a la calle.
4 En los vuelos nacionales _____ fumar. _____ estar una hora antes.

 4, 5, 6, 7

¿Podemos
ayudarte?
¿Te echamos
una mano?
Pide lo que
necesitas...
¡Aquí estamos!

5a ¿Puedes relacionar las preguntas con las respuestas?

a ¿Podemos coger la sillas? _chairs_
b ¿Puedo ayudarte?
c ¿Puedo cambiar de canal la televisión?
d ¿Puedo beber un poco de agua?
e ¿Puedes coger el teléfono?
f ¿Puedo llamar por teléfono?

[e] 1 Es que me estoy duchando. Cógelo tú, por favor.
[d] 2 Bebe, bebe de mi botella.
[f] 3 Por supuesto, llama.
[c] 4 Sí, cámbialo, que éste es muy aburrido. _boring_ / _move it_
[b] 5 Sí, coge la mesa de ese lado y muévela a la derecha. Así.
[a] 6 Sí, claro, cogedlas.

2, 3, 8

5b Ahora, indica en qué frases...
They ask
Piden permiso: __a   c   d   f__
Ofrecen ayuda: __b__
Piden que alguien haga algo: __e__

6 ¿Por qué no relacionas las siguientes prohibiciones
con su dibujo correspondiente?

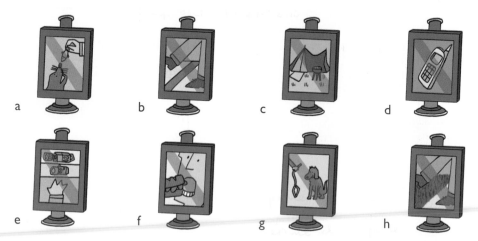

a   b   c   d

e   f   g   h

[b] Prohibido pisar el césped. _grass_
[d] Prohibido llevar teléfonos móviles.
[c] Prohibido acampar.
[a] Prohibido dar comida a los animales.

[e] Prohibido tocar/hacer fotos/filmar.
[f] Prohibido comer.
[g] Prohibido llevar animales sueltos. _free_
[h] No pasar.

 2, 3, 8

7a Lee las frases y decide si usas el **tú** o el **usted**.

a Un amigo te presenta a su novia. _Tú_
b Un amigo te presenta a su abuela. _usted_
c Te diriges a una persona mayor para pedirle una dirección. _usted_
d Te diriges a un chico joven para pedirle una dirección. _tú_
e En el autobús pides a un señor que abra la ventanilla. _usted_
f En el autobús pides a un joven que abra la ventanilla. _tu_
g Entra en tu casa el técnico para reparar la nevera. _usted_
h Entra en tu casa un amigo. _tu_
i Necesitas un lápiz y se lo pides a una señora mayor. _usted_
j Necesitas un lápiz y se lo pides a un chico joven. _tu_

 2, 3, 8

7b Ahora, busca la frase adecuada para cada situación del ejercicio anterior.

1 [a] Encantado de conocerte.
2 [g] Pase, pase.
3 [c] Perdone, ¿la calle Serrano?
4 [b] Encantado de conocerla.
5 [i] ¿Me puede dejar el lápiz, por favor?
6 [f] ¿Puedes abrir la ventanilla, por favor?
7 [d] Perdona, ¿la calle Serrano?
8 [h] Pasa, pasa.
9 [e] ¿Puede abrir la ventanilla, por favor?
10 [j] ¿Me puedes dejar el lápiz, por favor?

2, 3, 8

8 A estas respuestas les falta un pronombre, ¿puedes añadirlo?

1 ¿Puedo coger tu pelota?   Sí, claro, cóge_la_ .
2 ¿Podemos usar estos pinceles?   Sí, usad _los_ .
3 ¿Puedo utilizar tu teléfono?   Sí, utilíza_lo_ . Es todo tuyo.
4 ¿Puedo cerrar la puerta?   Sí, cierra_la_ , cierra _la_ .
5 Mamá, ¿puedo ponerme esas zapatillas? Sí, pónte_las_ .
6 ¿Me dejas tus pantalones?   Sí, cóge _los_ .
7 ¿Queréis un pastel?   Sí, dános_lo_ , por favor.

      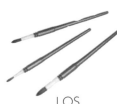

LO   LA   LOS   LAS

 2, 3, 8

Si nos
necesitas
silba.
Oiremos tu
llamada
a cualquier
hora
y en
cualquier
momento.

9 Fíjate en el cuadro, ¿por qué no completas estas frases con la forma correcta del verbo? ¡Atención!, no necesitas todos los verbos del cuadro.

> acuérdate • avisas • vas • estudia • has ido • cómpratelos • estudias
> avísame • te has acordado • ve • id • te los has comprado • te llamas

tell me

1 Si vas a la fiesta __acuérdate__ de llamar antes.
2 Si tienes sueño __ve__ a dormir.
3 Si quieres aprobar el examen __estudia__ mucho.
4 Si te gustan estos zapatos __cómpratelos__
5 Si os gustan las películas de acción __id__ al cineclub.
6 Si no puedes comprar el pastel __avísame__ , por favor.

 9, 10

10 ¿Qué cosas crees que son necesarias para...? Termina las frases utilizando la expresión **hay que**.

> llevar bañador • tomar el sol • tener novia • llevar botas
> llevar ropa de abrigo • jugar a la lotería

1 Para ir a la playa, *hay que llevar bañador* .
2 Para ser rico, __hay que jugar a la lotería__
3 Para estar moreno, __hay que tomar el sol__
4 Para casarse, __hay que tener novia__
5 Para ir a la montaña, __hay que llevar botas__
6 Para viajar al Polo Norte, __hay que llevar ropa de abrigo__

 4, 5, 6, 7

11 ¿Por qué no sustituyes las palabras subrayadas por su pronombre? Intenta colocarlos correctamente.

a TRAER, tú / billetes / a mí — *Tráeme los billetes* *Tráemelos*
b DEJAR, tú / maletas / aquí — Dejar las maletas — déjalas
c COMPRAR, tú / maleta / a ti — Cómprate la maleta — cómpratela
d DAR, usted / libro / a la señora
e ENSEÑAR, tú / pasaporte / al amigo — Enséñale el pasaporte — Enséñaselo
f PONER, usted / abrigo / al niño — Póngale el abrigo — Póngaselo

 LAS LOS LA LO

 11, 12, 13

12a Adivina a qué sustituyen los pronombres marcados.

1 Cómprasela.
- ☐ a Compra el reloj a su hermana.
- ☒ b Compra **la** camisa a **su** hermano.
- ☐ c Compra el ordenador a tu hijo.

2 Escríbesela.
- ☑ a Escribe la nota a mi prima.
- ☐ b Escribe el e-mail a tu marido.
- ☐ c Escribe el informe a tu amiga.

3 Envíaselos.
- ☐ a Envía el mensaje a tu padre.
- ☑ b Envía los mensajes a tu amigo.
- ☐ c Envía las flores a tu novia.

4 Dásela.
- ☐ a Da el dinero a tu padre.
- ☑ b Da la comida al niño.
- ☐ c Da el diccionario a los alumnos.

5 Súbeselas.
- ☐ a Sube los regalos a los niños.
- ☑ b Sube las sillas a los vecinos.
- ☐ c Sube los jerséis a tus hermanos.

11, 12, 13

12b ¿Puedes decirnos a qué palabras sustituye el pronombre **se** en las frases anteriores?

se { a su hermano
_____
_____
_____
_____

11, 12, 13

13 Más pronombres, ahora los utilizaremos para completar las frases. Fíjate en las palabras destacadas. ¡Ánimo!

1 🗩 ¿Podemos entregar **los papeles** a **su secretario**?
🗩 Sí, claro, entréguen _selos_ cuando puedan.

2 🗩 Claudia, todavía tengo **tu libro** en casa. **Mi hermana** ahora lo necesita para el instituto y...
🗩 Déja_____ sin ningún problema.

3 🗩 ¿**Nos** podéis prestar vuestra **cámara de fotos**? La nuestra no funciona y este fin de semana nos vamos a Mallorca.
🗩 Juan, présta_____ , por favor. Está en nuestra habitación.

4 🗩 Marina, **la niña** quiere **un helado** y no para de llorar.
🗩 Pues cómpra_____ ya.

5 🗩 Papá, ¿le puedo dejar **mi moto** a **Antonio**?
🗩 Déja_____ , pero tiene que ir despacio.

11, 12, 13

¿Quieres ir al cine?

HACER INVITACIONES Y OFRECIMIENTOS

QUIERES
QUIERE
QUERÉIS
QUIEREN
} + [INFINITIVO]
[NOMBRE]

- ¿Quieres tomar algo/una cerveza?
- Sí, claro. ¿Adónde vamos?

¿
TE
LE
OS
LES
} + APETECE + {
[INFINITIVO]
[NOMBRE]
} ?

- ¿Te apetece salir esta noche?
- Sí, me apetece.

- ¿Os apetece una cerveza?
- Estupendo, tenemos mucha sed.

OFRECER Y PEDIR AYUDA

Ofrecer §41

- ¿Te puedo ayudar?
- Sí, muchas gracias. Primero vamos al mercado y después a la farmacia.
- No, gracias, no es necesario.

Pedir

- ¿Me puedes ayudar?
- Sí, claro.
- Lo siento, pero tengo que irme.

DISCULPARSE

- Es que tengo que trabajar/estudiar.
- Perdona (tú), ya he quedado.
- Perdone (usted), tengo prisa.

PREGUNTAR SI ES POSIBLE O NO HACER ALGO §41

¿SE PUEDE
¿NO SE PUEDE
} + [INFINITIVO]?

- ¿Se puede fumar en esta oficina?
- ¿No se puede fumar?
- No, no se puede.

PEDIR Y DAR PERMISO §41

¿PUEDO
¿PODEMOS
} + [INFINITIVO]?

- ¿Puedo abrir la ventana?

IMPERATIVO
NO + MOTIVO
- Sí, **ábrela**, yo también tengo calor.
- **No**, es que hace frío.

PEDIR Y DAR OBJETOS

- ¿Me dejas tu teléfono móvil?
- Sí, toma/Lo siento, no es mío.

LA OBLIGATORIEDAD DE HACER ALGO: EXPRESIÓN Y PREGUNTA

§41

Impersonal
HAY QUE + [INFINITIVO]

- ¿Qué hay que hacer para mañana?
- Los ejercicios 5, 6 y 7.

Personal
[TENER QUE] + [INFINITIVO]

- Tienes que llegar pronto a casa.
- ¿Tienen que hacer los deberes ahora?

IMPERATIVO §33 y §50

	trabaj**ar**	com**er**	viv**ir**	sentarse
tú	trabaj**a**	com**e**	viv**e**	siént**ate**
usted	trabaj**e**	com**a**	viv**a**	siént**ese**
vosotros/as	trabaj**ad**	com**ed**	viv**id**	sent**aos**
ustedes	trabaj**en**	com**an**	viv**an**	siént**ense**

Fíjate en la forma *sentaos*. Ésta es la transformación que sufre:
sent**ad** + **os** = sent**ados**, la **d** desaparece y queda sent**aos**.

POSICIÓN DE LOS PRONOMBRES §15

[IMPERATIVO] + {
ME
TE
~~LE~~ SE
NOS
OS
~~LES~~ SE
} + LO/LA/LOS/LAS

¡ATENCIÓN!
Observa que LE y LES delante de LO, LA, LOS, LAS se convierten en SE.

- *Tengo que darle esta carta a Luis.*
- *Pues dá**sela** enseguida.*

- *Tengo que darles estos libros a Luis y María.*
- *Pues dá**selos** enseguida.*

CONDICIÓN §65

SI + [PRESENTE], [IMPERATIVO]

Si vienes, llama primero.
Si viene, avísame antes de las ocho.

PEDIR A ALGUIEN QUE HAGA ALGO Y RESPONDER §65

¿[PODER] + [INFINITIVO]?

- *¿Me puedes dejar el libro, por favor?*

[IMPERATIVO]
NO + [MOTIVO]

- *Toma.*
- *No, es que no es mío.*

FELICITAR

Felicitar

¡Felicidades!	¡Feliz cumpleaños!
¡Feliz aniversario!	Enhorabuena.
Te felicito.	Muchas felicidades.

Agradecer

Gracias.	Muchas gracias.
Mil gracias.	Un millón de gracias.

Responder ante un agradecimiento

De nada.	No hay de qué.
A usted.	A ti.

14 Si quieres jugar, sólo necesitas una moneda
y tus conocimientos de español.

Éstas son las reglas:

Coloca una pieza de papel en la casilla de salida y lanza la moneda:

- Si sale cara, adelanta hacia la derecha.
- Si sale cruz, adelanta hacia la izquierda.
- Si contestas, avanza.
- Si no sabes la respuesta, cambia a cualquier pregunta del mismo nivel.
- Si no te quedan preguntas, repasa la sección *Recursos*.

Sencillo, ¿no?

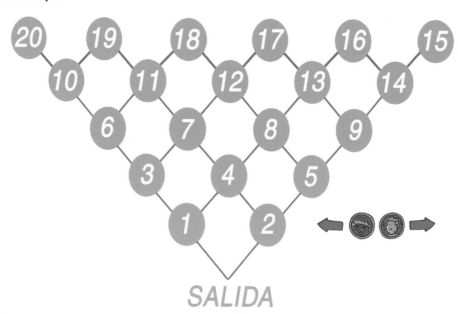

1 Usa el imperativo: (COMER) _____ tú.
2 ¿Quieres (VENIR) _____ al cine?
3 Nosotros ya _____.(VENIR, pretérito perfecto)
4 Imperativo: (SALTAR) _____ tú.
5 ¿Te (APETECER) _____ tomar algo?
6 Tú _____. (PENSAR, presente)
7 Imperativo: (VENIR) _____ vosotros.
8 Ellos _____. (DORMIR, presente)
9 Tengo _____ estudiar mucho.
10 Yo _____. (PODER, presente)
11 Imperativo y pronombre: (DEJAR / el coche / a mí / vosotros) _____.
12 La nevera _____ (¿hay o está?) en la cocina.
13 Tengo que dar_____ este libro a Luis.
14 Si (VENIR, él) _____, avísame.
15 Ella _____ (¿es o está?) cansada.
16 Imperativo y pronombre: (TRAER, tú / las naranjas / a mí) _____.
17 Vosotros _____ (LLEGAR, pretérito perfecto) tarde.
18 Imperativo y pronombre: (DAR, tú / la carta / a Ana) _____.
19 Si (IR, tú) _____ al cine, llámame.
20 Imperativo y pronombre: (SUBIR, vosotros / el periódico / a mí) _____.

La lengua es un mundo

15 ¿Quién invita a quién...?

En España nos gusta invitar a nuestros amigos. Por esa razón puede ocurrir que dos amigos íntimos discutan a la hora de pagar la cuenta en un restaurante, o que, después de comer, los dos llamen al camarero, con la tarjeta de crédito en la mano, para pagar la cuenta. A menudo, y para evitar estas discusiones, se llega a un acuerdo: uno paga la comida y el otro los cafés, las copas y los puros. Cuando esto ocurre, ambos pagan más o menos lo mismo y por eso podemos preguntarnos: ¿quién ha invitado a quién? Sin embargo, cuando en un grupo de amigos todos quieren pagar, el camarero hace una pregunta que le ayuda a decidir a quién debe cobrar: "¿Quién me va a dejar más propina?".

Después de leer el texto, intenta buscar las palabras que responden a las definiciones siguientes:

a ____Cuenta____ : cantidad que se ha de pagar o cobrar.
b _____ : conversación donde se enfrentan opiniones contrarias.
c _____ : pagar la consumición de alguien.
d _____ : dinero que se da aparte del precio convenido.

16 Temas tabú

En España, cuando se habla con personas que acabas de conocer existen ciertos temas de los que es mejor no hacer preguntas; son temas tabú. A nadie le gusta decir la edad, sobre todo si tiene más de treinta años; a nadie le gusta tampoco que le pregunten cuánto gana o a qué partido vota. Y, sobre todo, no se te ocurra preguntarle a nadie por qué le gustan las películas de Almodóvar; le gustan y se acabó. Para algunas preguntas no existen respuestas. Cuando acabas de conocer a alguien, las preguntas que puedes hacerle, sin que se moleste, son: "¿Qué te gustan más, los perros o los gatos?" o "¿De qué equipo de fútbol eres?".

¿Cuáles de estas proposiciones son verdaderas (V) y cuáles son falsas (F)?

	V	F
1 En España existen temas tabúes.	☐	☐
2 Los españoles tenemos claro por qué nos gustan las películas de Almodóvar.	☐	☐
3 Si quieres entablar una conversación con un desconocido, pregúntale qué equipo de fútbol es su preferido.	☐	☐
4 Nunca debes preguntar: "¿Te gustan más los perros o los gatos?"	☐	☐

Te invitamos a pasear por nuestras costumbres. ¿Te apetece venir? ¡Será divertido!

Direcciones en Internet:

Trenes de España:
www.renfe.es

Compañía aérea:
www.iberia.com

Servicio de salud de España:
www.msc.es/insalud

1 ¿Podrías leer esta carta de invitación?

> Querida Lola:
>
> El próximo veintisiete de julio estreno mi obra de teatro y después hago una fiesta. Por supuesto que estás invitada. ¡No puedes faltar! — absent
> Te haré algunas recomendaciones:
> En la fiesta hay que vestir de color blanco, tienes que llevar alguna prenda blanca, no importa si es la falda, la blusa o lo que tú quieras.
> ¡Tienes que ser puntual! Recuerda que no se puede llegar tarde a estas citas... ¡y tú siempre llegas tarde!
> Se puede ir acompañada, ya lo sabes... Si tienes algún amigo guapo, ¡tráelo!
> Espero verte en la fiesta. Si no puedes venir, llámame, por favor.
>
> Un beso, Antonio

(handwritten annotations: premier, masterpiece)

Ahora, ¿puedes decirnos qué frases son verdaderas (V) y cuáles falsas (F)?

		V	F
1	Lola puede ir vestida de blanco.	☑	☐
2	Lola puede llegar diez minutos tarde.	☐	☑
3	Lola tiene que ir sola.	☐	☑
4	Lola tiene que llamar a su amigo si no puede ir.	☑	☐

2 Selecciona la respuesta adecuada.

1 ¿Puedes cerrar la puerta?
☐ Sí claro, toma.
☐ Sí claro, dame.
☑ Sí claro, ahora mismo.

2 ¿Hay que llevar pantalones?
☐ No, no es aquí.
☑ No, no es necesario.
☐ No, no puedes comer.

3 ¿Quieres venir a la exposición?
☐ Es que no quiero más.
☐ Es que no traigo más.
☑ Es que no puedo.

4 ¡Felicidades!
☐ ¡De nada!
☑ ¡Muchas gracias!
☐ Perdona.

5 ¿Puedes ayudarme a lavar los platos?
☐ Si puedo lo lavo.
☑ Ahora no puedo, lo siento.
☐ Sí claro, mañana la lavo.

6 Tengo que enviar la carta a Lola.
☐ Pues envíatela, ¿no?
☐ Pues envíanosla, ¿no?
☑ Pues envíasela, ¿no?

Ahora puedo:

☐ Utilizar formas para invitar
☐ Pedir permiso, objetos o que alguien haga algo
☐ Indicar si algo es obligatorio o si es posible hacer algo
☐ También he aprendido otras cosas: _____

Consulta nuestra dirección en el web

Evaluación del bloque 3

1 Julián cuenta uno de sus viajes. ¿Quieres saber qué dice?
Lee esta conversación.

- ¿Qué tal ha ido el viaje por la Patagonia? *to obtain* *ruchsack.*
- Muy bien, aunque todavía no he conseguido deshacer la mochila...; pero bueno, *althab* el viaje ha sido muy interesante. He recorrido gran parte del país en bicicleta, he hecho cientos de kilómetros. He estado en el cabo de Hornos, he pasado el estrecho de Magallanes por Punta Arenas. ¡Maravilloso! *Marvellous*
- ¿Y el clima?
- El clima es muy variable. Hay que llevar crema solar y gafas de sol. Debes ponerte camisetas por la mañana y una chaqueta gruesa por la tarde. *thick*
- ¿Hay que vacunarse? — *vaccinale*
- No, no tienes que vacunarte, pero debes tener cuidado con el agua potable *care* en las montañas, también hay que llevar un botiquín, ¡es imprescindible! — *essential* *first aid kit*
- ¿Qué idioma hablan?
- El español, pero si pasas una temporada también tienes que aprender a hablar un poco de mapuche.
- Y la comida, ¿qué tal es?
- Es muy parecida a la nuestra, pero hay platos típicos como los choros, *similar* *mussels* una sopa de mejillones que tienes que tomarla muy caliente.
- Pero... ¡eso va bien con tanto hielo alrededor! — *about/around* *ice.*

Ahora, ¿podrías responder a estas preguntas?

1 ¿Dónde ha ido de viaje?
   a la Patagonia

2 ¿Qué no ha conseguido todavía?
   Deshacer la mochila

3 ¿Cómo ha viajado por el país?
   En bicicleta

4 ¿Por dónde ha pasado?
   El estrecho de Magallanes

5 ¿Qué hay qué llevar?
   Crema sol y gafas de sol

6 ¿Hay que vacunarse?
   No, no hay vacunarse.

7 ¿Con qué debes tener cuidado en las montañas?
   Con el agua potable

8 ¿Qué idiomas se pueden hablar?
   Español y poco de mapuche

9 ¿Cómo es la comida?
   Muy parecida a la nuestra

10 ¿Cómo tienes que tomar la sopa de mejillones?
   Tienes que tomarla muy caliente

Así puedes aprender

Cuando lees en español, o lo escuchas, tú mismo puedes crear reglas gramaticales para dar lógica a lo que lees o a lo que oyes.

Pero cuando progresas y aprendes más, observas que la regla quizá no era exacta y la tienes que modificar. O quizá tu regla no era completa y la debes ampliar.

¿Te ha pasado esto durante este curso?

Recuerda. Para aprender español has de tener una actitud activa para crear reglas, verificar si son correctas y modificarlas si es necesario.

2 Selecciona la opción más adecuada:

1 ¿Has tenido alguna vez la gripe?
- ☐ Nunca he tenido coche.
- ☑ Siempre la he tenido en invierno.
- ☐ Siempre lo he tenido en invierno.

2 Mamá, ¿podemos ir a la playa?
- ☐ Sí, puedes desayunar.
- ☑ Sí, después de desayunar.
- ☐ Sí, en invierno.

3 ¿Te has duchado con agua fría?
- ☐ No, nos hemos duchado con agua caliente.
- ☑ No, me he duchado con agua caliente.
- ☐ No, se ha duchado con agua caliente.

4 ¿Qué os ha parecido la exposición de Botero?
- ☐ Ha sido de siete a ocho.
- ☑ Ha sido interesante.
- ☐ Ha sido en el museo Reina Sofía.

5 ¿Puedes dar la medicina a tu hermano?
- ☐ Puedes dármela.
- ☑ Puedes dárnosla.
- ☐ Puedo dársela.

6 ¿A qué hora vamos a cenar?
- ☐ A las ocho de la mañana.
- ☑ A las nueve de la noche.
- ☐ A las tres de la madrugada.

7 Te han hecho un regalo de cumpleaños, ¿qué dices?
- ☐ ¡Felicidades!
- ☐ Me duele el cuello.
- ☑ ¡Muchas gracias!

8 Si ves un cartel de "Prohibido usar el teléfono móvil", ¿qué entiendes?
- ☐ Hay que usar el teléfono móvil.
- ☐ Debes usar el teléfono móvil.
- ☑ No se puede usar el teléfono móvil.

9 Si vienes...
- ☐ he comido primero.
- ☐ está comiendo primero.
- ☑ come primero.

10 A las 7.00 h
- ☐ meriendo cada día.
- ☐ ceno cada día.
- ☑ desayuno cada día.

11 ¿Cómo te ha ido la conferencia?
- ☐ Bien, ya no me duele.
- ☑ Bien, gracias.
- ☐ Bien, me parece muy bien.

12 Tengo muchísimo trabajo.
- ☐ Yo tampoco.
- ☐ Yo sí.
- ☑ Yo también.

Reflexiona sobre tu trabajo en estas tres lecciones:

He aprendido	☐ mucho	☐ bastante	☐ poco
Las actividades me han parecido	☐ fáciles	☐ difíciles	☐ muy difíciles
Estoy cumpliendo mis objetivos previstos antes de empezar el curso	☐ mucho	☐ bastante	☐ poco

Lo que más me ha gustado es _____

Lo que menos me ha gustado es _____

Ahora quiero aprender más cosas: _____

bloquecuatro4

bloque4

Índice

lección diez 10

¿Quieres conocer
un poco más
a nuestros amigos?

¿Quieres conocer un poco más a nuestros amigos?

En esta lección vas a conocer algunos detalles sobre la vida de Lola, Julián, Begoña y Andrew antes de conocerse. ¿Descubrirás algún secreto? ¡No esperes más y empieza a investigar!

En esta lección vas a aprender:

- A contar lo que sucedió en el pasado
- A expresar conocimiento, desconocimiento y probabilidad

1a Éstas son las fotografías de nuestros amigos.
Mirando las fotografías, intenta responder: ¿quién es quién?

1 _____

2 _____

3 _____

4 _____

1b ¿Qué edad tienen?

diez años • ocho años • once años • ~~cuatro años~~

1 En la foto, Julián tiene unos _____*cuatro años*_____
2 En la foto, Lola tiene unos _____
3 En la foto, Begoña tiene unos _____
4 En la foto, Andrew _____

Lección 10 Escenas

¡Mirar fotos
es divertido!
¿Por qué
no pasas
un buen rato
con nosotros?
Vamos
a abrir
el álbum...

2 Begoña, Lola, Julián y Andrew quieren hacer juntos un álbum de fotos.
Ahora están mirando fotografías.
Escucha lo que dicen y escribe de qué hablan en cada audio.

De un verano en la piscina.
De un verano en el río.
De aprender a esquiar.
De recoger manzanas en otoño.

Diálogo 1	Diálogo 2
Habla de _____	Habla de _____
Habla de _____	Habla de _____

3 Nuestros amigos miran dibujos en una revista.
¿Sabes de qué dibujos hablan en cada caso?

a ☐

b ☐

c ☐

d ☐

e 1

f ☐

g ☐

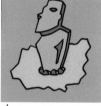

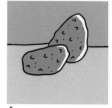

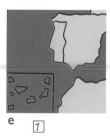

4a Éste es el currículo de Begoña. Está un poco desordenado.
¿Puedes leerlo y colocar los datos en el lugar correcto?

Currículo

✗ Nombre: Begoña
Apellidos: Arzak Goicoechea
☐ b Colaboradora en un periódico local de Bilbao en la
sección de Cultura y Espectáculos.
Desde septiembre del año 2000.
c Estado civil: Soltera
d Teléfono: 689 487 584.
☐ e Curso de animadora social de adolescentes en el
Centro de Animación Sociocultural Chiribiri.
Año 1999.
f Edad: 20 años.
☐ g Ayudante de producción en una emisora local
de Bilbao. Programa musical para jóvenes.
De marzo a septiembre del año 2000.
☐ h Escuchar música y pasear.
☐ i Colaboradora en la organización del III Encuentro
de Compañías de Aficionados en Bilbao.
Julio de 1999.
j Dirección: c/ Aviñón, 5, 9.º, 4.ª
☐ k Bachillerato en el Instituto de Enseñanza
Secundaria "Menéndez Pidal".
Año 1998.
☐ l Miembro de la compañía teatral *Prissa* de Bilbao.
☐ m Participación en el IV Concurso de Teatro
para Aficionados de San Sebastián.
Julio de 2000.

Datos personales:

a
_____
_____
_____
_____

Formación:
_____
_____

Experiencia laboral:
_____
_____
_____
_____
_____

Aficiones:
_____

4b Begoña ha ido a una entrevista de trabajo. Escúchala y escribe
en los cuadros de la izquierda del currículo el número de orden
en que comentan cada hecho de su vida.

5 Begoña está escuchando un programa de radio. Escucha tú también
el programa y responde a estas preguntas.

1, 2, 3, 4

1 ¿Cuándo ha visto Javier a su profesor? _Hoy._____
2 ¿De qué se ha acordado hoy Javier? _____
3 ¿Cuándo tuvo a ese profesor? _____
4 ¿Con quién fue Gema de viaje? _____
5 ¿Dónde fueron? _____
6 ¿Cuándo? _____
7 ¿Cuándo fue el cumpleaños de la hija de Marcos? _____
8 ¿Quiénes fueron a celebrarlo? _____
9 ¿Adónde fueron a celebrarlo? _____

Primer plano

Vamos a dar
un paseo
por la historia,
¿nos acompañas?
Te enseñamos
a contar
qué ocurrió
en el pasado.

6a Lola ha encontrado una noticia interesante
para un reportaje, pero está desordenada.
¿Por qué no la ayudas a ordenarla? Puedes usar el diccionario.

1, 2, 3, 4

LA CIUDAD DA LA BIENVENIDA A LOS JÓVENES ARTISTAS

[3] El alcalde de la ciudad llegó a media mañana y afirmó: "Nuestros jóvenes artistas
tienen muy buenas ideas. Por eso el ayuntamiento se compromete a ayudarlos en
todo lo posible".

[5] En resumen, ayer fue un día especial para todos: para el museo, porque organizó
por primera vez una exposición de este tipo; para los jóvenes artistas, porque
expusieron en uno de los museos más importantes de la ciudad; y para todos los
ciudadanos, porque conocieron a los artistas del futuro.

[2] Los ciudadanos disfrutaron durante toda la jornada de los cuadros, las esculturas y
los espectáculos multimedia de estos jóvenes creadores.

[4] Al finalizar el acto, la dirección del museo aseguró: "La exposición ha sido un éxito.
Los ciudadanos han recibido a estos nuevos talentos con mucho entusiasmo".

[7] El Museo de Arte Contemporáneo abrió ayer sus puertas para celebrar una
ocasión muy especial: la primera exposición de los jóvenes artistas de la ciudad.

6b Fíjate en la noticia anterior. ¿De cuántas maneras diferentes
se nombra a los jóvenes artistas en la noticia?

1 _____ 2 _____ 3 _____

7a Andrew tiene estas frases desordenadas,
¿puedes relacionarlas correctamente?

1, 2, 3, 4

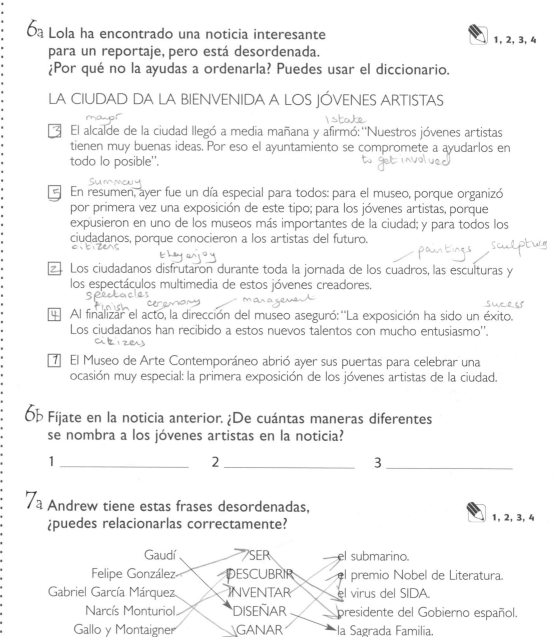

Gaudí
Felipe González
Gabriel García Márquez
Narcís Monturiol
Gallo y Montaigner

SER
DESCUBRIR
INVENTAR
DISEÑAR
GANAR

el submarino.
el premio Nobel de Literatura.
el virus del SIDA.
presidente del Gobierno español.
la Sagrada Familia.

7b Ahora escribe las frases anteriores con los verbos en
la forma correcta.

1 *Gaudí diseñó la Sagrada Familia* _____
2 _____
3 _____
4 _____
5 _____

8 Hoy Lola ha recibido una postal de su amiga Carlota,
que está de vacaciones en Almería, en el sur de España.
¿Puedes explicar qué hicieron Carlota y sus amigos?

¡Hola, Lola!

¿Cómo estás? Yo, muy bien. Estoy pasando unas
vacaciones estupendas en Almería. ¿Y las tuyas?
Ya me contarás.
Estos días no hemos parado ni un minuto. Te cuento. *story*
Ayer (ESTAR, nosotros) **estuvimos** todo el día en la
playa. Fue fantástico. Por la mañana, unos (HACER,
ellos) _hicieron_ wind-surf y nosotros (TOMAR,
nosotros) _tomamos_ el sol y (BAÑARSE)
nos bañamos. Al mediodía (IR, nosotros)
fuimos a un restaurante de la playa y (COMER,
nosotros) _comimos_ una paella buenísima. Ah, y
(BEBER, nosotros) _bebimos_ un poco de sangría,
ya sabes... el último día de vacaciones. Al final (HACER,
nosotros) _hicimos_ muchas fotos. Todos
queremos un recuerdo de estas vacaciones.

¡Hasta pronto! Un beso. Carlota.

Lola Amigó Garriga
c/ Aviñón, 5
08030 Barcelona
España

9 Aquí tienes algunos datos incompletos de la historia reciente
de España. ¿Sabes qué pasó y en qué año?
Escucha y comprueba si tus predicciones son correctas.

1 La Guerra Civil empezó en _____ y _____ en 1939.
2 En _____ murió Franco.
3 Las primeras elecciones generales _____ en 1977.
4 El partido socialista gobernó de _____ a 1996.
5 España _____ en la Unión Europea en 1986.
6 Las Olimpiadas de Barcelona fueron en _____ .

1, 2, 3, 4

Frida Kahlo,
Pablo Picasso,
Antonio
Banderas...
todos ellos
nos han contado
su vida.
¿Y tú?
¿Quieres
contarnos
la tuya?

10 ¿Recuerdas a Carlota? Ya ha terminado sus vacaciones en Almería y le envía un correo electrónico a Lola. ¿Puedes leerlo y después contestar a las preguntas?

 5

De: Carlota   Para: Lola@hotmail.com

¡Hola Lola!
Ya he vuelto de Almería. ¿Recibiste mi postal?
Fui a Almería en tren; el viaje fue bastante largo, pero lo pasé muy bien. Al llegar a Almería me alojé
en el albergue juvenil Aguadulce; era una maravilla.
En la ciudad visité el Museo de la Ciudad; era muy interesante y además gratis. El domingo fui de excursión en bicicleta
al Paraje Natural Punta Entinas-Sabinar;
¡ya sabes cuánto me gusta la naturaleza!
Si puedo, la próxima semana te llamo por teléfono.
Un beso.

1 ¿Cómo fue Carlota a Almería? _____*Fue a Almería en tren.*_____
2 ¿Dónde se alojó? ___se aloja en el albergue juvenil___
3 ¿Visitó algún museo? ¿Cuál? ___visitó el museo de Almería___
4 ¿Hizo alguna excursión? ¿Adónde fue? ___al Paraje Natural Punta Entinas-Sabin___
5 ¿Cómo hizo la excursión? ___hizo en bicicleta___

11 Lola ha encontrado [found] una biografía de Frida Kahlo, pero está incompleta. ¿Puedes completar el texto con los verbos del cuadro?

5

ser • empezar • hacer • ~~nacer~~ • morir • tener • conocer
decir • casarse

La vida de Frida Kahlo empezó [ended] y acabó en México. Hija de un fotógrafo austro-húngaro y una mestiza [mixed race] mexicana, ___*nació*___ en Coyoacán en 1907.

A los seis años enfermó de polio, y en 1925, a los 18 años, ___tuvo___ un accidente muy grave. Estuvo en el hospital durante mucho tiempo y allí ___empezo___ a pintar.

A pesar de los problemas de salud, Frida siempre tuvo inquietudes e ilusiones. En el círculo artístico de México ___conocio___ a Diego Ribera, con quien ___se casó___ en 1929. Entre 1931 y 1934 estuvieron en Nueva York y Detroit varias veces.

En 1939 ___hizo___ una exposición en París. Algunos expertos consideraron surrealista la obra de Frida, pero ella, en una ocasión, ___dijo___: "Nunca pinté los sueños. Pinté mi propia realidad". Los autorretratos fueron su tema preferido.

Frida ___fue___ [weigh] siempre una mujer de su tierra [earth] y pintó con colores llenos de vida: rojo, amarillo, verde, etc. Picasso fue admirador suyo. Frida ___murió___ en 1954. Cuatro años más tarde su casa familiar se convirtió en el Museo de Frida Kahlo.

12a Ahora Julián y Lola hablan de sus padres.
🎧 ¿Por qué no escuchas el diálogo y completas el texto?

JULIÁN: _Esta mañana_ he recibido una carta de mi madre.

LOLA: ¿Y qué tal está?

JULIÁN: Bien, está muy contenta por mí. A mi madre _____ le ha gustado que yo me dedique al teatro.

LOLA: ¡Qué suerte! Mis padres _____ han entendido mi pasión por el teatro.

JULIÁN: Bueno, con el tiempo, seguro que cambian de opinión.

LOLA: No lo sé. Oye, ¿tus padres han estado _____ en España?

JULIÁN: Sí, _____ fueron a Galicia, a casa de una amiga.

LOLA: ¿Y _____ han vivido en México?

JULIÁN: No, mi madre nació en Buenos Aires. _____ la escuela empezó a trabajar y después, creo que _____, conoció a mi padre, que es mexicano, de Guadalajara.

LOLA: ¡Qué interesante!

✎ 7, 8, 10

12b Ahora, clasifica las palabras que has escrito en una de estas dos columnas.

Indefinido (viví)	Perfecto (he vivido)
	esta mañana

13a ¿Por qué no pones el verbo entre paréntesis en el tiempo correcto?

1 ¿Has (LEER) _leído_ una novela hispanoamericana alguna vez?
2 ¿Has (BEBER) bebido sangría?
3 ¿Has (VER) visto un templo budista?
4 ¿Has (COCINAR) cocinado para tus amigos?
5 ¿Has (TENER) tenido un animal exótico en casa?
6 ¿Has (HABLAR) hablado en público?

✎ 9, 11

13b Ahora, ¿puedes responder a las preguntas anteriores utilizando la palabra entre paréntesis? Fíjate en el ejemplo.

1 _Sí, alguna vez he leído una novela hispanoamericana._ (alguna vez)
2 No, nunca he bebido sangría (nunca)
3 Sí, alguna vez he visto un templo budista (alguna vez)
4 Sí, muchas veces he cocinado para tus amigos (muchas veces)
5 No, nunca he tenido un animal exótico en casa (nunca)
6 Sí, dos veces he hablado en público (dos veces)

En el verano
fui a Brasil

CONTAR LO QUE SUCEDIÓ EN EL PASADO §47 y §51

Acontecimientos históricos
La Guerra Civil española empezó en 1936 y terminó en 1939.
Después de la muerte de Franco, empezó la democracia.

Experiencias personales
Anteayer fue el cumpleaños de mi hija.
El verano de 1995 mi marido y yo fuimos a Australia.

Explicar vidas en pasado
Frida Kahlo nació en 1907 en Coyoacán.
Conoció a Diego Rivera.
Se casó en 1929.
Murió en 1954.

EXPRESAR CONOCIMIENTO Y DESCONOCIMIENTO

conocimiento	desconocimiento
Sí, sí, seguro	*No (lo) sé*
No, no, seguro	*No me acuerdo*
Seguro	

🗨 *¿Seguro que las Olimpiadas de Barcelona fueron en 1992?*
🗨 *No me acuerdo.*
💬 *Sí, sí, seguro.*

PROBABILIDAD

CREO
ME PARECE } + QUE

🗨 *¿Las patatas se llaman papas en Latinoamérica?*
💬 *Creo que sí / Me parece que sí.*

🗨 *¿Por qué no ha venido Andrew a clase?*
💬 *Creo que está enfermo / Me parece que está enfermo.*

CONTRASTE ENTRE EL PRETÉRITO INDEFINIDO Y EL PERFECTO §47 y §49

¿CUÁNDO FUE LA ÚLTIMA VEZ QUE + [INDEFINIDO]?

🗨 *Oye, ¿cuándo fue la última vez que estuviste en Uruguay?*
💬 *¡Uy! Creo que hace un par de años o tres.*

¿[PERFECTO] + ALGUNA VEZ? §23

🗨 *¿Has viajado alguna vez en bicicleta?*
💬 *Sí, he hecho un par de veces una ruta por los Pirineos en bicicleta con unos amigos.*

PRETÉRITO INDEFINIDO

Regulares §31

	cantar	comer	salir
yo	canté	comí	salí
tú	cantaste	comiste	saliste
él	cantó	comió	salió
nosotros/as	cantamos	comimos	salimos
vosotros/as	cantasteis	comisteis	salisteis
ellos/as/ustedes	cantaron	comieron	salieron

Irregulares §38-§40

estar	→	estuv
decir	→	dij
tener	→	tuv
poder	→	pud
poner	→	pus

} _e
_iste
_o
_imos
_isteis
_ieron

¡ATENCIÓN!

Cuando la raíz irregular termina en **j**, como en *decir* (**dij-**), la terminación de la 3.ª persona del plural es ***-eron (dijeron)***

Ser e ir

fui, fuiste, fue, fuimos, fuisteis, fueron

LOS MESES §51d

enero	febrero	marzo	abril	mayo	junio
julio	agosto	septiembre	octubre	noviembre	diciembre

EXPRESIONES PARA INDICAR TIEMPO PASADO

Con pretérito indefinido

ayer	anteayer	el domingo
la semana pasada	el otro día	el mes pasado
el año pasado	en enero de 1999	en 1975
hace 25 años	en aquel año	

*El mes pasado **fui** a Almería con unos amigos.*
*En 1998 **estrené** mi primera obra de teatro.*

Con pretérito perfecto

hoy	esta mañana	esta tarde
esta semana	este fin de semana	este mes
este año		

*Hace un rato **he visto** a Julián en el bar.*
*Esta semana **he hecho** todos los deberes de español.*

Con los dos tiempos

hace un rato	hace poco	hace un momento
siempre	nunca	

*Hace un rato **he visto** a Julián en el bar.*
*Frida siempre **fue** una mujer llena de inquietudes.*

La lengua es un juego

14a Con las pistas que te damos seguro que completas esta poesía.

footprint

| huellas • andar • camino • mar |

Caminante, son tus _huellas_
el _camino_, y nada más;
caminante, no hay camino,
se hace camino al _andar_.
Al andar se hace camino,
y al volver la vista atrás
se ve la senda que nunca
se ha de volver a pisar.
Caminante, no hay camino
sino estelas en la _mar_.

huellas

 5

14b ¿Quieres conocer al autor del poema?
Lee su biografía y completa el crucigrama.

B
I
O
G
R
A
F
Í
A

Nuestro autor es un poeta español, probablemente, junto con Lorca, el poeta más leído. Nació en Sevilla en el año 1875, pero muy joven fue a estudiar a Madrid. En 1893 publicó sus primeros escritos en prosa y en 1901 aparecen sus primeros poemas. Su primer libro fue *Soledades*, publicado en 1903. En 1912 publicó *Campos de Castilla*, su obra más conocida. Durante los años veinte escribió, junto con su hermano Manuel, obras de teatro de mucho éxito. En 1927 fue elegido miembro de la Real Academia Española de la Lengua. Cuando acabó la guerra civil, se exilió. Murió en el pueblo francés de Colliure en febrero de 1939.

1 ¿De qué nacionalidad es el autor del poema?
2 ¿Cuál es el nombre de su hermano?
3 ¿Cómo se llama quien escribe poesías?
4 ¿Qué otro poeta se menciona en el texto?
5 ¿Dónde nace?
6 ¿Cómo se llama su primer libro?
7 ¿De dónde son los *campos* que dan título a su libro de 1912?
8 ¿Dónde estudió?
9 ¿En qué pueblo murió en 1939?

 5

Crossword answers:
1 español
2 Manuel
3 poeta
4 Lorca
5 Sevilla
6 Soledades
7 Castilla
8 Madrid
9 Colliure
MACHADO

La lengua es un mundo

15a Latinoamérica: una zona de futuro. Lee el texto, después subraya los verbos y colócalos en la columna a la que pertenecen.

Desde mediados del siglo XX, la economía latinoamericana ha mostrado tres momentos diferentes. El primer momento duró desde 1950 hasta 1980, fue el periodo de mayor desarrollo económico. Las causas de este crecimiento fueron dos: la llegada de comerciantes y de inversores europeos durante la segunda guerra mundial, y las inversiones de dinero norteamericano.
Tras la caída del muro de Berlín, en el año 1989, empezó el segundo periodo económico. En esta época América Latina conoció una caída en su desarrollo, la causa fue el desplazamiento de capital a la zona de Europa oriental, Rusia, Polonia, Hungría, etc. Desde finales de los años noventa se ha tratado de recuperar el estado de desarrollo anterior, y cada país lo ha logrado de forma diferente. La creación del MERCOSUR ayuda a equilibrar definitivamente las economías del subcontinente más rico del mundo.

presente	pretérito perfecto	indefinido
ayuda	ha mostrado	duró
	ha tratado	fue
	ha logrado	fueron
		empezó
		conoció
		fue

15b Ahora, ¿podrías señalar la respuesta correcta?

1 ¿Por qué se desequilibró la economía latinoamericana a principios de los noventa?
- [ ] Por la llegada de comerciantes.
- [x] Por el desplazamiento de las inversiones a Europa oriental.
- [ ] Por la creación del MERCOSUR.

2 El momento de máximo desarrollo de la economía latinoamericana fue...
- [x] Entre 1950 y 1980.
- [ ] En el año 1989.
- [ ] Desde finales del siglo XX.

3 El segundo periodo de la economía latinoamericana...
- [x] Empezó en el año 1989.
- [ ] Empezó a partir de la creación del MERCOSUR.
- [ ] Empezó a finales de los años noventa.

4 ¿Qué ha ocurrido a finales de los años noventa?
- [ ] Se recuperó el estado anterior.
- [x] Se trató de recuperar el estado anterior.
- [ ] Se perdió la esperanza en la recuperación.

¿Quieres saber más sobre el Mercosur? Busca en las direcciones de Internet.

Direcciones en Internet:

Biografías on-line:
www.buscabiografia.com

Enciclopedia on-line:
www.laenciclopedia.com

Revista on-line:
www.comunica.es

1 Entre las tres respuestas, ¿podrías averiguar cuál es la correcta?

1 ¿En qué año nació tu hermano?
- [ ] En miércoles.
- [ ] En abril.
- [x] En 1989.

2 ¿Cuándo _____ la última vez que esquiaste?
- [x] fue
- [ ] fuiste
- [ ] fueron

3 ¿Qué _____ ayer por la tarde?
- [ ] hemos hecho
- [ ] habéis hecho
- [x] hiciste

4 ¿Qué _____ esta tarde?
- [ ] hiciste
- [x] has hecho
- [ ] dormiste

5 ¿Cuándo fue tu cumpleaños?
- [ ] Mi cumpleaños fue mañana.
- [x] Mi cumpleaños fue en abril.
- [ ] Mi cumpleaños fue abril.

6 Ayer mis padres _____ la buena noticia.
- [ ] supisteis
- [x] supieron
- [ ] comieron

2 Completa el texto con las palabras del cuadro.

> subimos • marchó • invité • he visto
> hablamos • bebió • hemos cenado • pagué • tiró • fue

Hace dos años pasé por una experiencia vergonzosa. ¿Te acuerdas de cuando _____invité_____ a aquel famoso escultor a cenar? Bien, pues vino a la cena con su novia. Al principio todo fue muy bien, _____hablamos_____ de sus últimas exposiciones hasta que empezó una pequeña discusión entre el escultor y su novia. Yo no dije nada, esperando que el momento pasara pronto. Pero no fue así; a los diez minutos la chica se levantó de la mesa, le _____tiró_____ la copa de vino a la cara y se _____marchó_____. El escultor me miró y se _____bebió_____ todo el vino que quedaba. _____Pagué_____ la cuenta y salimos del restaurante; nos _____subimos_____ al coche y el escultor se durmió antes de decir su dirección. Aquí empezó mi problema, no _____fue_____ posible despertar al escultor de ninguna manera... Di vueltas por la ciudad hasta las siete de la mañana. _____He visto_____ al escultor últimamente, pero nunca más _____hemos cenado_____ juntos.

Ahora puedo:

- [ ] Contar acontecimientos y vidas en el pasado
- [ ] Expresar conocimiento, desconocimiento y probabilidad
- [ ] Entender cuándo usar tiempos verbales como _hablé_ y _he hablado_
- [ ] También he aprendido otras cosas: _____

Consulta nuestra dirección en el web @

11

lecciónonce 11

Tus experiencias y recuerdos

Tus experiencias y recuerdos

Poco a poco
vamos
descubriendo
más datos
sobre nuestros
amigos.
¿Sabes cómo eran
Begoña, Julián,
Lola y Andrew?
¿Qué hacían?
¿Qué les gustaba?

En esta lección
también vamos
a conocer algo
más sobre ellos.

[handwritten annotations: "Little by little", "discovered", "information", "about/on"]

En esta lección vas a aprender:

learn

events

- A referirte a hechos y circunstancias en el pasado
- A reaccionar ante la información de un relato
- A hablar del tiempo atmosférico

1 Nuestros amigos ponen más fotos en su nuevo álbum.
Fíjate en las fotos, ¿puedes relacionarlas con las frases?

1

2

> Siempre me ha gustado mucho el patinaje, cuando era más joven participé en varios campeonatos.

4

> Mi hermano y yo éramos muy aficionados a la pesca. Todos los fines de semana íbamos a pescar con mi padre.

2

> Cuando tenía tres años, iba con mis abuelos a merendar al campo.

3

> Mi abuelo me llevaba muchas veces a pasear por los campos, entre los árboles.

trees

3

4

¿Te ha pasado alguna historia divertida? ¡Aquí te enseñamos a contarla!

2 Julián, antes de venir a España, se despidió de sus abuelos. Escucha cómo habló con ellos. Después intenta completar las frases con los verbos que oigas.

New Years Eve

1 ¿Cómo _celebrabas_ la Nochevieja cuando eras joven?
2 _celebraba_ la Nochevieja en casa de la tía Juliana.
3 _era por yu_ la mayor de los hermanos.
4 Ella _preparaba_ la cena.
5 ¿Qué _comías_ esa noche?
6 La tía Juliana _era_ una cocinera excelente.
7 _hacía_ *roast turkey* pavo al horno con ciruelas. *plums*
8 Y ¿ _bebíais_ champán?
9 La gente _tomaba_ sidra. *cider*
10 _comíamos_ doce uvas. *we ask*
11 Por cada uva, es decir, por cada mes del año próximo, _pedíamos_ un deseo.

3a Nuestros amigos están mirando fotos. Begoña se acuerda de lo que le pasó en Fin de Año. Escucha cómo explica la historia Begoña y completa los espacios en blanco.

LOLA: ¡Qué bien!, mira, ésta es de Fin de Año.
BEGOÑA: ¿Y lo pasaste bien?
LOLA: Estupendamente.
BEGOÑA: ¡Qué suerte!, porque el año pasado yo lo pasé fatal. *invited*
LOLA: ¿Qué pasó?
BEGOÑA: Verás, yo _llegaba_ tarde a la fiesta de Fin de Año que un amigo _hacía_ en su casa. Cuando llegué a la portería _eran_ las doce menos cuarto. Ricardo _esperaba_ el ascensor, también _llegaba_ tarde. A su lado _había_ un señor algo gordo. Di dos besos a Ricardo y saludé al señor. Llegó el ascensor y subimos los tres. El señor _iba_ al quinto piso y nosotros, al ático. Pues bien, ¡ni el señor ni nosotros llegamos! El ascensor se paró en el cuarto piso. ¡No _se movía_! Hicimos sonar la alarma, gritamos, pero nadie nos _oía_ y... ¡Ya _eran_ las doce menos cinco! ¡Adiós fiesta de Fin de Año! Ricardo recordó que _llevaba_ teléfono móvil y llamó a casa de nuestro amigo.
Al final, nos sacaron del ascensor a la una y cuarto. ¡He pasado noches mejores, te lo aseguro!

🖊 1, 2, 4

3b ¿Sabes cómo se llama este tiempo verbal? ¿Cuándo lo utilizamos?

Este tiempo verbal se llama _____
y se utiliza para _____

4a A Begoña le pasó algo increíble la semana pasada. ¿Quieres saber qué?
Escucha lo que le cuenta a Lola y di si las frases son verdaderas o falsas.

	V	F
1 La luz era muy brillante y se movía.	☐	☒
2 Cuando Begoña estaba viendo la luz, permaneció quieta.	☑	☐
3 Begoña fue a la policía.	☐	☒
4 Lola no cree en los ovnis.	☑	☐

6, 9

4b Vuelve a escuchar la conversación.
Ahora, ¿por qué no marcas sólo las expresiones que utiliza Lola
mientras oye el extraño suceso?

☒ ¿Ah sí?   ☐ ¡Qué sorpresa!   ☒ ¡Qué susto!   ☐ ¡Qué va!

☐ ¡No me digas!   ☐ ¡Qué pena!   ☒ ¡Qué extraño!   ☐ ¡Qué bien!

☐ ¡Qué suerte!   ☐ ¡Qué ilusión!   ☐ ¿De verdad?   ☐ ¿Y qué?

☐ ¡Qué raro!   ☐ ¡Qué lástima!   ☐ ¡Lo siento!

5a ¿Sabes cómo se llaman estos fenómenos atmosféricos?

nieve • sol • lluvia • granizo • niebla — fog

1 nieve   2 niebla   3 sol   4 lluvia   5 granzio

5b Escucha el audio y sitúa en el mapa los fenómenos atmosféricos
que nombra Lola.

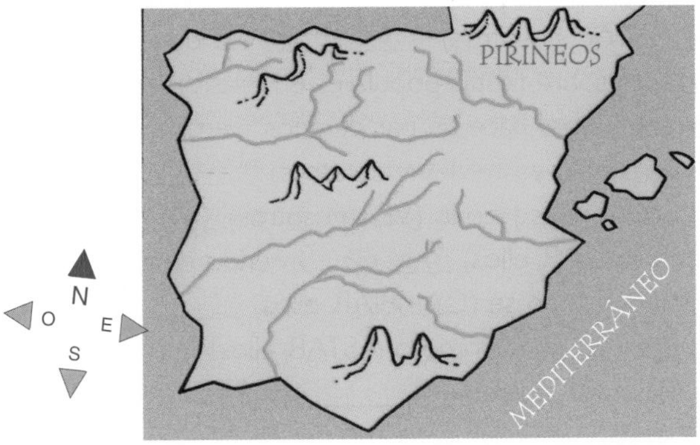

PIRINEOS

N
O E
S

MEDITERRÁNEO

8

Nuestros amigos
nos cuentan
historias
del pasado.
No es
tan difícil
¿verdad?
Había una vez...

had tea

6 El padre de Begoña nació en Sevilla. ¿Puedes leer cómo era su vida allí?
Completa lo que nos cuenta con las palabras del cuadro.

prefería • Nos gustaba • había • era • había • tenía
merendábamos • vivía • era • estaban

 3

Cuando yo era pequeño vivía en una casa a las afueras de Sevilla.

La vida allí __era__ muy tranquila, toda la familia __vivía__ en una casa de dos plantas. En la planta superior estaban los dormitorios y también __había__ un cuarto de baño. En la planta inferior __estaban__ la sala de estar, la cocina y otro cuarto de baño. Aquella casa era una maravilla, __tenía__ un gran jardín con muchos árboles. Mis hermanos y yo hicimos una cabaña bajo un árbol. Todos los días, al volver del colegio, __merendábamos__ dentro de la cabaña. — hut

__Nos gustaba__ mucho merendar allí, aunque a nuestra madre no le gustaba tanto; ella __prefería__ vernos en el jardín. we moved

Cuando cumplí doce años, nos trasladamos de la casa con jardín a un piso en el centro de Bilbao. Allí no __había__ ninguna cabaña, ¡ya no __era__ lo mismo!

7 Lola, Andrew, Begoña y Julián se hacen preguntas sobre su pasado.
Intenta poner los verbos en la forma correcta.

3

1 MADRE: Ayer, te (ESTAR, yo) __estuve__ llamando toda la noche, pero no (ESTAR, tú) __estabas__ en casa.

LOLA: No, (ESTAR, yo) __estaba__ en casa de una amiga. (ESTAR, nosotros) __estuvimos__ hablando toda la noche.

2 JULIÁN: El año pasado (ESTAR, yo) __estuve__ trabajando todo el verano, no (TENER, yo) __tuve__ vacaciones.

BEGOÑA: Pues yo (ESTAR, yo) __estuve__ estudiando.
No (IR, yo) __fue__ a ningún sitio, me quedé en casa.

3 ANDREW: El año pasado (ESTAR, yo) __estuve__ aprendiendo español.
Me matriculé en un curso por Internet.

LOLA: Pues mi hermana (ESTAR, ella) __estuvo__ haciendo un curso de ordenador. (IR, ella) __fue__ a una escuela que está cerca de casa.

4 BEGOÑA: Ayer (ESTAR, nosotros) __Estuvimos__ viendo un reportaje muy interesante sobre fiestas populares en Brasil. ¿Vosotros (ESTAR, vosotros) __estuvisteis__ en Brasil hace un par de años, ¿verdad?

JULIÁN: Sí, mi hermano y yo (ESTAR, nosotros) __estuvimos__ viajando por Brasil durante casi dos meses y no lo (VER, nosotros) __vimos__ todo, ¡es enorme!

5 LOLA: Tus padres (ESTAR, ellos) __Estaban__ viviendo en Barcelona durante muchos años, ¿verdad? ¿Cuándo se (CAMBIAR, ellos) _____ de casa?

ANDREW: Hace ya tres años. Primero (ESTAR, ellos) _____ viviendo en Barcelona y después ellos (IRSE, ellos) _____ a Estados Unidos y yo (QUEDARSE, yo) _____ aquí.

8a ¿Por qué no intentas completar las frases con **porque** o **cuando**?

1   El sábado por la noche Julián, Begoña, Andrew y Lola se quedaron 4
    en casa _porque_ estaban muy cansados.

2   _Cuando_ vivía en México, todos los fines de semana preparaba
    un espectáculo en la calle.

3   La semana pasada organizamos un partido de voleibol en la playa,
    pero _cuando_ llegamos empezó a llover.

4   No vino _porque_ no tenía ganas.

5   _Cuando_ me llamaron mis padres, yo estaba en la escuela de teatro.

6   Juan estaba enfadado _porque_ le mentí.

7   Estudié todo el fin de semana _porque_ el lunes tenía un examen.

8   No estudió _porque_ no quiso. (want to

9   _Cuando_ llegamos al piso, Andrew ya estaba dormido. —asleep

10 Tuvo que tomar vitaminas _porque_ se sentía débil.

11 Yo decidí ser actriz de teatro _cuando_ era pequeña, a los cinco años.

12 Fui a Sevilla _cuando_ tenía trece años. Ya no he vuelto más allí. ¡Qué pena!

8b ¿Te parece que **porque** y **cuando** sirven para explicar las cosas
de la misma manera?
Mira este cuadro e intenta colocar **porque** y **cuando** en el lugar
que corresponde.

Explica la circunstancia, la situación, el momento	Explica el motivo, la razón

9 ¿Sabes qué tiempo hace? Relaciona los dibujos con su nombre
correspondiente.
Después, sin mirar, escribe el nombre de los fenómenos meteorológicos
que recuerdes.

nubes • viento • niebla • sol • nieve • lluvia

sol   _lluvia_   _nubes_   _nieve_   _niebla_   _viento_

 8

Primer plano

Te hemos contado muchas historias. ¿Ya sabes cómo reaccionar ante ellas? ¡Qué interesante!

10 ¿Podrías completar los diálogos usando las palabras del cuadro? Te ayudamos con los dos primeros.

somebody *nothing* *nothing* *nobody*

| nadie • ~~alguien~~ • alguien • nada • ninguno • nada • ninguna • nadie |
| algún • algo • ninguna • nada • nadie • ninguno |

some *somebody* *nothing* *nobody*

1 ● ¿ _Alguien_ te ha invitado a la fiesta?
   ○ No, todavía no me ha invitado _nadie_ .

still as yet

2 ● ¿Tienes _algo_ para mí?
   ○ No, para ti no tengo _nada_ .

3 ● ¿Ha venido _algun_ cliente nuevo?
   ○ No, no ha venido _ninguno_ nuevo.

4 ● ¿Has recibido alguna carta?
   ○ No, nunca he recibido _nada_ _ninguna_ .

5 ● ¿Alguien ha llamado a la puerta?
   ○ No, creo que no ha llamado _nadie_ .

6 ● ¿Has bajado algún mensaje de Internet?
   ○ No, todavía no he bajado _ninguno_ .

7 ● ¿Todavía nadie ha comprado el regalo?
   ○ Sí, hombre seguro que ha ido _alguien_

8 ● ¿Le queda alguna entrada para el concierto?
   ○ Lo siento, no me queda _ninguna_ .

9 ● ¿Tienes algo para comer?
   ○ Mira la nevera, creo que no tengo _nada_ .

fridge

10 ● ¿Te ha dicho alguien algo?
    ○ _nadie_ me ha dicho _nada_ .

nada

algo

11

11 Escucha a Begoña y a Lola: están hablando sobre la fiesta de Raquel. Fíjate en las expresiones del cuadro. ¿Qué tipo de sentimiento crees que expresan? Completa las líneas.

| ¡Qué suerte! • ¿Ah sí? • ¡Qué dices! • ¡Qué pena! • ¡Qué bien! |

Alegría: _¡Qué suerte!_
Pena: _Que pena_
Sorpresa o rechazo: _Que dice_
Interés: _Que bien_

 6, 9

12 Escucha cómo hablan nuestros amigos del tiempo. ¿Puedes decir qué tiempo hace?

> llueve • hace frío • hace buen tiempo • está nevando
> hace calor • hace viento

1 _____llueve_____
2 _____hace calor_____
3 _____hace viento_____
4 _____esta nevando_____
5 _____hace frío_____
6 _____hace buen tiempo_____

 8

13 ¿Puedes transformar los verbos en la forma adecuada?

1 💬 Cuando (TRABAJAR, yo) _____trabajaba_____ en el banco
(COMPRAR, yo) _____compré_____ una casa.

2 💬 ¿El viernes no (SALIR, tú) _____saliste_____ de casa?
💬 No, (ESTAR, yo) _____estuve_____ en casa todo el día.

3 💬 (VER, yo) _____vi_____ a tu hermano el martes pasado.
💬 ¡Ah! ¿Sí? ¿Y dónde (ESTAR, él) _____estaba_____?

4 💬 En aquella reunión nadie (TOMAR, él) _____tomo_____ una decisión
porque todo el mundo (ESTAR, él) _____estaba_____ muy nervioso.

5 💬 Cuando (EMPEZAR, ella) _____empezó_____ la película,
(IRSE, ella) se _____fue_____ la luz.

6 💬 (ENCENDER, yo) _____ la calefacción porque
(TENER, yo) _____tenia_____ mucho frío.

7 💬 Mi sobrino cuando (SER, él) _____era_____ pequeño
(LLORAR, él) _____lloraba_____ siempre.

8 💬 La semana pasada (COMER, él) _____comó_____ en casa de sus tíos
porque sus padres (ESTAR, ellos) _____estaban_____ de viaje.

9 💬 Su marido la (ACOMPAÑAR, él) _____encompano_____ en coche porque
(TENER, ella) _____tenia_____ su moto en el taller.

10 💬 Cuando (SER, él) _____era_____ niño (PERDERSE, él) _____se perdio_____
en el cámping donde estaba de excursión con la escuela.

📝 1, 2

Recuerda
Pretérito indefinido y pretérito imperfecto

💬 *La semana pasada **vi** a tu hermano. **Estaba** muy cambiado, **llevaba** el pelo largo.*
SUCESO: el **pretérito indefinido**. *La semana pasada vi a tu hermano.*
DESCRIPCIÓN: el **pretérito imperfecto**. *Tu hermano estaba muy cambiado...*

Llamaba por teléfono pero nadie contestaba

RELACIONAR ACONTECIMIENTOS EN EL PASADO

Cuando comía, sonó el teléfono.
Ayer no salió **porque** hacía mal tiempo.

ORDENAR EL RELATO

Primero desayunamos, **después** fuimos a la playa, **luego** comimos y **al final** fuimos a un parque.

HABLAR DEL TIEMPO ATMOSFÉRICO

 Hay nubes.   Hace sol.   🗨 Nieva.   🗨 Llueve.

REFERIRSE A HECHOS Y CIRCUNSTANCIAS DEL PASADO: PRETÉRITO IMPERFECTO

Regulares §30

	cant**ar**	com**er**	sal**ir**
yo	cant**aba**	com**ía**	sal**ía**
tú	cant**abas**	com**ías**	sal**ías**
él/ella/usted	cant**aba**	com**ía**	sal**ía**
nosotr**os/as**	cant**ábamos**	com**íamos**	sal**íamos**
vosotr**os/as**	cant**abais**	com**íais**	sal**íais**
ellos/as/ustedes	cant**aban**	com**ían**	sal**ían**

Irregulares §38 y §40

Ver: veía, veías, veía, veíamos, veíais, veían.
Ir: iba, ibas, iba, íbamos, ibais, iban.
Ser: era, eras, era, éramos, erais, eran.

Usos §48

Para hablar de cosas habituales del pasado:
*Todos los veranos **iba** de excursión con mis amigos.*

Para describir una situación en el pasado:
***Tenía** un perro que se llamaba Canelo.*

Para comparar cómo eran las cosas antes y cómo son ahora:
*¡Antes no **tenía** el pelo tan largo como ahora!*

REACCIONAR ANTE LA INFORMACIÓN DE UN RELATO §60

alegría

¡Qué bien!
¡Qué suerte!
¡Qué ilusión!

pena

¡Qué pena!
¡Qué lástima!
¡Lo siento!

interés

¡No me digas!
¿Ah sí?
¿De verdad?
¿Y qué?

sorpresa

¡Qué sorpresa!

ALGO/ NADA ALGUIEN/ NADIE ALGUNO/ NINGUNO

§20

— ¿Vamos a tomar **algo**?
— No, no quiero **nada**.

— Me han dicho que aquí encontraría a **alguien**.
— Yo no he visto a **nadie**.

— ¿Me dejas **alguno** de tus libros para estudiar?
— Aquí no tengo **ninguno**.

CONTRASTE ENTRE LOS PRETÉRITOS: PERFECTO, INDEFINIDO E IMPERFECTO §47–§49

Perfecto e indefinido

— ¿Ya **has hecho** el examen de español?
— Sí, lo **hice** el lunes.
— Y ¿qué tal? ¿Cómo **fue**?
— No sé. Creo que bien. **Contesté** a todas las preguntas.

Para preguntar por algo que pensamos que ha sucedido usamos el ya + pretérito perfecto. Para explicar cuándo sucedió y cómo fue, el indefinido.

Indefinido e imperfecto

Cuando **llegamos** a la portería **eran** las doce menos cuarto. **Subimos** en el ascensor, pero de pronto **se paró**. Ricardo **recordó** que **llevaba** teléfono móvil y **llamó** a casa de nuestro amigo.

Para presentar la información como un suceso usamos el pretérito indefinido; para presentarla como una descripción, el imperfecto.

Perfecto, indefinido e imperfecto

— Oye, Begoña ¿tú **has visto** alguna vez un ovni?
— Yo no, pero Lola **vio** uno la semana pasada.
— ¿De verdad? ¿Y cómo **fue**?
— Lola **iba** en coche, **era** de noche, no **había** nadie en la carretera y, de repente, **vio** una luz muy brillante.

Para preguntar si se ha realizado o no una acción usamos el pretérito perfecto; para referirse a una acción que sucedió en el pasado, el indefinido, y para describir la situación en la que sucedió lo que se explica, el imperfecto.

La lengua es un juego

14 ¡A jugar!

Tienes una botella de 3 litros y una de 5 litros vacías.
¿Cómo puedes hacer para tener 2 litros exactos
en la botella de 3 litros? Puedes ir al grifo una sola vez.
Escribe cómo lo haces utilizando las expresiones siguientes:

Primero _____

Después _____

Luego _____

Al final _____

Busca en el diccionario estos verbos: **llenar**, **vaciar** y **poner**.

15 Si quieres llegar hasta el paraguas, debes pasar este charco de letras.
Para avanzar, dinos un verbo que empiece por las letras que pisas.

 3

La lengua es un mundo

16 Vamos a contarte algo sobre el clima en los países de habla hispana.

 El calor y el frío

En Hispanoamérica, desde México hasta Tierra de Fuego, en Argentina, hay muchos climas. Menos en el Cono Sur (Uruguay, Chile y Argentina), el clima es tropical, sólo hay dos estaciones, la lluviosa y la seca, y hace mucho calor todo el año. En las zonas montañosas la humedad y las temperaturas son más bajas. En algunos picos de los Andes hay nieve todo el año. En Uruguay, Chile y Argentina, por estar en la zona templada, hay cuatro estaciones. Pero, por su situación en el hemisferio sur, los meses de verano corresponden a los de invierno en España, y los de la primavera a los de otoño. En España conocemos las cuatro estaciones, el invierno es frío y seco, sobre todo en el interior, y el verano, caluroso y húmedo en la zona de la costa mediterránea.

¿Te gusta el frío o el calor? ¿Qué estación del año es tu favorita? ¡Cuéntanoslo!

Dinos si son verdaderas (V) o falsas (F).

	V	F
1 En México sólo conocen dos estaciones: la lluviosa y la seca.	X	
2 En Chile hay dos estaciones.		X
3 En el Cono Sur (Uruguay, Chile y Argentina) el clima es tropical.	X	
4 En la zona interior de España los inviernos son fríos y secos.	X	

8

17 ¡Vaya noticia! Después de leerla, ayúdanos a completarla.

Una mujer encuentra una serpiente en el patio de su casa.
☐ El reptil, una pitón de tres metros y medio y 30 kilos, estaba sobre la lavadora de la vecina. ☐ Al parecer, el animal cayó al patio de los bajos del edificio desde el ático. La mujer cerró la puerta para evitar que el animal entrara en el piso y llamó a la policía. ☐ Los agentes introdujeron la serpiente en un carro de la compra con ayuda de una escoba. ☐ El propietario pudo recuperarla después de presentar la documentación que acreditaba su adquisición legal.

Algunas frases de la noticia se han perdido, ¿puedes decirnos dónde van colocadas?

a A continuación llevaron la serpiente a la comisaría.
b La policía tardó en llegar una hora.
c Cuando la vio, la confundió con la rama de un árbol.
d Una mujer encontró una serpiente en el patio de su casa.

 1, 2, 5, 10

Direcciones en Internet:

Sitio de arte e historia:
www.artehistoria.com

Portal de arte:
www.hispanart.com

Diario on-line:
www.el-pais.es

Evaluación

1 ¿Puedes seleccionar la respuesta correcta?

1 ¿Ha venido alguna persona?
- ☑ Sí, ha venido alguien.
- ☐ Sí, ha venido algo.
- ☐ Sí, ha venido nadie.

4 Cuando llegué, ya _llovía_
- ☐ llovió.
- ☐ lloviendo.
- ☑ llovía.

2 Ayer _miré_ las fotos de tu boda.
- ☑ miré
- ☐ hemos mirado
- ☐ miran

5 No escribí _porque_ no tenía papel.
- ☐ al final
- ☑ porque
- ☐ cuando

3 No hay _nada_ en la nevera. Está vacía.
- ☐ nadie
- ☐ algo
- ☑ nada

6 Mi hermana _estaba_ en casa cuando _llame_
- ☐ estaba / llamando
- ☐ estuve / he llamado
- ☑ estaba / llamé

2 ¿Puedes completar los espacios vacíos del texto con estas palabras?

> pensaba • enfrente de • tocaba • grabó • permitía • sacaba • nadie
> le gustaba • pensó • llegaba

Martín estaba en la habitación del hotel, unas horas antes del concierto. _pensaba_ en sus inicios en el mundo de la música, en aquel parque del centro de la ciudad.

Todos los días _llegaba_ al parque sobre las diez de la mañana, menos cuando llovía. Primero _sacaba_ su guitarra de la funda, después la afinaba y luego _tocaba_ todas las canciones que él mismo componía. Al final recogía el dinero que la gente le daba por sus canciones. _gustaba_ la vida que llevaba porque le _permitía_ ser libre y disfrutaba de su trabajo.

Pero un buen día un señor se sentó _enfrente de_ él, y, después de un largo rato escuchando, le propuso colaborar en el disco que estaba grabando. Martín aceptó sin dudar un momento. ¡_nadie_ antes le había propuesto algo así!

El disco tuvo tanto éxito que Martín _grabo_ otro disco en solitario. "¡Así que por fin soy famoso!"– _penso_ en la habitación de su hotel.

Ahora puedo:

- ☐ Hablar de hechos y circunstancias en el pasado
- ☐ Reaccionar ante la información de un relato
- ☐ Hablar del tiempo atmosférico
- ☐ También he aprendido otras cosas: _____

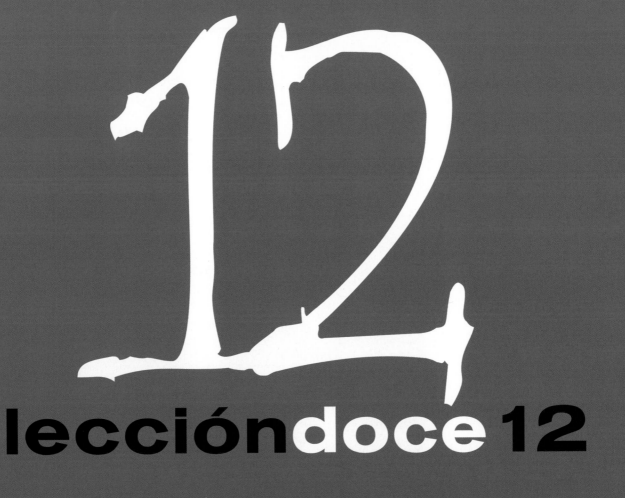

lección doce 12

Julián se va
de vacaciones

En portada

Julián se va de vacaciones

Hay muchas maneras de decir las cosas. Cuando te reúnas con tus nuevos amigos vas a saber utilizar las expresiones adecuadas. No importa dónde vayas, siempre serás bienvenido.

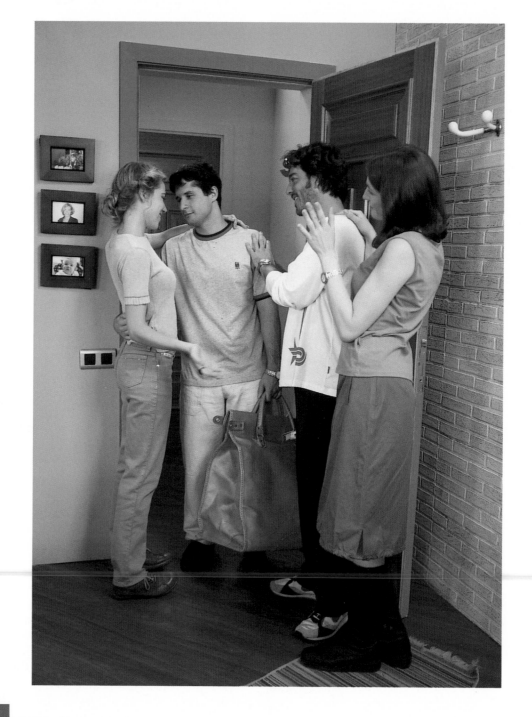

En esta lección vas a aprender:

- A hablar de planes de futuro
- A concertar citas
- Formas de comunicarte por teléfono

1a Fíjate bien en la foto y escoge la respuesta correcta.

1 ¿Quién se va de viaje?
- [ ] Julián.
- [ ] Lola.
- [ ] Andrew.

2 ¿Cómo lo sabes?
- [ ] Porque está con sus amigos.
- [ ] Porque tiene sueño.
- [x] Porque lleva una maleta.

3 Julián, ¿está contento?
- [ ] Sí, está contentísimo.
- [x] No, está un poco triste.
- [ ] No, está enfadado.

4 ¿Dónde se despiden de Julián?
- [ ] En el aeropuerto.
- [ ] En la estación de tren.
- [x] En la puerta del piso.

5 ¿Cómo se despide Begoña de Julián?
- [ ] Le da dos besos.
- [ ] Le da un abrazo.
- [x] Le dice adiós con la mano.

6 ¿Quién no se despide de Julián?
- [ ] Andrew, Lázaro y Antonio.
- [ ] Begoña, Lola y Ana.
- [ ] Antonio, Ana y Lázaro.

1b Los objetos del cuadro son muy útiles para viajar.
¿Puedes relacionarlos con su definición?

maleta • equipaje • guía de viaje • billete • pasaporte • cepillo de dientes

1 *Cepillo de dientes* : Utensilio para la higiene de la boca, imprescindible para viajar.
2 *equipaje* : Conjunto de maleta y cosas que se pueden llevar en los viajes.
3 *pasaporte* : Documento necesario para viajar a algunos países.
4 *maleta* : Caja con un asa que sirve para transportar ropa.
5 *billete* : Tarjeta que permite ocupar el asiento de un medio de transporte.
6 *guía de viaje* : Libro con información de un lugar.

Escenas

Nos vamos
de vacaciones,
¿quieres venir
con nosotros?
¡Date prisa,
te esperamos!

2 Escucha el diálogo entre Julián y Begoña.
Ahora ¿puedes contestar las preguntas?

1 ¿Va a ir Julián de vacaciones? _Sí, Julián va de vacaciones._
2 ¿Adónde va a ir? _____
3 ¿En qué mes del año piensa ir? _____
4 ¿Cuántos días va a estar en la capital? _____
5 ¿A quién le gustan mucho las playas? _____
6 ¿Quiere ir a alguna fiesta? _____
7 ¿Dónde van a hacer las fiestas? _____

1

3 ¿Adónde van a ir y a qué hora tienen que estar allí?
Escucha estos diálogos y completa el cuadro.

	¿Adónde van?	¿A que hora?
1	Van al teatro	19:30
2		
3		
4		

1, 2

4 Averigua en qué diálogo...

a ☐ se han equivocado de teléfono.
b ☐ la chica no está en casa.
c ☐ habla un contestador automático.
d ☐ el señor no puede ponerse y deja un recado.
e ☐ el teléfono comunica.
f 1 llaman para pedir información.

9, 10

Recuerda

Suena el teléfono, ¿qué haces?

Para responder

¿Diga?
¿Quién es?
¿Sí?

Para preguntar

Hola, buenas tardes, ¿está Juan?
Hola, ¿está Juan?
Hola, ¿puede ponerse Juan?

5 Nuestros amigos esta semana tienen muchas citas.
Escucha los diálogos y fíjate en la información importante
para quedar con alguien. Ahora escríbela en el cuadro.

	¿Cuándo quedan? (día y hora)	¿Dónde quedan?	¿Adónde van?
1	Hoy, 13.30	En casa de Begoña	A la playa
2			
3			
4			

 1, 2

6 ¡Begoña se va de fiesta!
Escucha el audio e intenta relacionar las preguntas con las respuestas.
Fíjate en el ejemplo, te ayudará.

1 ¿Para qué llama Maribel a Begoña?
2 ¿Maribel celebra algo especial?
3 ¿Por qué la fiesta se celebra este fin de semana?
4 ¿A qué hora y dónde quedan Maribel y Begoña?
5 ¿Dónde está la casa de Maribel?
6 ¿De qué se conocen Maribel y Begoña?

a [6] Son compañeras de la escuela de teatro.
b [ ] No, pero tiene ganas de hacer una cena y ver a sus amigos.
c [ ] En la calle Milagros, número quince, segundo primera.
d [ ] A las nueve y media en casa de Maribel.
e [ ] Para preguntarle si quiere ir a cenar a su casa.
f [ ] Porque los padres de Maribel no están en casa.

 2

Recuerda

Debes informarte de los horarios, si no quieres llegar tarde...

DIRECCIÓN, HORARIO Y RÉGIMEN DE VISITAS
C/ Almanzor, s/n
04002, ALMERÍA.
Tef.: 950 27 16 17
E-mail: alcazaba@a2000.es
http://www.junta-andalucia.es/cultura

VERANO: Del 1 de mayo al 30 de septiembre:
De 10 a 14 horas y de 17 a 20 horas

INVIERNO: Del 1 de octubre al 30 de abril:
De 9.30 a 13.30 horas y de 15.30 a 19 horas

Cerrado: 25 de diciembre y 1 de enero.

VISITAS EN GRUPO: Concertadas con antelación, por
correo o mediante llamada telefónica al Conjunto o a través del
Gabinete Pedagógico de Bellas Artes, sito en la Delegación
Provincial de Almería C/ Hermanos Machado, 4, Edificio múltiple,
6.ª planta /04071. ALMERÍA/ Tel.: 950 23 50 10

Bicicleta, avión tren o coche... Cualquier medio de transporte es apropiado. ¿Tú cuál prefieres?

7 Hay muchas formas de hacer turismo. ¿Cuántas conoces tú? Intenta relacionar los nombres con las fotografías.

 3, 4, 5

1 _cámping_

2 _hotel_

3 _apartamento_

4 _barco_

5 _caravana_

6 _albergue_

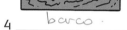

hotel • apartamento • caravana • cámping • barco • albergue

8 ¿Adónde quiere ir Julián de vacaciones? Si lees la información turística que aparece a continuación, lo vas a descubrir.

1

Si usted quiere practicar

montañismo...

éste es el lugar ideal.

Las **montañas peruanas** cruzan el país de norte a sur. Sólo algunas zonas de la selva amazónica y del desierto no tienen montañas. Las montañas están situadas al sur de la línea ecuatorial, por eso el **clima** es **tropical**. Los vientos de la selva amazónica se combinan con el frío del Pacífico, así que tiene que llevar ropa de invierno y de verano. La naturaleza también está presente en estas bellas montañas; plantas y animales conviven en este paisaje. No se pierda los lagos Churup y Uspaychoca, son un **escenario único**. En Perú podrá **disfrutar de la naturaleza** sin correr ningún peligro. Su estancia en nuestro país va a ser muy agradable.

Después de leer el texto, ya sabes:

1 ¿Adónde quiere ir Julián de vacaciones? _A Perú._
2 ¿Qué deporte va a practicar? _____
3 ¿Cómo es el clima? _tropical_
4 ¿Qué tipo de ropa tiene que llevar? _de invierno y de verano_
5 ¿Qué lagos puede visitar? _Churup y Uspaychoca_
6 ¿Cómo va a ser la estancia de Julián en Perú? _muy agradable_

9 Lola está muy ocupada. Sus amigos quieren quedar con ella.
Mira en su agenda y relaciona las preguntas con las respuestas.
¿Qué contesta Lola en cada caso?

1, 2

Lunes
Mañana Escuela de teatro.
Tarde Cadena de televisión.
Noche Preparar reportaje sobre Uruguay.

Martes
Mañana Dentista. 9:30 h.
Tarde Clases de flamenco. De 18:30 h.
Noche 20:00 h ¡Reunión de trabajo!

Miércoles
Mañana Escuela de teatro.
Tarde Cadena de televisión.
Noche Estudiar para el examen de "El teatro en el Siglo de Oro"

Jueves
Mañana Escuela de teatro.
Tarde Masajista a las 19:30 h.
Noche

Viernes
Mañana ¡Examen! Clase 201. 9:00 h.
Tarde Cadena de televisión.
Noche Cena con mis amigos del trabajo.

Sábado
Mañana Comprar entradas Joaquín Cortés.
Tarde Preparar concurso de teatro.
Noche

Domingo
Mañana
Tarde Cine. Adaptación de la obra de teatro "La vida es sueño".
Noche

1 JULIÁN: ¿Quieres ir al cine el miércoles por la noche?
2 BEGOÑA: ¿Te apetece ir a cenar el viernes?
3 ANDREW: ¿Por qué no me ayudas a preparar el examen el martes por la noche?
4 ANDREW: ¿Por qué no quedamos el lunes?
5 JULIÁN: ¿Vas a hacer algo especial el domingo por la mañana?
6 BEGOÑA: Y el sábado, ¿te va bien ir a cenar?

☐ a Lo siento, pero es que a las ocho tengo una reunión de trabajo. Mejor por la mañana, a partir de las once.
☐ b Sí, estupendo. Por la noche estoy libre. ¿A qué hora quedamos?
1 c Lo siento, pero tengo que estudiar para el examen de "El teatro en el Siglo de Oro".
☐ d No puedo. Es que voy a cenar con unos amigos. Mejor el sábado.
☐ e No. No tengo ningún plan. ¿Por qué no vamos a tomar el sol?
☐ f Tampoco puedo; es que tengo que preparar el reportaje sobre Uruguay.

¿Dónde piensas
ir de vacaciones?
Nosotros
vamos
con Andrew
a Valencia.
¿Vienes?
¡Va a ser
muy divertido!

10 Andrew y un amigo suyo están preparando un viaje a Valencia para ir a ver las Fallas. ¿Puedes completar las frases utilizando el verbo que hay entre paréntesis? No olvides utilizar las preposiciones cuando sea necesario.

1

1 (PENSAR) ___Piensan___ tomar el tren desde Barcelona hasta Castellón.

2 (QUERER) _____ hacer auto-stop desde Castellón hasta Valencia.

3 (IR) _____ alojarse en casa de un compañero de la escuela de teatro, que es valenciano.

4 (IR) _____ recoger los billetes a la estación de tren.

5 (PENSAR) _____ preparar las maletas la noche antes.

6 Andrew (IR) _____ comprar un poco de comida para el viaje en tren.

7 (IR) _____ a ver las Fallas.

11 ¿Podrías colocar junto al verbo la preposición correspondiente?

6, 7, 8

~~de~~ • por • por • a • en • en • a • por • a

Lola y Begoña salen __de__ casa a las diez de la mañana. Van _____ un ensayo de teatro. Pasan _____ una tienda de teléfonos móviles y, de repente, Begoña recuerda que ha olvidado el suyo, así que vuelve _____ casa a buscarlo.

Mientras tanto, Lola continúa su camino, quiere llegar _____l teatro puntual pero cuando llega, intenta abrir la puerta y entrar _____ el vestíbulo, no puede. ¡El teatro todavía está cerrado! No tiene más remedio que quedarse _____ la calle esperando a que abran. ¡No tiene que ponerse nerviosa, calma!

Quien no se pone nerviosa nunca es Begoña, ¡está paseando _____ la calle y hablando _____ teléfono!

12 Después de leer estas frases, ¿puedes colocar las palabras **que** y **donde** en el lugar apropiado? Estos ejemplos te pueden ayudar.

1 Mi amigo Luis, _____que_____ es arquitecto, ha hecho tres casas. La casa _____donde_____ vivo la hizo Luis.
2 La obra _____ vamos a estrenar, *La vida es sueño*, es un clásico del teatro español.
3 El local _____ queremos ensayar ya está alquilado.
4 En la escuela de teatro _____ estudiamos hay muy buenos profesores.
5 La ciudad _____ pensamos estrenar la obra es Barcelona.
6 Ayer fuimos a ver un espectáculo de magia _____ nos gustó mucho.
7 La ropa _____ te dejé para el ensayo es de mi madre.
8 La librería _____ voy siempre está especializada en teatro.
9 ¿Cómo se llamaba el espectáculo _____ vimos la semana pasada?
10 Los comentarios _____ hicieron los periódicos sobre los actores fueron buenos.
11 La mitad de los alumnos _____ estudian en nuestra escuela son extranjeros.

🖎 **11**

13 ¿Quieres saber algo de Perú?
Pues escucha el audio y completa las frases.

1 Las tres grandes zonas de Perú son: la costa, la sierra y la _____selva_____ .
2 En la selva es donde están las reservas _____ .
3 Hay zonas de la selva a las que sólo se puede acceder si vas por _____ .
4 Es obligatorio _____ contra la fiebre amarilla.
5 Entre _____ y _____ es la época de las lluvias.
6 Hay que ir preparado contra el _____ y los mosquitos.
7 Para viajar a Perú lo mejor son las _____ de manga larga y los _____ largos.
8 Perú es uno de los ocho países más diversos del mundo porque allí vive más del _____ por ciento de las especies animales del planeta.

🖎 **3, 4, 5**

Recuerda

lejos

cerca

encima

debajo

delante

detrás

¿Quedamos a las ocho?

PROPONER ACTIVIDADES

¿POR QUÉ NO VAMOS
¿QUIERES IR   } + { A } + [INFINITIVO]?
¿TE APETECE IR

¿POR QUÉ NO VAMOS   AL
¿QUIERES IR   } + { A LA   } + [NOMBRE]?
¿TE APETECE IR   A LOS
                        A LAS

¿Por qué no vamos a pasear?
¿Por qué no vamos al cine?

¿Quieres ir a bailar?
¿Quieres ir a la playa?

¿Te apetece ir a comprar?
¿Te apetece ir a los toros/a las fiestas?

CONCERTAR CITAS

¿QUÉ DÍA
¿A QUÉ HORA
¿DÓNDE   } + QUEDAMOS?
¿CÓMO
¿CUÁNDO

¿TE VA BIEN + { [DÍA]?
                 [HORA]?
                 [LUGAR]?

- ¿Qué día quedamos?
- El sábado. ¿Te apetece ir al cine?
- ¿A qué hora quedamos?
- A las siete.
- ¿Te va bien el martes?
- De acuerdo / No me va bien, mejor el lunes.

AL TELÉFONO

- ¿Diga?
  - ¿Está Begoña?
  - ¿Se puede poner Andrew?

- ¿Dígame?
  - ¿El señor Gómez, por favor?
- Un momento, ahora se pone.
- Lo siento, se equivoca.

- ¿De parte de quién?
  - De María. ¿Puede darle un recado?

- ¿Quiere dejar algún recado?
  - Sí, por favor. Dígale que ha llamado Pablo Martínez.

LOS RELATIVOS **QUE** Y **DONDE** §64

El libro **que** he leído es fantástico.
La ciudad **donde** hemos estado es fantástica.

PRESENTE CON VALOR DE FUTURO §46

Mañana el tren llega a las diez.

EXPRESAR INTENCIONES §41

[QUERER] + [INFINITIVO]

- ¿Adónde quieres ir el próximo verano?
- Quiero ir a un pueblo con playa.

CÓMO UBICAR ESPACIALMENTE §52

al norte

al oeste   **al este**

al sur

Al norte, Perú limita con Colombia y Ecuador.

El Macchu-Pichu está al sur del Perú, en Cuzco.

Al este, Perú limita con Brasil.

Al oeste, limita con el océano Pacífico.

**en el centro • lejos
cerca • al lado**

El piso de los chicos está en el centro.

El trabajo de Begoña está lejos de la escuela.

La escuela está cerca del piso.

Hay un supermercado al lado del piso.

VERBOS CON PREPOSICIONES §27

ir a
Los chicos van a un ensayo de teatro.

pasar por
Lázaro no puede pasar por el piso de los chicos porque no tiene tiempo.

pasear por
Ayer Andrew paseó por el centro de la ciudad.

salir de
Lola y Begoña salen de casa a las diez de la mañana.

volver a / de
Andrew de momento no quiere volver a su país.

Begoña vuelve de su trabajo muy tarde.

llegar a
Julián llegó a España en octubre.

entrar en
Lola entró en la biblioteca antes de clase.

quedarse en
El domingo por la tarde los chicos se quedaron en casa porque estaban cansados.

PLANES Y PROYECTOS PARA EL FUTURO §41

IR A
PENSAR } + INFINITIVO

- ¿Qué vais a hacer mañana?
  Vamos a ir al cine.

- ¿Qué piensas hacer este fin de semana?
  Pienso descansar.

MARCADORES DE FUTURO

**MAÑANA • PASADO MAÑANA
LA PRÓXIMA SEMANA**

EL PRÓXIMO + { FIN DE SEMANA
MES
AÑO
...

Mañana Lola, Begoña y una amiga van a ir al teatro.

El próximo mes tenemos mucho trabajo.

14 Bienvenido al último juego del curso. Para solucionarlo escucha el audio
y contesta a las preguntas. Deja en blanco las preguntas que no sepas.
Cuando acabes, suma los puntos y comprueba tu clasificación.
Recuerda que puedes repetir la carrera cuando quieras. ¡Buena suerte!

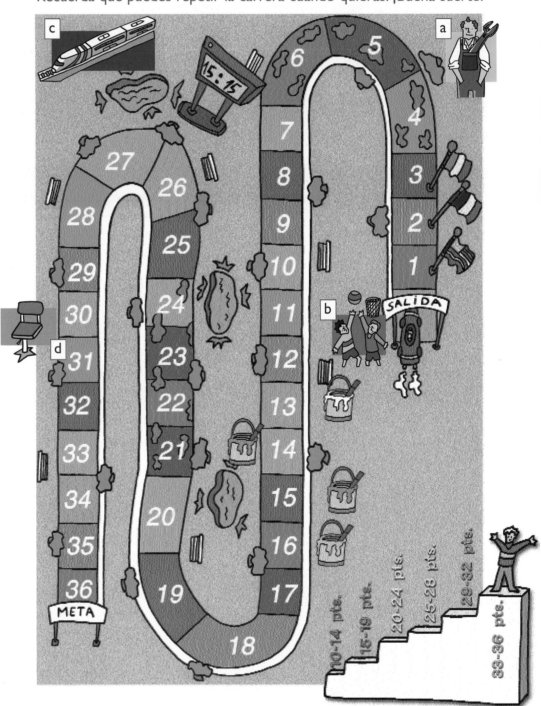

menos de 10 pts. **Te falta gasolina: vuelve a empezar**

15 Lee los textos que te damos e identifica en el cuadro las condiciones de los posibles medios de transporte para cruzar la Patagonia.

La Patagonia es la zona más salvaje de Sudamérica. Ocupa la superficie sur de Chile y Argentina. Abarca un millón de kilómetros cuadrados, dos mil kilómetros de agua y hielo. Para viajar por ella es necesario conocer bien los medios de transporte y las condiciones del terreno. Tu meta es viajar desde el norte hasta el sur. Los fragmentos del texto te van a dar las pistas suficientes para conseguirlo.

En tren. El tren es un medio poco desarrollado en la Patagonia. Los gobiernos argentino y chileno nunca se han ocupado de él, por eso está en muy mal estado. Además de la escasa red ferroviaria, los precios de los trenes son carísimos porque en la Patagonia se considera un lujo la comodidad del tren. Recomendamos mucha paciencia: no siempre llegan puntuales.

En autobús. Sin duda, es el medio clásico para desplazarse por la Patagonia. Normalmente van muy cargados. La actividad de numerosas compañías privadas asegura la conexión entre todas las poblaciones. Sus autobuses son rápidos y baratos. Es recomendable comparar precios, porque muchas veces hay gran diferencia entre las distintas empresas.

Caminos de agua. El barco es la forma habitual de transporte para cruzar los canales y los grandes lagos de la Patagonia. Sus tarifas dependen de la travesía pero generalmente son muy baratas. Es recomendable llevar pastillas para el mareo porque las aguas normalmente están muy revueltas.

En coche. Conducir un coche en la Patagonia es toda una aventura. Además de las grandes distancias, existen pocas carreteras en buenas condiciones. Es mejor poner gasolina en Argentina: el precio de la gasolina es más barato que en Chile. También se recomienda un protector de piedras para el parabrisas.

En bicicleta. Aunque sólo se puede viajar con ruedas de montaña, cada vez es más normal encontrar ciclistas en las carreteras de la Patagonia. Es mejor traerse la bici de casa. Hay que recordar que los vientos de la Patagonia y la falta de calidad de las pistas hacen que las etapas sean casi siempre muy duras.

	Recomendaciones	Dificultades	Características
En tren			
En autobús			
Caminos de agua			
En coche			
En bicicleta			

Por el momento aquí acaba nuestro viaje. ¡No te pongas triste! Volveremos a estar contigo muy pronto. ¡Hasta la vista!

Direcciones en Internet:

Agencia de viajes:
www.rumbo.es

Compañía aérea:
www.spanair.com

Revista de turismo:
www.geoplaneta.com

1 ¿Puedes seleccionar la opción correcta?

1 Esta tarde _____ a un concierto.
- ☐ vamos a escribir
- ☐ vamos comprar
- ☑ vamos a ir

2 ¿ _____ ir al cine?
- ☐ Vamos
- ☑ Te apetece
- ☐ Te paseas

3 Ayer, estuve paseando _____ el barrio.
- ☑ por
- ☐ de
- ☐ a

4 Mi hermano llega _____ Santo Domingo hoy.
- ☐ por
- ☑ a
- ☐ en

5 Los alumnos _____ esta tarde.
- ☐ tienen
- ☐ apetecen
- ☑ van a venir

6 ¿Está Begoña?
- ☑ Sí, ahora se pone.
- ☐ Encantado.
- ☐ Llamo más tarde.

2 ¡Julián ha recibido carta de María, una amiga!
Si completas la carta con las palabras del cuadro, ayudarás a Julián a entenderla.

> organizando • pensamos esquiar • salgo de
> turistas • montañas • queremos • pasar • queremos ir

Querido Julián:

¿Cómo estás? Yo un poco más atareada porque estoy _____ las vacaciones.

¡Por fin _____ la ciudad! Y aunque no te lo creas, ¡voy a cruzar el Atlántico! Mis amigos y yo _____ a San Carlos de Bariloche, en Argentina. Una zona típica de veraneo donde los _____ practican deportes acuáticos, pero nosotros no, nosotros _____ .
¿Te imaginas? Llegar al aeropuerto con todo el equipo de esquí y _____ delante de la gente vestida de verano...
¡Qué divertido!
Hemos alquilado un apartamento en las _____ y todo, porque _____ un verano diferente.

Te escribo pronto. Un abrazo, María.

Ahora puedo:

- ☐ Hablar de planes de futuro y concertar citas
- ☐ Comunicarme por teléfono
- ☐ También he aprendido otras cosas: _____

Consulta nuestra dirección en el web

1 ¿Podrías completar este folleto informativo con la ayuda del cuadro? ¡A ver si te animas a ir de viaje!

> ha ofrecido • por • quieren • parece • de • por • viajar • nunca • nadie todavía • quieres • por • seguro • rutas • descubrir • en • hace • has visto

¿Y si nos vamos de viaje juntos?

En los últimos años nuestra compañía te _____ los mejores viajes _____ Europa, pero ahora queremos _____ nuevos destinos contigo.

¿Qué te _____ salir _____ la rutina para pasear _____ las calles de esas ciudades desconocidas? ¿Y _____ a cualquier rincón salvaje del mundo?

Si _____ has navegado por el Amazonas, si nunca _____ animales exóticos de cerca y _____ no sabes qué _____ hacer este verano, pasa _____ nuestra agencia para decidirte. _____ que hay una oficina cerca de tu casa.

Te ofrecemos las mejores _____ por las reservas naturales de Latinoamérica.

¡Para todos los que no _____ quedarse _____ casa!

2 ¿Por qué no completas estas frases?

> como • nadie • nada • adonde • estuve • en
> después • van • hace • parece

1 🗨 ¿Qué día quedamos para ir a comprar?
🗨 No sé, ¿te _____ bien el martes?

2 🗨 ¿Qué hiciste ayer?
🗨 _____ estaba lloviendo, no salí de casa.

3 🗨 ¿Qué tiempo hace en el sur de España?
🗨 En verano _____ mucho calor.

4 🗨 ¿Hay alguien en casa?
🗨 No, no hay _____ .

5 🗨 ¿Dónde quieren ir tus padres de vacaciones?
🗨 Creo que _____ a ir a Buenos Aires.

6 🗨 ¿Quieren tomar algo?
🗨 No, gracias, no me apetece _____ .

7 🗨 ¿Qué hacéis _____ del trabajo?
🗨 Normalmente, vamos a casa.

8 🗨 ¿Cómo se llama el pueblo _____ vas de vacaciones?
🗨 La Puebla de Híjar. Está a unos 40 minutos de Zaragoza _____ coche.

9 🗨 ¿Qué te pasó ayer?
🗨 Que _____ preparando la fiesta de cumpleaños de Carlos.

3 ¿Puedes señalar la opción correcta?

1 ¿Dónde estuviste el verano pasado?
- ☐ Fui a cenar con unos amigos.
- ☐ He viajado por toda Latinoamérica.
- ☐ Fui a México con mi novio.

2 ¿Habéis estado alguna vez en la Feria de Abril de Sevilla?
- ☐ No, el año pasado fuimos con mis padres.
- ☐ Sí, dos veces.
- ☐ Sí, hemos viajado poco.

3 ¿Qué le pasa a Julia?
- ☐ A mí me parece que es muy simpática.
- ☐ Seguro que no está.
- ☐ Creo que está enferma.

4 ¿Te has comprado algo?
- ☐ No, no he visto ninguno.
- ☐ No, no he visto nada.
- ☐ No, no he visto a nadie.

5 El otro día no os vimos en casa de Alejandra.
- ☐ No, no fuimos porque estuvimos estudiando todo el día.
- ☐ No, estuvimos estudiando como teníamos un examen.
- ☐ Así que nos quedamos en casa estudiando.

6 El país _____ estuvimos es enorme.
- ☐ que
- ☐ donde
- ☐ antes de

7 La persona _____ conocí es muy divertida.
- ☐ donde
- ☐ después de
- ☐ que

8 ¿Podrías pasar _____ mi casa _____ de trabajar?
- ☐ por … después
- ☐ con … antes
- ☐ en … dentro

9 ¿Ya habéis ido a pasear _____ ese parque?
- ☐ por
- ☐ entre
- ☐ de

Así puedes aprender

¿Cometes errores cuando hablas, cuando haces ejercicios o cuando lees textos? Aprender significa cometer errores.

Es casi imposible aprender a hacer algo sin equivocarse. Piensa que cometer errores es positivo si aprendes de ellos, ya que sirven como forma de explorar la lengua.

¿Crees que cometes muchos errores, pocos o los normales en un estudiante de tus características?

Recuerda. Es preferible cometer errores a no hablar o no escribir por miedo a equivocarse.

Reflexiona sobre tu trabajo en estas tres lecciones:

He aprendido	☐ mucho	☐ bastante	☐ poco
Las actividades me han parecido	☐ fáciles	☐ difíciles	☐ muy difíciles
Estoy cumpliendo mis objetivos previstos antes de empezar el curso	☐ mucho	☐ bastante	☐ poco

Lo que más me ha gustado es _____

Lo que menos me ha gustado es _____

Ahora quiero aprender más cosas: _____

léxico en imágenes

La casa

1 la antena
2 la terraza
3 el techo
4 la pared
5 la escalera
6 el ascensor
7 el suelo
8 la cocina
9 la habitación /
   el dormitorio
10 el fregadero
11 el balcón
12 el salón
13 el baño / el lavabo
14 la ventana
15 la ducha
16 el lavabo — toilet
17 el garaje
18 el jardín
19 la puerta
20 el comedor
   dining room

Objetos de la casa

1 el sofá
2 la silla   *chair*
3 la nevera
4 el cuadro
5 el televisor
6 la estantería   *shelves*
7 la librería
8 el armario
9 la alfombra   *rug*
10 la lavadora   *washing machine*
11 el espejo   *mirror*
12 la cama
13 la lámpara
14 el ordenador
15 el sillón   *armchair*
16 la mesa

Alimentos y comercios

1 el aceite
2 el flan
3 la cerveza
4 la fruta
5 el vino
6 el pincho
   (de tortilla)
7 el marisco
8 el queso
9 el jamón
10 el pescado
11 el pan
12 el pollo
13 la carne
14 la farmacia
15 la floristería
16 la joyería
17 la librería
18 la panadería
19 la perfumería
20 la pescadería
21 la papelería
22 la pastelería
23 la carnicería
24 el estanco
25 la frutería
26 la zapatería
27 el quiosco
28 la droguería

La ciudad y las profesiones

1 el hospital
2 el mercado
3 la discoteca
4 el semáforo
5 el hotel
6 el cruce
7 el gimnasio
8 la peluquería
9 el taller
10 la calle
11 la iglesia
12 el buzón
13 el bar
14 el teatro
15 la estación
   de metro
16 el ayuntamiento
17 el / la mecánico, ca
18 el / la peluquero, ra
19 el / la enfermero, ra
20 el / la pintor, ra
21 el / la cartero, ra
22 el / la fotógrafo, fa
23 el / la policía

Léxico en imágenes

La tienda de ropa

1 el pijama
2 las medias
3 la camiseta
4 la camisa
5 el jersey
6 la bufanda *scarf*
7 el abrigo
8 las botas
9 el cinturón
10 la chaqueta
11 el vestido
12 la corbata
13 los calcetines
14 los zapatos
15 el traje
16 el pantalón

Las partes del cuerpo

1 la cabeza
2 el codo *elbow*
3 el brazo
4 el cuerpo
5 la pierna *leg*
6 la rodilla
7 el pie
8 el cabello / el pelo
9 la frente
10 el ojo
11 la oreja
12 la cara
13 la nariz
14 la boca
15 la lengua
16 el diente
17 el cuello *neck*
18 el hombro *shoulder*
19 la espalda
20 la muñeca *wrist*
21 la mano
22 el dedo

El clima

1 el verano *summer*
2 el sol
3 el calor
4 el otoño
5 la nube *— cloud*
6 la lluvia
7 el viento
8 el rayo
9 la tormenta
10 el termómetro
11 el invierno
12 la niebla
13 la nieve
14 el muñeco de nieve
15 la calefacción
16 la temperatura
17 el arco iris
18 la primavera

Viajes y localización geográfica

1 el Norte
2 el Sur
3 el Este
4 el Oeste
5 el barco
6 la costa
7 el tren
8 el mar
9 la curva
10 el avión
11 la vía del tren
12 el lago
13 la moto
14 la carretera
15 el autobús
16 el puente
17 el automóvil
    / el coche
18 la cima
19 la montaña
20 el río
21 el / la turista
22 la cámara
23 la maleta

apéndice
gramatical

Apéndice gramatical

ÍNDICE DEL APÉNDICE GRAMATICAL

Apéndice gramatical

■ GRAFÍAS, SONIDOS Y ENTONACIÓN (§1-§4)

§1 LAS LETRAS EN ESPAÑOL

Para deletrear en español se utilizan 27 letras y los dígrafos *ch* y *ll*, pero no hay 29 sonidos, tal como te explicaremos a continuación.

Letra Mayúscula	Letra Minúscula	Nombre de la letra	Cómo suena	Ejemplo
A	a	A	[a]	árbol
B	b	Be	[b]	básico
C	c	Ce	[θ / s] [k]	cena, casa
Ch	ch	Che	[t͡ʃ]	chocolate
D	d	De	[d]	día
E	e	E	[e]	escuela
F	f	Efe	[f]	frío
G	g	Ge	[g], [x]	gato, gente
H	h	Hache	[ø]	hija
I	i	I	[i]	isla
J	j	Jota	[x]	julio
K	k	Ka	[k]	kilogramo
L	l	Ele	[l]	leche
Ll	ll	Elle	[ʎ]	lluvia
M	m	Eme	[m]	madre
N	n	Ene	[n]	nevera
Ñ	ñ	Eñe	[ɲ]	España
O	o	O	[o]	orejas
P	p	Pe	[p]	pelo
Q	q	Qu	[k]	queso
R	r	Erre	[r], [rr]	aéreo, radio
S	s	Ese	[s]	suerte
T	t	Te	[t]	tomate
U	u	U	[u]	urgente
V	v	Uve	[b]	verano
W	w	Uve doble	[w], [b]	whisky, Wagner
X	x	Equis	[ks], [s]	taxi, xilófono
Y	y	I griega	[y], [i]	ya, buey
Z	z	Zeta	[θ / s]	zapatos

Aunque el sonido que representa la letra ñ existe en muchas lenguas, ésta es una letra particular del español, que no existe en otros alfabetos.

La disposición de los órganos articulatorios en la producción de los distintos sonidos consonánticos es la siguiente:

a) Consonantes labiales: [p, b, ß, m]

Estos sonidos se producen al abrir los labios, que estaban en contacto [p, b] o muy próximos [ß]; o dejando fluir el aire por las fosas nasales [m].

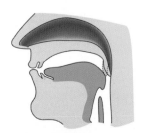

b) Consonante labiodental: [f]

Este sonido se produce dejando fluir el aire entre el labio inferior y los incisivos superiores.

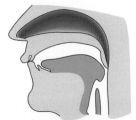

c) Consonante interdental: [θ]

Este sonido se produce dejando fluir el aire entre el ápice de la lengua y los incisivos superiores.

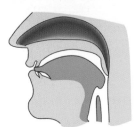

d) Consonantes dentales: [t, d, ð]

Estos sonidos se producen al abrir el canal oral, que estaba cerrado [t, d] por contacto entre el ápice de la lengua y la cara interior de los incisivos superiores, o dejando pasar el aire [ð] con la misma articulación.

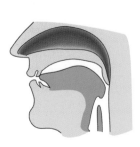

e) Consonantes alveolares: [s, l, r, rr, n]

Estos sonidos se producen al dejar pasar el aire [s] por el ápice de la lengua aproximada a los alvéolos de los incisivos superiores; cerrando el canal en los alvéolos [l] y dejando fluir el aire por los lados de la lengua; abriendo el canal [r] tras pasar el ápice por los alvéolos una vez, o varias veces [rr]. Para producir [n] se cierra el canal oral y se deja pasar el aire por las fosas nasales.

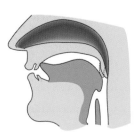

f) Consonantes palatales:
[t͡ʃ, ʎ, ɲ]

Estos sonidos se producen al soltar el aire [t͡ʃ] por el canal oral cerrado, entre el dorso de la lengua y el paladar; o dejándolo fluir [ʎ] por los lados de la lengua. Para producir [ɲ] se cierra el canal oral en el paladar y se deja pasar el aire por las fosas nasales.

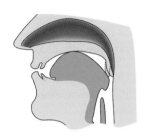

g) Consonantes velares:
[k, g, ɣ, x]

Estos sonidos se producen al abrir el canal oral cerrado, entre el postdorso de la lengua y el velo del paladar [k, g]; o entreabierto [ɣ]; o dejando fluir el aire [x] por esa zona sin vibración de las cuerdas vocales.

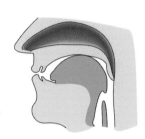

Las letras *b* y *g* suenan como [b] y [g], respectivamente, al principio de la expresión y detrás de una consonante nasal. La letra *d* suena como [d] al principio de la expresión, detrás de una consonante nasal y detrás de *l*. En el resto de contextos, estas consonantes no suenan como oclusivas, con una explosión por la abertura del canal oral, como [b] [d] y [g], sino como aproximantes [ß] [ð] y [ɣ], es decir, se pronuncian sin una interrupción total de la salida del aire.

Barco [b]	*El barco* [ß]
Un barco [b]	*Tengo cuatro barcos* [ß]
Gato [g]	*El gato* [ɣ]
Un gato [g]	*Tengo dos gatos* [ɣ]
Dedo [d] [ð]	*El dedo* [d] [ð]
Un dedo [d] [ð]	*Tengo cinco dedos* [ð] [ð]

Además, tienes que tener muy en cuenta que el español, que se habla en tantos países y en territorios tan extensos y distantes, puede manifestar diferencias de pronunciación más o menos apreciables, pero nunca tan acusadas como para impedir la intercomprensión. Entre esas variantes, la más extendida consiste en la pronunciación como [s] del sonido [θ] de las grafías *za, zo, zu, ce, ci,* que manifiestan los hablantes del sur de la Península, de las islas Canarias y de casi toda la América de habla hispana.

Aunque en español la grafía de las palabras coincide más que en otras lenguas con su pronunciación, la relación entre sonido y grafía no es de uno a uno, ya que existen letras que representan más de un sonido, sonidos que son representados por más de una grafía, letras que no representan ningún sonido. A continuación tienes unos cuadros que te explican la relación entre sonido y grafía.

§2 RELACIÓN ENTRE LETRAS Y SONIDOS

a) Letras que pueden representar dos sonidos distintos

Como habrás podido observar, hay letras que representan más de un sonido. En el cuadro siguiente se recogen las letras que pueden representar más de un sonido.

Letras	Sonidos	Ejemplos
Y	[y] [i]	yate y
C	[k] [θ]	casa cena
G	[g] [x]	gato gente
R	[r] [rr]	caro Enrique
W	[g] [b]	whisky wáter

La letra *c* se pronuncia [θ] cuando va delante de *e, i,* y como [k] cuando precede a las vocales *a, o* y *u.* Fíjate en que la letra *z* también se pronuncia [θ]. Se escribe *z* delante de *a, o* y *u,* y se escribe *c* delante de *e, i.* Las letras *qu* y *k* también se pronuncian como [k]. Las letras *qu* se escriben delante de *e, i.* La letra *k* sólo aparece en palabras procedentes de otras lenguas.

En el cuadro siguiente se recoge la relación entre las grafías *c, z* y *qu* y los sonidos [θ] y [k]

Se escribe	Suena	Se escribe	Suena
ci	[θi] cielo, cine	qui	[ki] quilo, quinto
ce	[θe] cenar, cenicero	que	[ke] querer, queso
za	[θa] zapato, cazar	ca	[ka] casa, carretera
zo	[θo] zoo, zócalo	co	[ko] comer, collar
zu	[θu] zumo, zueco	cu	[ku] cuello, curar

Apéndice gramatical

La letra *g* se pronuncia como [g] delante de *a, o* y *u*, y como [x] delante de *e, i*. Para que la letra *g* se pronuncie como [g] delante de *e, i*, se escribe *gu*. Fíjate en que la vocal *u* no se pronuncia; cuando se pronuncia se escribe *ü* (cigüeña). La letra *j* se pronuncia también [x]; esta letra, aunque también se encuentra ante *e* e *i*, se utiliza generalmente delante de *a, o* y *u*.

En el cuadro siguiente se recoge la relación entre grafía y sonido.

Se escribe	Suena	Se escribe	Suena
gui	[gi] guitarra	ji, gi	[xi] jirafa, gigante
gue	[ge] guerra	je, ge	[xe] Jerez, general
ga	[ga] gato	ja	[xa] jarra
go	[go] gorro	jo	[xo] jota
gu	[gu] guapo	ju	[xu] jugar

La letra *r* suena: con dos o más vibraciones de la lengua en los alvéolos de los incisivos superiores cuando va entre vocales, donde se escribe *rr: carro*, al principio de la palabra o detrás de *l, n* y *s*, donde se escribe *r: radio, alrededor, Enrique, Israel*; con una vibración o golpe de la lengua en los alvéolos de los incisivos superiores, en otros casos: *caro, pera*.

Sólo se escriben con *w* palabras que proceden de otras lenguas, especialmente del inglés o del alemán, cuya grafía no se ha adaptado a la española. Dependiendo de la lengua de la que proceda la palabra, la letra *w* se pronuncia [b] o [w].

b) Dos letras que representan un sonido

Fíjate también en que a veces para representar un solo sonido se utilizan dos letras. A continuación tienes un cuadro que recoge estas combinaciones de letras.

Letras	Sonido	Ejemplo
Gu	[g]	guerra, guiso
Qu	[k]	queso, quitar
Ch	[tʃ]	charla
Rr	[r]	Correr

c) Letras que no representan ningún sonido

En español sólo hay una letra que no suena; esta letra es la *h*. Hay variantes dialectales en las que la *s* a final de sílaba, en interior de palabra o al final, parece como si no se pronunciara, pero de hecho se manifiesta con una leve aspiración.

d) La letra *x*

Finalmente, en español existe la letra *x*, que representa dos sonidos, [ks], cuando aparece entre vocales, *taxi, examen*, o al final de palabra *relax*, mientras que ante otra consonante, *extracto, extranjero*, tiende a pronunciarse como [s].

e) Sonidos que tienen más de una grafía posible

En el cuadro siguiente se recogen los sonidos que tienen más de una grafía posible. Fíjate en que la mayoría ya han aparecido en los cuadros anteriores.

Sonido	Grafía	Ejemplo
[b]	b v w	beso vaso Wagner
[k]	c qu k	casa queso kilogramo
[θ]	c z	cena zapato
[g]	g gu w	gato guerra whisky
[x]	j g	julio gente
[rr]	r rr	ropa, alrededor torre
[i]	y i	ley iglesia

A pesar de que pueda parecer complicado, las reglas de ortografía nos permiten predecir, con bastante seguridad, los diferentes sonidos que representa una grafía y la grafía con que se representa un sonido.

§3 LA SÍLABA

A veces, para saber cómo se pronuncia un sonido es necesario saber cómo se estructuran las sílabas. Así, por ejemplo, ante una palabra como *abrazo*, necesitamos saber la estructura silábica para saber que se pronuncia *a-bra-zo*.

En español, la sílaba está formada por una vocal que puede ir precedida de una o de dos consonantes y puede ir seguida de una vocal o del grupo [ns].

Una consonante entre dos vocales se agrupa con la vocal siguiente: *ca-sa*.

Dos consonantes entre dos vocales se agrupan con la vocal siguiente sólo si son alguna de las combinaciones del cuadro siguiente:

Combinación	Ejemplo
pr	aprecio
tr	atreverse
cr	acristalar
br	abrazo
dr	amedrentar
gr	agrupar
pl	aplaudir
cl	aclimatar
bl	ablandar
gl	vanagloriar
fr	afrodisíaco
fl	aflautado

Si las consonantes son distintas de las combinaciones del cuadro, se agrupan en sílabas diferentes: es-te, ar-te, al-mohada, an-tes, am-paro, ap-to, ab-ducir, ad-mirar, etc.

Finalmente, en español pueden aparecer hasta tres vocales juntas dentro de una misma sílaba. Cuando dos vocales se pronuncian dentro de una misma sílaba, se dice que forman un diptongo. Los diptongos en español son:

Grafía	Pronunciación	Ejemplo
ie	[Je]	piedad
ia	[Ja]	copia
io	[Jo]	acción
iu	[Ju]	viuda
ui	[wi]	cuidar
ue	[we]	sueño
ua	[wa]	lengua
uo	[wo]	arduo
ei, ey	[ei]	seis, ley
ai, ay	[ai]	aire, hay
oi, oy	[oi]	Moisés, hoy
eu	[eu]	europeo
au	[au]	laurel
ou	[ou]	bou

El diptongo ou no es frecuente en español y generalmente indica que es una palabra que procede de otra lengua.

La combinación de tres vocales dentro de una misma sílaba se llama triptongo. En español, los triptongos son muy poco frecuentes.

Grafía	Pronunciación	Ejemplo
iau	[jau]	miau
uai	[wai]	averiguáis
uei, uey	[wei]	averigüéis, buey
iai	[jai]	limpiáis
iei	[jei]	estudiéis

La mayoría de las palabras (sustantivos, adjetivos, verbos, adverbios, artículo indeterminado...) tienen una sílaba que se pronuncia con mayor intensidad que las otras. Esta sílaba, en la que recae el acento de intensidad, es la sílaba tónica, y el resto de sílabas son átonas.

En español el acento de intensidad cumple una función distintiva. Es decir, según la sílaba en la que recaiga dicho acento de intensidad, la palabra tiene significados distintos:

término   termino   terminó

Las palabras en las que el acento de intensidad recae en la última sílaba empezando a contar por la izquierda se llaman **agudas** (terminó); las que lo tienen en la penúltima sílaba se llaman **llanas** (termino), y las que lo tienen en la antepenúltima sílaba se llaman **esdrújulas** (término). En el nivel intermedio se trata este tema con mayor profundidad.

§4 ENTONACIÓN

La entonación de la frase en español varía según la intención del hablante: comunicar algo, preguntar por algo o manifestar un sentimiento o una orden. Se aprecia en la melodía descendente ⇓ o ascendente ⇑ de las últimas sílabas de la frase. En el cuadro siguiente tienes las distintas formas más comunes.

Intención	Sentido	Ejemplo
Comunicar	Informativo De cortesía	Está en casa.⇓ Buenos días.⇓
Preguntar	No pronominal Pronominal Pronominal repetida	¿Traba⇑jas mu↓cho?⇑ ¿Quién⇑ va al ci↑ne?⇓ ¿Cuán⇑do vas al ci↓ne?⇑
Manifestar	Sorpresa Gran sorpresa Mandato	¡Qué⇑ maravilla!⇓ ¡Es dulcí⇑simo!⇓ ¡Co⇑me la carne!⇓

Fíjate en que las preguntas pueden tener distinta entonación: de final ascendente si no son pronominales y de final descendente cuando empiezan con un pronombre interrogativo: ¿qué?, ¿cuándo?, ¿cómo?, etc. Pero si la pregunta pronominal es una

repetición porque no se ha entendido la respuesta o se quiere que se repita la pregunta, se hace con inflexión ascendente: *¿Cuán↑do vas al ci↓ne?⇑, ¿Cuán↑do dices que vas al ci↓ne?⇑.*

■ EL NOMBRE SUSTANTIVO (§5-§7)

El nombre sustantivo en español presenta distintas manifestaciones según el género y el número de la palabra.

A continuación se trata el género y posteriormente el número.

Los nombres sustantivos además suelen aparecer determinados. La determinación del sustantivo se trata en **§7**.

§5 EL GÉNERO DE LOS SUSTANTIVOS

Los sustantivos españoles tienen una condición léxica de ''género'', masculino o femenino, que obliga –a diferencia de lo que ocurre en inglés, por ejemplo– a que los adjetivos y los determinantes que acompañen a un sustantivo concuerden con éste en género (y también en número, como se explicará en el siguiente apartado). Es decir, los adjetivos y los determinantes manifiestan las marcas de género y número correspondientes a estos valores del sustantivo al que acompañan. Por eso es muy importante saber el género de cada sustantivo. En español no existen palabras de género neutro.

No hay que confundir la noción de género gramatical con la del sexo del referente, pues, como ya hemos dicho, todas las palabras tienen género en español, independientemente de si su referente tiene sexo biológico o no.

El género suele estar relacionado con el sexo en las palabras cuyo referente tiene sexo biológico. Así, las palabras cuyo referente es de sexo macho suelen ser de género masculino y las de referente hembra suelen ser de género femenino. Algunos sustantivos muy usados tienen una forma distinta para cada género: *el hombre moreno / la mujer morena; el marido rubio / la esposa rubia; el actor moreno / la actriz morena.*

También son muy comunes algunos sustantivos terminados en *-ante*, referidos a personas, que pueden ser masculinos o femeninos, según el sexo del referente: *el estudiante alto, la estudiante alta.* Los diccionarios suelen marcar este tipo de sustantivos como (m. y f.) para indicar que pueden usarse como masculinos o femeninos, según el referente.

El género de las palabras cuyo referente no tiene sexo biológico no es totalmente predecible y no coincide en todas las lenguas. Así, por ejemplo, la palabra *sol* es masculina,

y *luna* es femenina. El diccionario indica si son de género masculino (m.) o femenino (f.).

Las palabras de referente asexuado que terminan en *-o* generalmente son masculinas y las que terminan en *-a* son femeninas. Pero hay varias palabras muy comunes terminadas en *-o* de género femenino: *la mano, la foto, la radio, la moto.* En estos casos, evidentemente, la concordancia se establece en femenino: *la mano limpia* y no *la mano limpio.* El género de las palabras acabadas en *-e* o en consonante y de referente asexuado se puede encontrar en los diccionarios. El cuadro siguiente es un recordatorio de los distintos valores de género más comunes de los sustantivos españoles.

Significado	Masculino	Femenino
Inanimado (asexuado)	El banco El cine El balcónØ	La silla La clase La canciónØ
Animado: personas y animales	El niño El perro	La niña La perra

De todos modos, recuerda siempre que los diccionarios indican el género de concordancia de todos los sustantivos.

§6 EL NÚMERO DE LOS SUSTANTIVOS

Los sustantivos presentan formas diferentes para indicar que se refieren a un solo elemento, singular, o a varios elementos, plural. En español, como ves, a diferencia de otras lenguas como el árabe, no hay una forma específica para designar el dual.
En español, la marcas de plural se añaden directamente al final de la palabra y pueden ser –s, –es o Ø. En el cuadro siguiente se observan las distintas marcas que se añaden según sea la terminación de la palabra en singular.

La forma singular termina en		La forma plural añade	
i, e, a, o, u	biquini, puente, mesa, puerto, tribu	s	biquinis, puentes, mesas, puertos, tribus
é, á, ó	café, sofá, dominó	s	cafés, sofás, dominós
Consonante que no sea s	balcón, árbol	es	balcones, árboles
s (palabra aguda)	país	es	países
s (palabra no aguda)	lunes	Ø	lunes

Fíjate en que en el cuadro no se recogen las palabras que acaban en *í, ú*. Las palabras que acaban en estas vocales, como *esquí* por ejemplo, raras o que proceden de otras lenguas, no tienen un comportamiento regular: algunas añaden –es y otras –s.

§7 DETERMINACIÓN DEL SUSTANTIVO

Los sustantivos en español pueden aparecer precedidos de alguna palabra que los determine (artículos **§8-§9**, posesivos **§15**, demostrativos **§16**, numerales **§17-§18** e indefinidos **§19**) o sin ningún tipo de determinante.

Cuando ya se ha hablado de algo y lo conocemos, se usa el artículo determinado correspondiente, o se indica que pertenece a una de las personas del diálogo con una forma del posesivo, o bien se indica la proximidad a los hablantes con una forma del demostrativo.

🗨 *¿Hay **una** gasolinera por aquí cerca?*
💬 *Sí, **la** gasolinera está en la calle siguiente.*
🗨 *¿Juan ha escrito **un** libro?*
💬 *Sí, **su** libro es el azul.*
🗨 *¿Me dejas **un** bolígrafo?*
💬 *Sí, coge **este** bolígrafo rojo.*

En las respuestas de un diálogo, con el artículo, el posesivo o el demostrativo no hace falta repetir el sustantivo de la pregunta.

🗨 *¿Qué vasos prefieres?*   💬 *Los pequeños.*
                                    💬 *Los míos.*
                                    💬 *Estos pequeños.*

Los sustantivos pueden prescindir del artículo en determinados casos cuando van detrás del verbo, complementándolo.

Compró vinos de la Rioja.
Quiero lápices de colores.
Busca novio.

Los nombres propios, excepto cuando llevan un complemento, nunca van precedidos de ningún tipo de determinante.

María es muy guapa.
La María que tú conoces es muy guapa.

■ EL ADJETIVO CALIFICATIVO (§8 /§53-§55)

Los adjetivos son palabras que expresan una característica del sustantivo al que acompañan.

Normalmente, a diferencia del inglés por ejemplo, se colocan detrás del sustantivo: *Juan estudia en la sala pequeña del piso familiar.* Algunos adjetivos pueden colocarse delante del sustantivo: *Juan estudia en la pequeña sala del piso familiar.* Otros adjetivos, como *familiar,* nunca pueden aparecer delante del sustantivo: no se dirá *familiar piso,* sino *piso familiar.*

Los adjetivos que pueden aparecer tanto delante como detrás del sustantivo expresan generalmente un tipo de valoración, mientras que los que siempre deben aparecer pospuestos al sustantivo denotan una cualidad más objetiva, es decir, califican al sustantivo.

Algunos adjetivos cambian de significado –y en algunos casos de forma (*grande / gran, bueno / buen*)– según se coloquen detrás o delante del sustantivo. Así, no es lo mismo *un libro grande* (de tamaño) que *un gran libro* (de cualidad).

La expresión de la comparación mediante el adjetivo se trata en **§53-§54.**

El adjetivo en grado superlativo se trata en **§55**.

§8 EL GÉNERO Y EL NÚMERO DEL ADJETIVO

Como ya hemos dicho, el adjetivo concuerda en género y en número con el sustantivo al que complementa, tal como se recoge en el cuadro siguiente. Fíjate que los adjetivos que acaban en –e y algunos de los que acaban en consonante son invariables en cuanto al género, es decir, pueden complementar tanto a nombres masculinos como femeninos.

	Masculino	Femenino	Masculino y femenino
Singular	(el salón)	(la sala)	(el libro, la novela)
	ampli**o**	ampli**a**	interesant**e**
	pequeñ**o**	pequeñ**a**	alegr**e**
	oscur**o**	oscur**a**	difícil
Plural	(los salones)	(las salas)	(los libros, llas novelas)
	ampli**os**	ampli**as**	interesant**es**
	pequeñ**os**	pequeñ**as**	alegr**es**
	oscur**os**	oscur**as**	difícil**es**

Para indicar las variaciones de número, la forma plural de los adjetivos añade –s si acaban en vocal, o añade –es si acaban en consonante: *difícil-es, azul-es.*

■ LOS ARTÍCULOS (§9-§10)

El artículo es una palabra que cuando aparece en el texto siempre va delante del nombre y concuerda con éste en

Apéndice gramatical

género y en número. En español el artículo puede ser determinado o indeterminado.

§9 EL ARTÍCULO DETERMINADO

El artículo determinado se utiliza cuando el nombre al que determina ya se ha nombrado en el discurso, cuando el hablante supone que el destinatario ya sabe a qué entidad se está refiriendo o cuando el hablante utiliza el nombre en sentido genérico.

	Masculino	Femenino
Singular	el libro	la mesa
Plural	los libros	las mesas

Cuando el artículo determinado va delante de un nombre femenino singular que empieza por *a* o *ha* en sílaba tónica, no se usa *la*, sino *el*.

> *La harina está en la estantería.*
> *Me molesta la arena.*
> *El águila vuela por encima del nido.*
> *El aula estaba vacía.*

A veces, el artículo precede a un adjetivo sin nombre: *el alto, la blanca*. En estos casos el nombre al que se refiere se suele entender por el contexto. Así, *el alto* puede referirse a *niño alto* o a *edificio alto*, y *la blanca* puede referirse a *casa blanca* o a *camisa blanca*.

Las preposiciones *a* y *de* delante del artículo *el* se contraen en las formas *al* y *del*:

> *[a + el] libro = al libro*
> *[de + el] libro = del libro*

La forma especial *lo* delante de un adjetivo, *lo bueno*, convierte al adjetivo en un nombre para referirse a la cualidad en abstracto. En el ejemplo, *lo bueno* significa *las cosas buenas* o la cualidad de *la bondad*, en general o referida a algo.

§10 EL ARTÍCULO INDETERMINADO

En general, cuando algo se menciona por primera vez, el nombre se acompaña del artículo indeterminado, pero —como ya hemos comentado en el epígrafe anterior— si ya se ha mencionado o bien se supone que el interlocutor conoce el referente, porque está en el entorno comunicativo, se usa el artículo determinado.

Juan tiene una casa en la montaña. La casa tiene un jardín con árboles.

	Masculino	Femenino
Singular	un libro	una mesa
Plural	unos libros	unas mesas

También se usa *un* delante de un nombre femenino singular que empieza por *a* o *ha* en sílaba tónica.

> *Un águila vuela por encima del nido.*
> *Un aula estaba vacía.*

■ LOS PRONOMBRES PERSONALES (§11-§15)

Estos pronombres se refieren a las personas que intervienen en la conversación: la persona que habla (*yo*), la persona a quien se habla (*tú, usted, vosotros, ustedes*) y la persona o cosa de quien se habla (*él, ella, ellos, ellas*). Fíjate en que en español los pronombres son invariables en cuanto al género en la primera y en la segunda persona del singular. Los pronombres, además, tienen distintas formas según la función que desempeñan en la oración, tal y como se indica en los sucesivos cuadros.

§11 FUNCIÓN DE SUJETO GRAMATICAL

No solemos utilizar el pronombre personal en función de sujeto, ya que está indicado en la terminación verbal: (*yo*) *compro leche*; (*nosotros*) *vamos al cine*. Cuando se utiliza suele indicar un valor de contraste o de énfasis: *Laura y Andrea van al teatro, pero yo no voy.*

Persona	Función de sujeto gramatical	
	Singular	Plural
1.ª masculina o femenina	Yo compro leche.	Nosotros compramos leche.
1.ª femenina		Nosotras compramos leche.
2.ª masculina o femenina	Tú compras leche. Usted compra leche.	Vosotros compráis leche. Ustedes compran leche.
2.ª femenina		Vosotras compráis leche. Ustedes compran leche.
3.ª masculina	Él compra leche.	Ellos compran leche.
3.ª femenina	Ella compra leche.	Ellas compran leche.

El plural de la primera persona, *nosotros*, significa un conjunto de personas donde se incluye un *yo*. El plural de la segunda persona, *vosotros*, significa un conjunto de personas donde se excluye la presencia del *yo* y se incluye al menos un *tú*. El plural de la tercera persona, *ellos*, significa un conjunto de personas donde se excluye la presencia del *yo* y del *tú*.

También has de tener en cuenta que las formas plurales, *nosotros, vosotros, ellos* y sus variantes de otras funciones, se refieren a un conjunto de personas donde se incluye al menos una de género masculino. Y las formas plurales, *nosotras, vosotras, ellas* y sus variantes de otras funciones, se refieren a un conjunto de personas donde se excluye la presencia de una persona de género masculino.

En algunas provincias españolas y en amplias zonas de América, para referirse a la 2.ª persona del plural sólo se usa la forma *ustedes* con la forma verbal de 3.ª persona del plural.

§12 FUNCIÓN DE COMPLEMENTO DIRECTO (CD)

Se utilizan las formas *lo, la, los, las*, cuando el referente del pronombre no es personal. Según el género y el número de la palabra a la que se refiere tenemos:

> *María compró la falda ayer.* > *María la compró ayer.*
> *María compró el libro ayer.* > *María lo compró ayer.*
> *María compró las faldas ayer.* > *María las compró ayer.*
> *María compró los libros ayer.* > *María los compró ayer.*

En el cuadro siguiente se recogen las formas pronominales cuando el referente es personal.

Persona	Función de complemento directo	
	Singular	Plural
1.ª	María **me** conoce (a mí).	María **nos** conoce (a nosotros / as).
2.ª	María **te** conoce (a ti).	María **os** conoce (a vosotros / as).
3.ª	María **lo / la** conoce (a él, a ella, a usted). María **se** peina.	María **los / las** conoce (a ellos, a ellas, a ustedes). Las niñas **se** peinan.

Se utiliza la forma *se* cuando el referente del pronombre y el sujeto gramatical coinciden.

> *María se peina. / Las niñas se peinan.*

§13 FUNCIÓN DE COMPLEMENTO INDIRECTO (CI)

Los pronombres personales que realizan la función de complemento indirecto son los siguientes:

Persona	Función de complemento indirecto	
	Singular	Plural
1.ª	María **me** envía una postal (a mí).	María **nos** envía una postal (a nosotros / as).
2.ª	María **te** envía una postal (a ti).	María **os** envía una postal (a vosotros / as).
3.ª	María **le / se** envía una postal (a él, a ella, a usted / a ella misma).	María y Pedro **les / se** envían una postal (a ellos, a ellas, a ustedes / a ellos mismos).

Se utilizan las formas *le, les*, según el número de la palabra a la que se refiere el pronombre, cuando el sujeto y el pronombre no se refieren a lo mismo.

> *María envía una postal a Juan.* > *María le envía una postal.*
> *María envía una postal a Ana.* > *María le envía una postal.*
> *María envía una postal a Juan y a Pedro.* > *María les envía una postal.*
> *María envía una postal a Ana y a Rosa.* > *María les envía una postal.*

Se utiliza la forma *se* cuando el sujeto y el pronombre tienen el mismo referente.

> *María se envía una postal (a sí misma).*
> *Los niños se envían una postal (a sí mismos).*

Algunos verbos se conjugan ocasionalmente (*llamarse/ llamar, lavarse / lavar, peinarse / peinar*) u obligatoriamente (*caerse, quejarse*) con una de las formas de los pronombres de complemento directo o complemento indirecto coincidente con el sujeto gramatical de su enunciado, colocado delante del verbo.

> (Yo) **lavo** las camisas.
> (Juan) **lava** los pantalones.
> (Yo) **me lavo** las camisas.
> (Yo) **me lavo**.
> (Juan) **se lava** los pantalones.
> (Juan) **se lava**.
>
> (Yo) **me caí** en la calle.
> (Juan) **se cayó** en el jardín.

§14 PRONOMBRES DETRÁS DE UNA PREPOSICIÓN

Detrás de las preposiciones, excepto detrás de la preposición *con* y la preposición *según*, la forma pronominal que se utiliza es la que se recoge en el siguiente cuadro:

Persona	Función de complemento con preposición	
	Singular	Plural
1.ª	María compra un libro **para mí.**	María compra un libro **para nosotros / as.**
2.ª	María compra un libro **para ti / usted.**	María compra un libro **para vosotros / as / ustedes.**
3.ª	María compra un libro **para él / ella.**	María compra un libro **para ellos / ellas.**

Fíjate en que, excepto las formas de 1.ª y 2.ª persona del singular, el resto de las formas pronominales coincide con la forma que el pronombre presenta cuando funciona de sujeto.

Detrás de la preposición *según*, las formas pronominales son las mismas que las de sujeto.

> **Según tú**, el ejercicio no era fácil.
> **Según él**, nadie compró plátanos.

El pronombre adopta formas especiales en singular cuando lleva la preposición *con*:

Persona (singular)	Pronombre
1.ª	conmigo
2.ª	contigo
3.ª	consigo

> *Pedro vino* **conmigo.**
> *Pedro vino* **con nosotros.**

§15 ORDEN DE LOS PRONOMBRES PERSONALES

El pronombre que sustituye a un complemento del verbo se coloca delante del verbo. Si en la oración aparece un elemento que realiza la función de complemento directo y otro que realiza la de complemento indirecto y sólo uno de ellos es un pronombre, el pronombre, sea cual sea la función que realice, aparece delante del verbo:

> *María conoce a Juan.*
> *María* **le** *conoce. (a Juan)*
> *María envía la carta a Juan.*
> *María* **la** *envía a Juan. (la carta)*
> *María* **le** *envía la carta. (a Juan)*
>
> *María envía la carta a Juan y a Pedro.*
> *María* **la** *envía a Juan y a Pedro. (la carta)*
> *María* **les** *envía la carta. (a Juan y a Pedro)*

Si los dos complementos aparecen con la forma pronominal, primero se coloca el pronombre que realiza la función de complemento indirecto y después el de complemento directo.

> *María* **me** **la** *envía. (María envía* **la carta** *a mí)*

En los casos en los que el complemento indirecto se refiere a la primera y segunda persona del singular y del plural, se utiliza la forma pronominal de complemento indirecto y no la forma pronominal precedida de preposición. El ejemplo entre paréntesis de *María envía la carta a mí* explica el significado de *María me envía la carta*, pero no se utiliza en español.

Además, fíjate en que en las formas pronominales del CI referido a la tercera persona del singular y del plural, cuando coaparecen con una forma pronominal del CD, cambian su forma y ya no es *le /les*, sino *se*.

> *María envía la carta a Juan.*
> *María* **se** *[=le]* **la** *envía.*
>
> *María envía la carta a Juan y a Pedro.*
> *María* **se** *[=les]* **la** *envía.*

Con las formas del infinitivo, del gerundio y del imperativo estos pronombres se colocan detrás del verbo y unidos a él.

> *María quiere enviar***la** *a Juan.*
> *Juan está comprándo***le** *una postal a María.*
> *¡Enví***a**la** *a Juan!*
> *¡Cómpra***le** *una postal!*

■ LOS POSESIVOS (§16)

§16 USO DE LOS POSESIVOS

Las formas posesivas pueden aparecer precediendo o siguiendo al nombre al que acompañan, o incluso pueden utilizarse sin que esté explícito el nombre al que se refieren. Cuando el nombre al que se refieren está explícito y el posesivo aparece delante del nombre (*mi coche*) reciben el nombre de *determinantes posesivos.* Cuando aparecen detrás del nombre (*el coche mío*) se llaman *adjetivos posesivos.* Cuando no aparece el nombre al que se refieren, se denominan *pronombres posesivos* y su forma coincide con la de los adjetivos posesivos. Los pronombres posesivos, los determinantes posesivos y los adjetivos posesivos se utilizan para indicar la relación de pertenencia entre el nombre al que se refieren, explícito o no, y el poseedor.

	Singular		Plural	
	Determinantes posesivos	Adjetivos posesivos	Determinantes posesivos	Adjetivos posesivos
Pertenece a un poseedor	No concuerdan en género	Concuerdan en género y número	No concuerdan en género	Concuerdan en género y número
Pertenece al yo	**mi** libro **mi** mesa	el libro **mío** la mesa **mía**	**mis** libros **mis** mesas	los libros **míos** las mesas **mías**
Pertenece al tú	**tu** libro **tu** mesa	el libro **tuyo** la mesa **tuya**	**tus** libros **tus** mesas	los libros **tuyos** las mesas **tuyas**
Pertenece a él / ella / usted	**su** ordenador **su** casa	el ordenador **suyo** la casa **suya**	**sus** ordenadores **sus** casas	los ordenadores **suyos** las casas **suyas**
	Determinantes posesivos	Adjetivos posesivos	Determinantes posesivos	Adjetivos posesivos
Pertenece a más de un poseedor	Concuerdan siempre en género	Concuerdan siempre en género	Concuerdan siempre en género	Concuerdan siempre en género
Pertenece a nosotros / as	**nuestro** libro **nuestra** mesa	el libro **nuestro** la mesa **nuestra**	**nuestros** libros **nuestras** mesas	los libros **nuestros** las mesas **nuestras**
Pertenece a vosotros / as	**vuestro** libro **vuestra** mesa	el libro **vuestro** la mesa **vuestra**	**vuestros** libros **vuestras** mesas	los libros **vuestros** las mesas **vuestras**
Pertenece a ellos / ellas / ustedes	**su** ordenador **su** casa	el ordenador **suyo** la casa **suya**	**sus** ordenadores **sus** casas	los ordenadores **suyos** las casas **suyas**

En el cuadro de arriba se recogen las distintas formas que adoptan los posesivos según la posición que ocupan y la persona a la que se refieren.

La forma *nuestro* significa un conjunto de poseedores donde se incluye al hablante *yo*. La forma *vuestro*, significa un conjunto de poseedores donde se excluye la presencia del hablante *yo* y se incluye al menos un oyente *tú*.

Y la forma *sus* referida a varios poseedores significa un conjunto donde se excluye la presencia del hablante y del oyente.

Algunos posesivos concuerdan en género y número con el nombre según se puede apreciar en el cuadro.

Fíjate en que los determinantes posesivos no aparecen precedidos del artículo determinado, mientras que los adjetivos posesivos siempre van precedidos del nombre más el artículo determinado.

Mi casa   *~~La~~ mi casa*   *La mesa mía.*

Las formas pronominales siempre llevan el artículo determinante (*el mío, la mía*, etc.), pero en enunciados atributivos, con el verbo *ser*, pueden aparecer sin el artículo determinante o con él.

Esta casa es tuya.
Esta casa es la tuya.
Estas monedas son nuestras.
Estas monedas son las nuestras.

■ LOS DEMOSTRATIVOS (§17)

§17 LOS DEMOSTRATIVOS

Sitúan al sustantivo al que preceden o al que se refieren cerca o lejos de las personas del diálogo. Las diferentes formas de los demostrativos aparecen en el cuadro siguiente:

Referidos a algo situado	Singular	
	Masculino	Femenino
cerca del yo	**este** ordenador	**esta** mesa
cerca del tú	**ese** banco	**esa** cartera
lejos del yo/tú	**aquel** libro	**aquella** lámpara
Referidos a algo situado	Plural	
	Masculino	Femenino
cerca del yo	**estos** ordenadores	**estas** mesas
cerca del tú	**esos** bancos	**esas** carteras
lejos del yo / tú	**aquellos** libros	**aquellas** lámparas

Los demostrativos funcionan como determinantes cuando preceden a un sustantivo y como pronombres cuando van solos. Los determinantes demostrativos nunca llevan tilde y los pronombres la pueden llevar siempre (aunque se recomienda que la tilde se use sólo en los casos de ambigüedad entre adjetivo y pronombre). En ambos casos concuerdan con el sustantivo al que acompañan o al que se refieren en género y número. Fíjate en que, a diferencia de lo que ocurría con los posesivos, la forma de los

demostrativos es la misma, tanto si funcionan como determinantes como si lo hacen como pronombres.

Determinantes demostrativos:

> *Ese lápiz* es de Juan.
> Juan ha escrito **esta carta**.
> *Esa chica* estudia con Juan.

Pronombres demostrativos:

> *Ése* es de Juan.
> Juan ha escrito esta carta y María ha escrito **ésa**.
> Esa chica estudia con Juan y **ésta** estudia con María.

Fíjate en que ni los determinantes demostrativos ni los pronombres demostrativos pueden ir precedidos del artículo: *Juan ha escrito la esta carta y María ha escrito la ésa*.

■ LOS NUMERALES (§18-§19)

Los numerales son una clase de palabras que permiten expresar el número, la cantidad exacta de seres u objetos (numerales cardinales) y el orden o disposición de los elementos de un conjunto (numerales ordinales). Pueden funcionar como determinantes y como pronombres.

§18 LOS NUMERALES CARDINALES

Los numerales cardinales indican la cantidad exacta del sustantivo al que acompañan o al que se refieren y pueden usarse como adjetivos o como determinantes colocados siempre delante del sustantivo, o bien como pronombres. Los cardinales son invariables, pero los que se refieren al *uno* y a las centenas sucesivas a cien concuerdan en género con el sustantivo al que acompañan o con su referente. Los masculinos usados como adjetivos adoptan la forma *un, veintiún, treinta y un*, etc.

> En la estantería hay *veintiún libros*.
> En la estantería hay *veintiuna rosas*.
> En la estantería hay *veintiuno / veintiuna*.
> He encontrado *doscientos libros* antiguos.
> He encontrado *doscientas revistas* antiguas.

El artículo determinado puede aparecer delante del numeral cardinal tanto si está explícito el nombre al que acompaña como si se usa como pronombre. La presencia del artículo significa que el referente ya ha sido mencionado previamente o que se supone ya conocido por el lector o el oyente.

> *Cuatro chicos* pasean por la calle.
> *Los cuatro chicos* pasean por la calle.
> *Cuatro* pasean por la calle.
> *Los cuatro* pasean por la calle.

A continuación se adjunta el cuadro en el que se recogen los numerales cardinales.

Cifra	cardinal	Cifra	cardinal	Cifra	cardinal
1	Un(o) / una	13	trece	100	cien
2	dos	14	catorce	101	ciento uno / a
3	tres	15	quince	...	...
4	cuatro	16	dieciséis	200	doscientos / as
5	cinco	17	diecisiete	...	...
6	seis	18	dieciocho	500	quinientos / as
7	siete	19	diecinueve	...	...
8	ocho	20	veinte	700	setecientos / as
9	nueve	21	veintiuno / a	...	...
10	diez	22	veintidós	900	novecientos / as
11	once	...	...	...	...
12	doce	31	treinta y uno / a	1000	mil

§19 NUMERALES ORDINALES

Los numerales ordinales más usados se ofrecen a continuación:

Cifra	Ordinal	Cifra	Ordinal
1	primer(o)/ a / os / as	...	...
2	segundo / a / os / as	30	trigésimo / a / os / as
3	tercer(o) / a / os / as	31	trigésimo primero / a / os / as
4	cuarto / a / os / as		
5	quinto / a / os / as		
6	sexto / a / os / as	40	cuadragésimo / a / os / as
7	séptimo / a / os / as	41	cuadragésimo primero / a / os / as
8	octavo / a / os / as		
9	noveno / a / os / as	...	...
10	décimo / a / os / as	50	quincuagésimo / a / os / as
11	undécimo / a / os / as		
12	duodécimo / a / os / as	51	quincuagésimo primero / a / os / as
13	decimotercer(o) / a / os / as		
14	decimocuarto / a / os / as	...	...
		60	sexagésimo / a / os / as
15	decimoquinto / a / os / as	...	...
16	decimosexto / a / os / as	70	septuagésimo / a / os / as
17	decimoséptimo / a / os / as	...	...
		80	octogésimo / a / os / as
18	decimoctavo / a / os / as	...	...
19	decimonoveno / a / os / as	90	nonagésimo / a / os / as
		...	...
20	vigésimo / a / os / as	100	centésimo / a / os / as
21	vigésimo primero / a / os / as	101	centésimo primero / a / os / as
		...	...

Concuerdan con el sustantivo en género y número. Delante del sustantivo se usan las formas *primer y tercer*, y detrás del sustantivo, las formas *primero y tercero*.

Los numerales ordinales se usan siempre con el artículo determinado.

El segundo premio y *el punto segundo*. Se colocan delante o detrás del sustantivo sin diferencias de significado. Los ordinales también pueden aparecer sin la presencia explícita de un sustantivo, que se interpreta por el contexto *El primer premio* consistió en un viaje a Kenia y *el segundo* [premio] en un fin de semana en París.

■ LOS INDEFINIDOS (§20)

Son formas que significan una cantidad imprecisa y funcionan como determinantes cuando acompañan al sustantivo: *He comprado* **algunos** *libros*, y como pronombres cuando el sustantivo no está explícito: *He comprado* **algunos**. En ambos casos concuerdan en género y número con el sustantivo al que acompañan o al que se refieren.

Fíjate en que cuando el determinante indefinido *ningún* aparece detrás del verbo, el adverbio negativo *no* precede al verbo:

> **Ningún** *libro le gustó a Juan.*
> *Juan no compró* **ningún** *libro.*

Fíjate también en que cuando *nada* y *nadie* aparecen detrás del verbo, el verbo es precedido por el adverbio negativo *no*.

> **Nada** *le gustaba a Juan.*
> **Nadie** *sabía la dirección.*
> *A Juan* **no** *le gustaba* **nada**.
> *La dirección* **no** *la sabía* **nadie**.

En el cuadro siguiente se recogen los usos de *algo / alguien / nada / nadie*.

Para referirse a	Forma	Ejemplo
una cosa de identidad indeterminada	algo	¿Tienes algo para escribir?
ausencia de cosas	No ... nada	No tengo nada para escribir.
	No ... ningún + nombre	No tengo ningún lápiz.
una persona o cosa de identidad desconocida	algún/a + nombre	- ¿Tenéis algún/a perro/a en esta casa?
	alguno / a	- ¿Tienes alguno?
una persona de identidad indeterminada	alguien	¿Hay alguien que lo sepa?
ausencia de personas	No ... nadie	No hay nadie.

■ LOS INTERROGATIVOS (§21)

§21 USO DE LOS INTERROGATIVOS

Se utilizan para preguntar por algo. Hay distintas formas según sobre lo que se pregunte; todas funcionan como pronombres, es decir, no acompañan a ningún nombre y siempre llevan tilde.

Pregunta por	Forma	Ejemplo
Algo desconocido	¿Qué...?	**¿Qué** quiere Juan?
Algo conocido	¿Cuál / Cuáles...?	Dan varios libros. **¿Cuál** quiere Juan?
Persona	¿Quién / Quiénes...?	**¿Quién** ha apagado la luz?
Lugar	¿Dónde...?	**¿Dónde** vive María?
Momento	¿Cuándo...?	**¿Cuándo** acaba el otoño?
Modo o Manera	¿Cómo...?	**¿Cómo** irás a Sevilla?
Compañía, instrumento	¿Con quién...? ¿Con qué...?	**¿Con quién** irás a Sevilla? **¿Con qué** se ha cortado?
Cantidad	¿Cuánto/a/os/as...?	**¿Cuántos** faltan?
Causa	¿Por qué...?	**¿Por qué** estudia español?
Finalidad	¿Para qué...?	**¿Para qué** estudia español?

Las formas interrogativas *qué* y *cuánto* también pueden preceder a un sustantivo preguntando algo sobre él. Van acentuadas y sus formas son:

> **¿Qué** hora es?
> **¿Qué** tiempo hace?
> **¿Cuántas** naranjas quieres?
> **¿Cuánta** fruta quiere usted?
> **¿Cuánto** dinero tiene?
> **¿Cuántos** hermanos tienes?

Fíjate en que la única forma pronominal que concuerda con el sustantivo al que acompaña es *cuánto*.

■ LOS ADVERBIOS (§22-§26)

Son palabras que expresan circunstancias diversas, como lugar, tiempo, cantidad, modo, afirmación, duda, etc. Según el tipo de adverbio que sea, permite modificar el significado de distintas partes de la oración.

A veces complementan el significado del verbo: *María anda* **elegantemente**; otras veces inciden sobre el significado de un adjetivo: *María es* **muy** *guapa;* o de otro adverbio: *María vive* **bastante** *cerca;* a veces también inciden en la globalidad de la oración: **Aparentemente**, *María ha robado el cuadro.*

En los siguientes apartados se presentan algunos de los adverbios más frecuentes y, en determinadas ocasiones, se compara su uso con estructuras que, si bien no están formadas por adverbios, mantienen una relación de contraste con éstos.

§22 EL USO DE *MUY*

Este adverbio se coloca delante de los adjetivos, de los sustantivos usados como adjetivos, referidos a las cualidades del sustantivo, de los participios y de los adverbios y expresiones adverbiales, para expresar en ellos un grado superlativo de significación: *muy alegre, muy triste, muy hombre, muy tarde, muy de prisa*.

§23 EL USO DE *ALGUNA VEZ / TODAVÍA NO*

La expresión *alguna vez* no está formada por ningún adverbio, sino por un adjetivo más un sustantivo. Puede ir delante o detrás del verbo y se utiliza generalmente en las preguntas. Su uso no presupone que la respuesta tenga que ser afirmativa, ni negativa.

- ¿Alguna vez ha plantado un árbol?
- ¿Ha plantado alguna vez un árbol?
  - Sí, planté uno cuando tenía cinco años.
  - No, nunca he plantado un árbol.
  - No, todavía no he plantado un árbol.

Fíjate en que, si la respuesta es afirmativa, aparece el adverbio afirmativo *sí* seguido de la oración; mientras que si la respuesta es negativa, aparece el adverbio negativo *no* seguido de una oración que puede empezar por el adverbio *nunca* o por la expresión *todavía no*.

En las oraciones en las que aparece *alguna vez*, si el sujeto gramatical está explícito puede aparecer en distintas posiciones.

¿Alguna vez Juan ha plantado un árbol?
¿Ha plantado Juan alguna vez un árbol?
¿Ha plantado alguna vez un árbol Juan?
¿Alguna vez ha plantado un árbol Juan?

A pesar de que *todavía no* generalmente se utiliza en oraciones enunciativas negativas, a veces aparece en las oraciones interrogativas. En estos casos *todavía no* indica que el hablante considera que algo ya debería haber sucedido pero teme que no sea así.

¿Todavía no te has hecho la cama? (Se supone que la cama ya debería estar hecha).

En el cuadro siguiente se resumen las estructuras en que se usan *alguna vez / todavía no*.

Significado	Estructura	Ejemplo
Pregunta si ha ocurrido o no la acción del verbo	¿Verbo + (sujeto gramatical) + alguna vez + (Complementos verbales)?	¿Ha plantado (Juan) **alguna vez** un árbol?
	¿Alguna vez + Oración?	**¿Alguna vez** Juan ha plantado un árbol?
Respuesta negativa de la acción	No, + (sujeto gramatical) + todavía no + Verbo + (Complementos)	No, (Juan) **todavía no** ha plantado un árbol.
	No, (sujeto gramatical) + nunca + Verbo + (Complementos)	No, (Juan) **nunca** ha plantado un árbol.
Respuesta afirmativa de la acción	Sí + Oración	Sí, (Juan) plantó uno cuando tenía cinco años.

§24 EL USO DE YA / YA NO Y TODAVÍA / TODAVÍA NO

El adverbio *ya* se utiliza en oraciones afirmativas y generalmente aparece delante de la oración. En estos casos, si el sujeto estuviera explícito, aparecería después del verbo.

- ¿Y el abrigo?
  - **Ya** lo ha cogido **María**.

En este cuadro se indica cómo usar estas estructuras.

Estructura	Cómo se usa	Ejemplo
Ya	Para señalar algo previsto o anunciado antes del ahora.	- ¿Y el abrigo? - Ya lo ha cogido Ana.
Ya no	Para referirnos a la interrupción de algo.	- Ya no fumo. Lo he dejado.
Todavía	Para señalar que sigue durando una situación anterior.	- Todavía sigue enfadada con Javier.
Todavía no	Para señalar que no ha ocurrido algo previsto o anunciado.	- ¿Ya está bien Laura? - Todavía no. Sigue en cama.

§25 EL USO DE *TAMBIÉN / TAMPOCO / SÍ / NO*

Estos adverbios sirven para expresar la coincidencia o no de opinión entre los interlocutores de un diálogo. Las formas *también, tampoco* se utilizan en la conversación para indicar coincidencia con lo que se acaba de decir. *También* se utiliza cuando el enunciado previo es afirmativo. Se utiliza *tampoco* cuando el enunciado previo es negativo:

> 💬 *Me gusta el pescado.*
>   💭 *A mí **también**.*
> 💬 *No me gusta la carne.*
>   💭 *A mí **tampoco**.*

También / tampoco pueden aparecer en enunciados en los que se repite la expresión verbal, menos naturales, más formales y enfáticos. Así, los ejemplos anteriores son equivalentes a los siguientes:

> 💬 *Me gusta el pescado.*
>   💭 *A mí también me gusta el pescado.*
> 💬 *No me gusta el pescado.*
>   💭 *A mí tampoco me gusta el pescado.*

En los casos en los que no aparece toda la estructura oracional, se sobreentiende.

Sí y *no* se utilizan para indicar que no se coincide con lo que se acaba de decir. *Sí* se utiliza en los casos en los que el enunciado previo es negativo y *no* cuando el enunciado previo es afirmativo.

Como *también / tampoco*, *sí* y *no* también pueden aparecer en enunciados en los que se repite la expresión verbal. En estos casos, en las oraciones en las que aparece *sí*, el adverbio *sí* puede ir seguido de la conjunción *que*. Las construcciones con *sí que...* son más frecuentes en la lengua oral que en la escritura.

> 💬 *No me gusta este bar.*
>   💭 *A mí sí. / A mí sí (que) me gusta este bar.*
> 💬 *Me gusta este bar.*
>   💭 *A mí no. / A mí no me gusta este bar.*

En el cuadro siguiente se recogen los principales usos de *también tampoco, sí* y *no*.

Coincidencia	No coincidencia

-No me gusta este bar.
    -A mí **tampoco**.
	-No me gusta este bar.
	    -A mí **sí**.

-No quiero hablar de Juan.
    -Yo **tampoco**.
	-No quiero hablar de Juan.
	    -Yo **sí**.

-Me encanta este bar.
    -A mí **también**.
	-Me encanta este bar.
	    -A mí **no**.

-Yo quiero hablar de Juan.
    -Yo **también**.
	-Yo quiero hablar de Juan.
	    -Yo **no**.

Fíjate en que el hecho de que aparezca la preposición *a* seguida de un pronombre tónico (por ejemplo *a mí*) se debe a que en el enunciado previo aparece una oración con un pronombre átono (por ejemplo, *me*).

§26 EL USO DE NADA / BASTANTE / MUCHO / POCO / DEMASIADO

Nada, bastante, demasiado, mucho son palabras que se utilizan para indicar cantidad. Se distinguen entre sí por: a) la cantidad a la que hacen referencia y b) el contexto gramatical en el que pueden aparecer.

Nada indica ausencia de cantidad. Aparece en oraciones negativas y funciona como complemento del verbo. En la lengua oral, en registros más coloquiales, también suele aparecer delante de un adjetivo o de algún adverbio para especificarlos.

> *No hace nada.*
> *El jersey no es nada bonito.*
> *No enseña nada bien.*

La diferencia entre estas oraciones y las de *El jersey no es bonito* y *No enseña bien* reside en que el hablante muestra con mayor énfasis su opinión negativa.

Fíjate en que el adverbio *nada* antepuesto a otro adverbio o a un adjetivo permite expresar el sentido contrario del adverbio o adjetivo correspondiente.

Nada bien = mal	*Nada inteligente* = tonto
Nada mal = bien	*Nada tonto* = inteligente

Bastante permite referirse a una cantidad suficiente y *demasiado* indica una cantidad excesiva. Ambos se usan como complementos del verbo, pero también pueden referirse a un adjetivo, a un adverbio o determinar a un sustantivo. Fíjate en que, cuando preceden a un sustantivo, *bastante* concuerda con éste en número y *demasiado* en género y número.

Habla bastante con Juan.	*Cree demasiado en la fortuna.*
Es una chica bastante lista.	*No lo hagas demasiado salado.*
Lo hizo bastante bien. *Él dispone de bastante dinero.*	*Lo hizo demasiado bien.* *No tiene bastantes lápices.*
Hay demasiado ruido. *Hay demasiada humedad.*	*Tiene demasiados lápices.* *Tiene demasiadas libretas.*

En el cuadro de la siguiente página puedes encontrar una consideración panorámica de los usos y valores más importantes de estas formas.

	Especifica a			Complementa a
Forma	Sustantivo	Adjetivo	Adverbio	Verbo
Nada	-	No es **nada** bonito.	No canta **nada** bien.	No trabaja **nada**.
Bastante	Ella dispone de **bastante** dinero. No tiene **bastantes** lápices.	Es una chica **bastante** interesante.	Lo hizo **bastante** bien.	Habla **bastante**.
Mucho / Poco	Tiene **muchas** / **pocas** amigas.	-	-	Corre **mucho** / **poco**.
Demasiado	Hay **demasiado** ruido. Hay **demasiada** humedad. Tiene **demasiados** lápices. Tiene **demasiadas** libretas.	No lo hagas **demasiado** salado.	Lo hizo **demasiado** mal.	Espera **demasiado**.

Mucho indica cantidad abundante, y *poco*, una cantidad escasa. Ambas formas pueden complementar a un verbo o especificar a un sustantivo. En los casos en los que preceden a un sustantivo, concuerdan con él en género y número.

> *Corre much**o** / poc**o**.*
> *Tiene much**as** / poc**as** amigas.*
> *Tiene much**os** / poc**os** coches.*

■ LOS VERBOS (§27-§50)

§27 CLASES DE VERBOS

En español, los verbos se clasifican en tres clases o conjugaciones según su terminación:

> 1.ª conjugación: verbos terminados en *–ar*
> 2.ª conjugación: verbos terminados en *–er*
> 3.ª conjugación: verbos terminados en *–ir*

También se pueden clasificar en verbos regulares e irregulares según contengan o no alteraciones de forma en su conjugación. Entre los regulares se usan como modelo de conjugación los verbos: *estudiar, beber, y vivir.*

En general, cada verbo permite un tipo de complementos según sus condiciones léxicas, que se especifican en los diccionarios. Los verbos que admiten o requieren un complemento directo se llaman *transitivos* (*beber, querer*); si no admiten un complemento directo se llaman *intransitivos* (*llorar*). Otros se conjugan con un pronombre (*me, te, se...*) y se llaman *reflexivos* (*lavarse*) o *pronominales* (*caerse, quejarse*). Finalmente hay otros, llamados *preposicionales*, que se manifiestan sistemáticamente con un complemento preposicional, con una preposición particular en cada verbo (*llegar a*) o en distintas acepciones de un mismo verbo (*volver a, volver de*). Algunos verbos transitivos pueden ser también preposicionales (*unir algo a algo*), que exigen un complemento directo y un complemento preposicional particular.

Los verbos en español concuerdan en número (singular / plural) y en persona (1.ª, 2.ª y 3.ª) con el sujeto gramatical de su enunciado, pero no en género. Esto significa que –a diferencia de lenguas como el inglés, por ejemplo– el verbo adquiere formas distintas según cuál sea el sujeto. Las distintas formas que presenta el verbo forman el paradigma verbal de ese verbo.

Las distintas formas simples de los verbos se obtienen de la siguiente manera:

A la forma de infinitivo (la que acaba en *–ar, –er, –ir* y aparece en los diccionarios), se le quita dicha terminación (*–ar, –er, –ir*).

> *Estudiar > **estudi-***
> *Beber > **beb-***
> *Vivir > **viv-***

Y a continuación se le añade la terminación propia de cada uno de los diferentes tiempos verbales según el número y la persona para componer las diferentes formas simples. La forma que queda sin la terminación se llama raíz verbal. Fíjate en que las diferentes terminaciones aparecen en negrita en los cuadros siguientes.

En las formas compuestas se utiliza el verbo *haber* conjugado, seguido del participio en masculino singular.

> ***María** ha bebido un vaso de agua.*
> ***Juan** ha bebido un vaso de agua.*

§28 FORMAS NO PERSONALES

	1.ª conjugación	2.ª conjugación	3.ª conjugación
Infinitivo	estudiar	beber	vivir
Gerundio	estudiando	bebiendo	viviendo
Participio	estudiado	bebido	vivido

§29 PRESENTE DE INDICATIVO REGULAR

	ESTUDIAR	BEBER	VIVIR
yo	estudio	bebo	vivo
tú	estudias	bebes	vives
él, ella, usted	estudia	bebe	vive
nosotros / as	estudiamos	bebemos	vivimos
vosotros / as	estudiáis	bebéis	vivís
ellos / as, ustedes	estudian	beben	viven

§30 PRETÉRITO IMPERFECTO DE INDICATIVO REGULAR

	ESTUDIAR	BEBER	VIVIR
yo	estudiaba	bebía	vivía
tú	estudiabas	bebías	vivías
él, ella, usted	estudiaba	bebía	vivía
nosotros / as	estudiábamos	bebíamos	vivíamos
vosotros / as	estudiabais	bebíais	vivíais
ellos / as, ustedes	estudiaban	bebían	vivían

§31 PRETÉRITO INDEFINIDO REGULAR

	ESTUDIAR	BEBER	VIVIR
yo	estudié	bebí	viví
tú	estudiaste	bebiste	viviste
él, ella, usted	estudió	bebió	vivió
nosotros / as	estudiamos	bebimos	vivimos
vosotros / as	estudiasteis	bebisteis	vivisteis
ellos / as, ustedes	estudiaron	bebieron	vivieron

§32 PRETÉRITO PERFECTO DE INDICATIVO REGULAR

	ESTUDIAR	BEBER	VIVIR
yo	he estudiado	he bebido	he vivido
tú	has estudiado	has bebido	has vivido
él, ella, usted	ha estudiado	ha bebido	ha vivido
nosotros / as	hemos estudiado	hemos bebido	hemos vivido
vosotros / as	habéis estudiado	habéis bebido	habéis vivido
ellos / as, ustedes	han estudiado	han bebido	han vivido

§33 IMPERATIVO REGULAR

	ESTUDIAR	BEBER	VIVIR
tú	estudia	bebe	vive
usted	estudie	beba	viva
vosotros / as	estudiad	bebed	vivid
ustedes	estudien	beban	vivan

■ CONJUGACIÓN DE LOS VERBOS IRREGULARES

Los verbos irregulares presentan variaciones en alguna de sus formas de la conjugación. Algunos verbos de uso muy frecuente tienen formas irregulares en el presente.

§34 PRESENTE DE INDICATIVO IRREGULAR (E > EI)

Verbos que cambian [e] de la raíz por [ie] en algunas formas del **presente**:

	PENSAR	QUERER	ENTENDER	PREFERIR
yo	pienso	quiero	entiendo	prefiero
tú	piensas	quieres	entiendes	prefieres
él, ella, usted	piensa	quiere	entiende	prefiere
nosotros / as	pensamos	queremos	entendemos	preferimos
vosotros / as	pensáis	queréis	entendéis	preferís
ellos / as, ustedes	piensan	quieren	entienden	prefieren

Fíjate en que se cambia la vocal e por ie cuando el acento de intensidad recae sobre esa sílaba de la raíz verbal.

Otros verbos de la misma irregularidad son: *acertar, apretar, empezar, encender, cerrar, negar, perder,* y otros menos comunes.

§35 PRESENTE DE INDICATIVO IRREGULAR (E > I)

Verbos que cambian [e] de la raíz por [i] en algunas formas del **presente**:

	PEDIR	REPETIR
yo	pido	repito
tú	pides	repites
él, ella, usted	pide	repite
nosotros / as	pedimos	repetimos
vosotros / as	pedís	repetís
ellos / as, ustedes	piden	repiten

Al igual que con los verbos que se recogen en el epígrafe anterior, la vocal e pasa a i cuando el acento de intensidad recae sobre esa sílaba de la raíz.

Otros verbos de la misma irregularidad son: *reír, seguir, servir, vestir;* y otros menos comunes.

§36 PRESENTE DE INDICATIVO IRREGULAR (O / U > UE)

Verbos que cambian [o] o [u] de la raíz por [ue] en algunas formas del **presente**:

	V**O**LVER	P**O**DER	D**O**RMIR	J**U**GAR
yo	v**ue**lvo	p**ue**do	d**ue**rmo	j**ue**go
tú	v**ue**lves	p**ue**des	d**ue**rmes	j**ue**gas
él, ella, usted	v**ue**lve	p**ue**de	d**ue**rme	j**ue**ga
nosotros / as	volvemos	podemos	dormimos	jugamos
vosotros / as	volvéis	podéis	dormís	jugáis
ellos / as, ustedes	v**ue**lven	p**ue**den	d**ue**rmen	j**ue**gan

Fíjate en que, al igual que en los verbos de los dos epígrafes anteriores, la vocal de la raíz o /u se convierte en un diptongo *ue* cuando el acento de intensidad recae sobre esa sílaba de la raíz.

Otros verbos de la misma irregularidad son: *sonar, acostarse, colgar, volar, doler,* y otros menos comunes.

§37 OTROS VERBOS IRREGULARES EN EL PRESENTE DE INDICATIVO

a) Verbos de forma especial en la primera persona del presente:

	SALIR	PONER	HACER	CAER	TRAER
yo	sal**go**	pon**go**	ha**go**	cai**go**	trai**go**
tú	sales	pones	haces	caes	traes
él, ella, usted	sale	pone	hace	cae	trae
nosotros / as	salimos	ponemos	hacemos	caemos	traemos
vosotros / as	salís	ponéis	hacéis	caéis	traéis
ellos / as, ustedes	salen	ponen	hacen	caen	traen

	SABER	CONDUCIR	PARECER	HUIR
yo	**sé**	condu**zco**	pare**zco**	hu**yo**
tú	sabes	conduces	pareces	hu**yes**
él, ella, usted	sabe	conduce	parece	hu**ye**
nosotros / as	sabemos	conducimos	parecemos	huimos
vosotros / as	sabéis	conducís	parecéis	huís
ellos / as /ustedes	saben	conducen	parecen	hu**yen**

b) Verbos que reúnen dos irregularidades en el presente:

	D**E**CIR	V**E**NIR	T**E**NER	OÍR
yo	di**go**	ven**go**	ten**go**	oi**go**
tú	dices	vienes	tienes	oyes
él, ella, usted	dice	viene	tiene	oye
nosotros / as	decimos	venimos	tenemos	oímos
vosotros / as	decís	venís	tenéis	oís
ellos / as, ustedes	dicen	vienen	tienen	oyen

Fíjate en que la alternancia vocálica, el cambio de la vocal de la raíz e en i, al igual que con los verbos recogidos en los epígrafes §34, §35 y §36, aparece en las formas verbales en las que el acento recae sobre esa sílaba de la raíz.

§38 PRETÉRITO INDEFINIDO Y GERUNDIOS IRREGULARES

A continuación se presenta la irregularidad de las terceras personas del **pretérito indefinido** de algunos verbos muy usados. Fíjate en que el gerundio manifiesta la misma irregularidad que la forma de tercera persona del plural.

	PEDIR	SERVIR	REIR	SENTIR	DORMIR
yo	pedí	serví	reí	sentí	dormí
tú	pediste	serviste	reíste	sentiste	dormiste
él, ella, usted	**pidió**	**sirvió**	**rió**	**sintió**	**durmió**
nosotros / as	pedimos	servimos	reímos	sentimos	dormimos
vosotros / as	pedisteis	servisteis	reísteis	sentisteis	dormisteis
ellos / as, ustedes	**pidieron**	**sirvieron**	**rieron**	**sintieron**	**durmieron**
gerundio	**pidiendo**	**sirviendo**	**riendo**	**sintiendo**	**durmiendo**

§39 OTROS VERBOS IRREGULARES EN EL PRETÉRITO INDEFINIDO Y SU GERUNDIO

Irregularidades especiales en todas las formas del **pretérito indefinido** de verbos comunes: se acentúan en la raíz en la primera y tercera persona del singular.

	ANDAR	DECIR	PODER	PONER
yo	**anduve**	**dije**	**pude**	**puse**
tú	anduviste	dijiste	pudiste	pusiste
él, ella, usted	**anduvo**	**dijo**	**pudo**	**puso**
nosotros / as	anduvimos	dijimos	pudimos	pusimos
vosotros / as	anduvisteis	dijisteis	pudisteis	pusisteis
ellos / as, ustedes	anduvieron	dijeron	pudieron	pusieron
gerundio	andando	diciendo	pudiendo	poniendo

	QUERER	SABER	TRAER	VENIR	TENER
yo	quise	supe	traje	vine	tuve
tú	quisiste	supiste	trajiste	viniste	tuviste
él, ella, usted	quiso	supo	trajo	vino	tuvo
nosotros / as	quisimos	supimos	trajimos	vinimos	tuvimos
vosotros / as	quisisteis	supisteis	trajisteis	vinisteis	tuvisteis
ellos / as, ustedes	quisieron	supieron	trajeron	vinieron	tuvieron
gerundio	queriendo	sabiendo	trayendo	viniendo	teniendo

§40 VERBOS *IR*, *SER*, *ESTAR*, *HABER* Y PARTICIPIOS ESPECIALES DE LA CONJUGACIÓN DE OTROS VERBOS

Irregularidad especial de los verbos *ir*, *ser*, *estar*, y del verbo *haber*, que se usa para formar los tiempos compuestos con el participio de cada verbo.

Persona	Presente	
	IR	SER
yo	voy	soy
tú	vas	eres
él, ella, usted	va	es
nosotros / as	vamos	somos
vosotros / as	vais	sois
ellos / as, ustedes	van	son
	ESTAR	HABER
yo	estoy	he
tú	estás	has
él, ella, usted	está	ha
nosotros / as	estamos	hemos
vosotros / as	estáis	habéis
ellos / as, ustedes	están	han

Persona	Pretérito imperfecto	
	IR	SER
yo	iba	era
tú	ibas	eras
él, ella, usted	iba	era
nosotros / as	íbamos	éramos
vosotros / as	ibais	erais
ellos / as, ustedes	iban	eran
	ESTAR	HABER
yo	estaba	había
tú	estabas	habías
él, ella, usted	estaba	había
nosotros / as	estábamos	habíamos
vosotros / as	estabais	habíais
ellos / as, ustedes	estaban	habían

Persona	Pretérito indefinido	
	IR	SER
yo	fui	fui
tú	fuiste	fuiste
él, ella, usted	fue	fue
nosotros / as	fuimos	fuimos
vosotros / as	fuisteis	fuisteis
ellos / as, ustedes	fueron	fueron
	ESTAR	HABER
yo	estuve	hube
tú	estuviste	hubiste
él, ella, usted	estuvo	hubo
nosotros / as	estuvimos	hubimos
vosotros / as	estuvisteis	hubisteis
ellos / as, ustedes	estuvieron	hubieron

Persona	Pretérito perfecto	
	IR	SER
yo	he ido	he sido
tú	has ido	has sido
él, ella, usted	ha ido	ha sido
nosotros / as	hemos ido	hemos sido
vosotros / as	habéis ido	habéis sido
ellos / as, ustedes	han ido	han sido
	ESTAR	HABER
yo	he estado	-
tú	has estado	-
él, ella, usted	ha estado	-
nosotros / as	hemos estado	-
vosotros / as	habéis estado	-
ellos / as, ustedes	han estado	-

Algunos verbos, para formar los tiempos compuestos, tienen una forma particular en el participio que se ha de recordar. Aquí te mostramos los más comunes.

VOLVER	ESCRIBIR	VER
vuelto	escrito	visto
PONER	DECIR	HACER
puesto	dicho	hecho
ABRIR	DESCUBRIR	MORIR
abierto	descubierto	muerto

§41 PERÍFRASIS VERBALES

Se llaman **perífrasis verbales** ciertos modelos de construcciones donde distintos verbos (*tener, haber, deber,* etc.) con enlace (*que, a*) o sin él se conjugan con otro verbo principal en forma invariable de infinitivo, gerundio o

participio, para expresar significados diferentes de la acción del verbo principal.

A continuación se enumeran las principales clases de estas construcciones verbales con su sentido y los ejemplos correspondientes.

Estructura	Para expresar
Tener que + infinitivo	(1) una obligación
Hay que + infinitivo	(2) la necesidad de hacer algo
Deber + infinitivo	(3) un consejo

Ejemplo

(1) **Tienes que acabar** el ejercicio.

(1/2) No puedo, **tengo que cuidar** de mi hermano enfermo.

(2/3) **Hay que cenar** pronto.

(3) **Debes estudiar** más.

Estructura	Para expresar
Ir + a + infinitivo	(4) comienzo de una acción
	(5) proyectos, intenciones y deseos de hacer algo en el futuro

Ejemplo

(4) **Voy a escribir** una carta a mis padres.

(5) **Voy a ir** a la piscina y me quedaré un rato tomando el sol.

Estructura	Para expresar
Querer + infinitivo	(5) proyectos, intenciones y deseos de hacer algo en el futuro

Ejemplo

(5) **Quiero comprar** un coche nuevo.

Estructura	Para expresar
Pensar + infinitivo	(6) intenciones futuras

Ejemplo

(6) **Pensaba ir** al cine.

Estructura	Para expresar
Poder + infinitivo	(7) posibilidad
	(8) permiso
	(9) habilidad

Ejemplo

(7) **Puedo abrir** la ventana por las noches.

(8) ¿**Puedo ir** a la fiesta?

(9) Juan **puede escribir** con las dos manos.

Estructura	Para expresar
Estar + gerundio	(10) Una acción que se está realizando en un momento determinado

Ejemplo

(10) Juan **está leyendo** una carta de sus padres.

(10) Los niños **están jugando** en el patio.

(10) Cuando llamaste, **estaba durmiendo**.

■ CONTRASTES EN EL USO DE ALGUNOS VERBOS

§42 CONTRASTE ENTRE *SER* Y *ESTAR*

El verbo *ser* se utiliza sobre todo para describir a personas, seres u objetos y para indicar la procedencia.

> *Luisa es alta y delgada.*
> *Juan Manuel es venezolano.*

El verbo *estar* se usa, principalmente, para situar personas, seres u objetos en el espacio y para indicar alguna circunstancia.

> *La bicicleta está en el jardín.*
> *La habitación está muy oscura, enciende la luz.*

En *María es guapa* decimos que María siempre tiene esa característica, mientras que en *María está guapa con ese vestido* decimos que María presenta esa característica de un modo especial o más intenso en el momento en que se dice que *María está guapa*.

§43 CONTRASTE ENTRE *HABER* Y *ESTAR*

Haber se utiliza en los tiempos compuestos de los verbos y en oraciones impersonales.

En las oraciones impersonales *haber* aparece siempre en tercera persona del singular:

> presente: *hay*,
> pretérito imperfecto: *había*,
> pretérito indefinido: *hubo*,
> pretérito perfecto: *ha habido*.

Se emplea para hablar de la existencia de algo. Se puede utilizar con complementos de lugar, según la estructura:

> hay + un / una / unos... / uno / dos / tres

● ¿Qué me recomiendas para leer?
  ○ Hay un cuento precioso de Borges encima
    de la mesa.
  ○ Había un cuento precioso de Borges
    encima de la mesa.
● ¿Hay un supermercado por aquí?
  ○ Sí, hay uno en la esquina.

A diferencia del verbo *haber*, el verbo *estar* se usa para localizar o situar algo en el espacio. El verbo *estar* puede aparecer conjugado tanto en singular como en plural en todas las personas y va seguido de un adverbio o de una preposición seguida de un determinante y de un sustantivo.

● ¿Y mi vestido?
  ○ Tu vestido está en el armario / allí.
  ○ Todos los vestidos están en el armario / allí.

§44 CONTRASTE ENTRE HABER Y TENER

Haber se usa para referirse a la existencia de algo (§43), mientras que *tener* se utiliza para expresar la posesión de algo:

● ¿Tienes mil pesetas para dejarme?
  ○ No, sólo tengo quinientas.

También se emplea *tener* para expresar sensaciones físicas, psíquicas o de carácter.

- Tengo calor.
- María tiene una idea equivocada.
- Juan tiene mal genio.

§45 CONTRASTE ENTRE GUSTAR Y PARECER

El verbo *gustar* se usa para expresar gustos personales en estructuras como las siguientes:

(a + pronombre tónico) + pronombre átono + gusta/n + (bastante / mucho / demasiado…) + determinante + sustantivo singular / plural o infinitivo.

(A él) le gusta (mucho) el libro de Borges.
Le gusta el libro de Borges.
Le gustan los libros de Borges.
A ellos les gusta bastante el libro de Borges.
A ellos les gusta mucho leer el libro de Borges.
A ellos les gusta mucho leer los libros de Borges.

Fíjate en que el verbo no concuerda con el pronombre, sino con el sustantivo singular (*libro*) o plural (*libros*). Si en vez de un sustantivo aparece un infinitivo, el verbo va en singular.

La correspondencia entre las formas del pronombre tónico y del pronombre átono es la siguiente:

pronombre tónico	pronombre átono	gustar	(articulo+n) / infinitivo
a **mí**	me		
a **ti**	te	gusta	el libro / leer el libro
a **él, ella, usted**	le		
a **nosotros / as**	nos		
a **vosotros / as**	os	gustan	los libros
a **ellos / as, ustedes**	les		

*A **mí** me gustan bastante los libros de Borges.*
*A **nosotros no**s gusta mucho leer libros de Borges.*

El sustantivo puede aparecer detrás o delante del verbo *gustar*. Resultan poco naturales las frases que tienen el infinitivo al principio y que no son exclamativas.

Estos bombones me gustan mucho.
¡Leer libros de Borges nos gusta mucho!

El verbo *parecer* se utiliza para expresar valoraciones u opiniones personales en estructuras como las siguientes:

(determinante + N) / infinitivo	a (pron. tónico) / (Nombre)	pron. átono	parecer	adjetivo
esta fotografía,	*a (**mí**)*	me		*divertida/o,*
el libro / leer libros	*a (**ti**)*	te	*parece*	*interesante*
	*a (**él / ella / usted**)*	le		
estas fotografías,	*a (**nosotros/as**)*	nos		*divertidas/os,*
los libros	*a (**vosotros/as**)*	os	*parecen*	*interesantes*
	*a (**ellos/ellas/ustedes**)*	les		

El pronombre tónico no suele aparecer, salvo que se quiera manifestar un énfasis o insistencia especial, y se puede colocar al principio de la frase. La primera parte de la estructura puede aparecer al principio o al final de la frase.

(A mí) estas fotografías me parecen preciosas.
A mí me parecen preciosas estas fotografías.
Esta fotografía (a mí) me parece preciosa.
(A mí) me parece preciosa esta fotografía.
A mí me parece divertido comer en el restaurante e ir al cine.
Comer en un restaurante (a mí) me parece divertido.

Fíjate en que el adjetivo concuerda en género y número con el sustantivo al que se refiere y que adopta la forma del masculino singular cuando se refiere a un infinitivo.

Apéndice gramatical

■ USO DE LOS TIEMPOS VERBALES

Las formas temporales de los verbos tienen usos y sentidos diferentes. Los más frecuentes de cada tiempo se recogen a continuación.

§46 USOS DEL PRESENTE DE INDICATIVO

• Expresa algo que ocurre en el momento en el que se habla.

> ◗ *¿Qué haces ahora?*
>> ◖ *Escribo una carta a unos amigos.*
> ◗ *¿Desde dónde llamas?*
>> ◖ *Te llamo desde Caracas.*

• Expresa lo que hacemos habitualmente.

> *Bebo dos litros de agua al día.*
> *María lee el periódico en el autobús.*

• Permite expresar una verdad atemporal o referirse a una realidad de duración indefinida.

> *La Tierra gira alrededor del Sol.*
> *El ruido no me deja estudiar.*

• Se usa para expresar una acción futura.

> *Mañana voy a Madrid.*
> *El lunes próximo tenemos una reunión.*

• Usamos el presente para ofrecer algo al interlocutor en forma de pregunta.

> *¿Quieres un café?*
> *¿Tomas una cerveza?*

• También se usa el presente en forma de pregunta para sugerir una acción del interlocutor o del hablante.

> *¿Vienes al cine con nosotros?*
> *¿Abro las ventanas?*

§47 USO DEL PRETÉRITO INDEFINIDO

Es el tiempo más usado en las narraciones del pasado. Suele ir acompañado con los marcadores temporales de tiempo pasado: *ayer, el año pasado, el jueves,* etc. Se usa para expresar acciones concluidas, situadas con uno de esos marcadores en un momento del pasado y más o menos alejadas del presente.

> *El año pasado fui a Londres.*
> *Ayer salimos temprano de casa.*
> *El lunes hablé con Juan y me dio recuerdos para ti.*

§48 USOS DEL PRETÉRITO IMPERFECTO DE INDICATIVO

• Se usa en las descripciones para expresar hechos pasados que aún no han concluido en el momento del pasado al que se hace referencia.

> *En ese pueblo vivía un amigo mío.*
> *María dibujaba muy bien.*
> *Los niños eran altos para su edad.*

• Expresar acciones pasadas que se repetían habitualmente.

> *Juan siempre iba al trabajo en autobús.*

• También se usa para preguntar por algo o bien para pedir o solicitar algo con cortesía.

> *¿Querías la cerveza fría o natural?*
> *Quería una botella de agua mineral.*
> *Necesitaba una camisa de manga larga.*
> *Quería pedirte un favor, pero me preguntaba si estarías ocupado.*

§49 USOS DEL PRETÉRITO PERFECTO DE INDICATIVO

• El pretérito perfecto se usa fundamentalmente para expresar acciones que se sitúan en un momento **pasado**, relativamente **próximo** al momento en que se habla (o que el hablante siente como tales), pero en una unidad temporal que **el hablante no considera cerrada**. Por eso se utilizan marcadores temporales que se refieren a un tiempo que incluye el del momento en que se habla: *hoy, esta mañana, este curso, este año,* etc.

> *Hoy ha hecho mucho calor.*
> *Esta mañana he ido a pasear con mis amigos.*
> *Este invierno ha sido muy frío.*
> *María ha ido muchas veces al médico.*

• También se usa para referirse a algo cuyos efectos se considera que llegan hasta el momento en que se habla:

> *No ha llovido nada desde hace tres meses.*
> *La ciudad ha crecido mucho en los últimos años.*

§50 USOS DEL IMPERATIVO

• Usamos el imperativo para ordenar o pedir al interlocutor que haga algo.

Arregla la habitación.
Abre la ventana por la noche.

• Se usa el imperativo para ofrecer algo al interlocutor.

Toma un poco de café.

• También sirve para conceder permiso.

🗨 *¿Puedo abrir la ventana?*
🗨 *Sí, ábrela.*

• En general, si aparece el sujeto se suele colocar detrás del verbo.

Bebe tú café que yo voy a beber té.

■ REFERENCIAS TEMPORALES (§51)

§51 REFERENCIAS TEMPORALES

Las referencias temporales se pueden manifestar de varias maneras:

a) Artículo (el / los) + días de la semana (lunes, martes, etc.).

El uso del artículo plural significa *todos los*.

El lunes voy al gimnasio.
Iré al médico el martes.
Los miércoles voy a clase de piano. = *Todos los miércoles voy a clase de piano.*

b) Expresiones cuya referencia se establece según el momento de locución.

Antes, ahora, después.

Anteayer, ayer, hoy, mañana, pasado mañana.

La semana pasada, esta semana, la próxima semana / la semana próxima.

El mes / año pasado, este mes / año, el próximo año / mes.

c) Expresiones cuya referencia se determina en el contexto discursivo.

Antes de este / ese / aquel momento, en este / ese / aquel momento, después de este / ese / aquel momento.

Dos / tres... días antes, el día anterior, ese / aquel día, al día siguiente, en este / ese / aquel momento, al cabo de dos / tres... días.

La semana pasada, esta / esa / aquella semana, la siguiente semana / la semana siguiente.

El mes / año anterior, este / ese / aquel mes / año, el próximo año / mes.

d) Con distintas especificaciones. Con los meses del año (*enero, febrero,* etc.) y las estaciones (*invierno, primavera, verano y otoño*), con la preposición *en* o con el artículo sin preposición con un adjetivo de anterioridad, *pasado,* o con la expresión *que viene / próximo* para indicar futuro.

*Vi a Juan **en** febrero.*
***En** noviembre se casa Ana.*
*Su abuela se murió **en** otoño.*
*La guerra civil española acabó **en** 1939.*

*El verano **pasado** fuimos de vacaciones a Costa Rica.*
*Las temperaturas más altas se alcanzaron el **pasado** agosto.*
*El verano **que viene** iremos de vacaciones a Costa Rica.*
*Las temperaturas más altas se alcanzarán el **próximo** agosto.*

e) Fechas exactas: *el + (día) + número + de + mes + de + año.*

El cumpleaños de José es el 23 de febrero.
El cumpleaños de José es el viernes 23 de febrero.
Colón llegó a América el 12 de octubre de 1492.

f) Identificación de la hora: con el siguiente esquema combinatorio.

es	la una	de la mañana
son	las dos / tres / cuatro / cinco / seis / siete / ocho / nueve / diez / once / doce	de la tarde de la noche de la madrugada

Es la una de la madrugada.
Son las tres de la tarde.

g) Horas exactas, con el siguiente esquema:
a las + número (en punto, y media, y cuarto, y número, menos cuarto, menos número) / (de la / del + parte del día).

El programa de televisión empieza a las doce del mediodía.
Hemos quedado a las tres.
Hemos quedado a las cuatro de la tarde.
Hemos quedado a las cinco en punto.
Hemos quedado a las cinco y media.
Hemos quedado a las cinco menos cinco.

h) Partes del día:

Por la + mañana / tarde / noche.

> *Por la mañana escucho la radio y por la noche miro la televisión.*

A mediodía / medianoche.

> *A mediodía suelen venir todos a comer.*

De madrugada / día / noche

> *De día trabajamos y de noche dormimos.*
> *María llegó de madrugada.*

La madrugada / medianoche pasada = La pasada madrugada / medianoche
La madrugada del + día de la semana

> *María llegó la madrugada pasada. = María llegó la pasada madrugada.*
> *María llegó la madrugada del jueves.*

i) Expresiones para determinar un periodo de tiempo:

desde... hasta..., de... a... Estas expresiones significan prácticamente lo mismo y se utilizan para delimitar un espacio de tiempo.

	día / hora / mes / año		día / hora / mes / año
desde	**el** lunes, **el** martes...	**hasta**	**el** sábado, **el** domingo...
	la una, **las** dos...		**las** tres, **las** cuatro...
	enero, febrero...		marzo, abril...
	(el año) 1946...		(el año) 1986...
de	lunes, martes...	**a**	sábado, domingo...
	una, dos...		tres, cuatro...
	enero, febrero...		marzo, abril...
	1946...		1986...

*Trabajo **desde** las nueve **hasta** las tres.*
*Trabajo **de** nueve **a** tres.*
***De** lunes **a** miércoles hace horario de tarde.*
Desde 1973 hasta 1978 estuve estudiando en Sevilla.
De 1973 a 1978 estuve estudiando en Sevilla.
La piscina está abierta desde junio hasta septiembre.
La piscina está abierta de junio a septiembre.

Fíjate en el uso del artículo con los delimitadores *desde... hasta*, cuando nos referimos a días u horas, y en la posibilidad de especificar *el año* cuando nos referimos a años.

j) Las preposiciones: *desde y hasta*. Con un elemento de expresión de tiempo manifiesta el inicio de un periodo de tiempo, y *hasta* indica el límite final del tiempo de que se trate en el pasado o en el futuro.

> ***Desde** el lunes pasado tenemos clase a las cuatro.*
> *Tenemos las clases por las tardes **hasta** el mes de febrero.*
> *No hemos sabido nada de María **desde** el lunes pasado.*
> *No hemos sabido nada de Juan **hasta** hoy.*

■ REFERENCIAS ESPACIALES (§52)

§52 REFERENCIAS ESPACIALES

La localización espacial se puede establecer en relación a algo que se menciona en el discurso o bien en relación al hablante.

Para localizar espacialmente un objeto con respecto a otro se utilizan distintas formas y estructuras lingüísticas:

Localizadores espaciales más frecuentes:

> *Cerca / lejos*
> *Dentro / fuera*
> *Delante / detrás*
> *Encima / debajo*
> *Enfrente*
> *A la derecha / a la izquierda*

Los localizadores espaciales pueden llevar una especificación con la estructura (de + determinante + sustantivo). Si no se manifiesta la especificación con un segundo localizador, se entiende que se refiere a lo mismo que el primero.

> *El cine está **lejos** del teatro.*
> *El cine está **cerca** de mi casa.*
> *El cine está **lejos** del auditorio y **cerca** de mi casa.*
> *El teatro está **lejos** del cine y **cerca** de mi casa.*

*Luis está **delante** de Juana.*
***Detrás** del sillón está la pelota.*
*Tus zapatos están **debajo** de la cama.*
*El cenicero está **encima** de la mesa.*
*Mira **al otro lado** de la calle.*

También se puede situar algo en el espacio o en el entorno con las preposiciones *en* o *sobre*. Los valores que manifiesta la preposición *en* son diversos y se irán viendo paulatinamente.

*Su primo está **en** la oficina.*
*La cartera está **sobre** la mesa = La cartera está **encima** de la mesa.*
*Juan está **en** Barcelona.*
*El ejercicio está **en** la página 10.*
*Vive **en** las afueras.*
*Hay un reloj **en** la pared de la cocina.*
*El libro está **en** la mesa.*

Entre sitúa algo entre dos puntos de referencia.
Cuando sólo se menciona un entorno de referencia, significa *en medio de*.

*El museo está **entre** la catedral y el ayuntamiento.*
*El recibo está **entre** los papeles.* (en medio de)

Aquí, ahí y *allí* también localizan en el espacio, pero a diferencia de los localizadores anteriores, sitúan con respecto al hablante o a algún elemento que ya ha aparecido en el discurso.

*El perro está **aquí*** (cerca del hablante).
*El perro está **ahí*** (un poco lejos del hablante / cerca del oyente).
*El gato está **allí**, en la esquina* (lejos del hablante, en la esquina).

■ LA COMPARACIÓN Y SUS ESTRUCTURAS (§53-§55)

§53 LA COMPARACIÓN

En español se pueden expresar distintos grados de intensidad (superioridad, igualdad, inferioridad), en el adjetivo que se refiere a dos o más sustantivos.

*María $_1$ es **más alta que** Juana $_2$.*

También se pueden expresar distintos grados de intensidad en el verbo que se refiere a dos o más sustantivos.

*María $_1$ **estudia más que** Juana $_2$.*

Asimismo, se pueden expresar distintos grados de intensidad en el adverbio que expresa la manera de la acción de dos o más sustantivos.

*María $_1$ corre **más deprisa que** Juana $_2$.*

Por último, se pueden expresar distintos grados de intensidad en la cantidad de objetos de la acción de dos o más sustantivos.

*María $_1$ compra **más libros que** Juana $_2$.*

A continuación puedes fijarte en las coincidencias y semejanzas entre las formas de expresar comparaciones en español.

§54 EXPRESAR COMPARACIÓN CON EL ADJETIVO, CON EL VERBO, CON EL ADVERBIO Y CON EL NOMBRE (formas regulares)

a) La comparación de cualidades o adjetivos para expresar superioridad, igualdad e inferioridad se hace con las estructuras sintácticas siguientes:

Grado de comparación	Estructura	Ejemplo
Superioridad	*más* + *adjetivo* + *que*	*María es **más alta que** Juana.*
Igualdad	*tan* + *adjetivo* + *como*	*Juanita es **tan guapa como** su hermana.*
Inferioridad	*menos* + *adjetivo* + *que*	*El gato es **menos cariñoso que** el perro.*

El adjetivo concuerda en género y número con el primer sustantivo.

*Juanita $_1$ es **más guapa que** su hermana $_2$.*
*Juanita $_1$ es **más guapa que** su hermano $_2$.*
*Juan $_1$ es **tan guapo como** su hermana $_2$.*
*Ana $_1$ y María $_1$ son **menos guapas que** sus primas $_2$.*
*Pedro $_1$ y Andrés $_1$ son **más guapos que** Juan $_2$.*

A veces no se expresa la segunda parte de la estructura comparativa, porque se puede entender por el contexto:

💬 *¿Qué me recomienda de segundo plato?*
   🗨 *Pollo con patatas.*
💬 *¿Y la ternera en salsa?*
   🗨 *También. Pero es **más pesada**.*

En esta última expresión se entiende:

*La ternera₁ en salsa es más pesada **que** el pollo₂.*

b) La comparación de acciones o verbos para expresar superioridad, igualdad e inferioridad se hace con las estructuras sintácticas siguientes:

Grado de comparación	Estructura	Ejemplo
Superioridad	*verbo + **más que***	*Juan estudia **más que** Pedro.*
Igualdad	*verbo + **tanto como***	*Juan estudia **tanto como** Pedro.*
Inferioridad	*verbo + **menos que***	*Juan estudia **menos que** Pedro.*

c) La comparación de adverbios para expresar superioridad, igualdad e inferioridad en la manera de la acción de dos a más sujetos se hace con las estructuras sintácticas siguientes:

Grado de comparación	Estructura	Ejemplo
Superioridad	***más** + adverbio + **que***	*María corre **más** deprisa **que** Juana.*
Igualdad	***tan** + adverbio + **como***	*María corre **tan** deprisa **como** Juana.*
Inferioridad	***menos** + adverbio + **que***	*María corre **menos** deprisa **que** Juana.*

d) La comparación de la cantidad de objetos de la acción expresada por el verbo de dos a más sujetos se hace con las estructuras sintácticas siguientes:

Grado de comparación	Estructura	Ejemplo
Superioridad	***más** + nombre + **que***	*Juan compra **más** libros **que** Pedro.*
Igualdad	***tanto/a/os/as** + nombre + **como***	*Juan compra **tantos** libros **como** Pedro.*
Inferioridad	***menos** + nombre + **que***	*Juan compra **menos** libros **que** Pedro.*

Fíjate en que en la comparación de igualdad con el nombre, *tanto* concuerda en género y número con el sustantivo correspondiente.

*Juan come **tanto** arroz **como** Pedro.*
*Juan come **tanta** fruta **como** Pedro.*
*Juan compra **tantos** libros **como** Pedro.*
*Juan compra **tantas** novelas **como** Pedro.*

§55 EXPRESAR COMPARACIÓN CON EL ADJETIVO Y EL ADVERBIO (formas irregulares)

Unos cuantos adjetivos (*bueno, malo, grande, pequeño*) y el adverbio *bien* forman el comparativo de forma fija y no utilizan las estructuras habituales. En estos casos la comparación se construye con el adjetivo seguido de la conjunción *que*.

adjetivo / adverbio	comparativo	ejemplo
bueno	mejor	*Este coche es **mejor** que el mío.*
bien		*María escribe **mejor** que Pedro.*
malo	peor	*Este coche es **peor** que el mío.*
mal		*Juan escribe **peor** que María.*
grande (edad)	mayor	*Su hermana es **mayor** que ella.*
pequeño (edad)	menor	*Tú eres **menor** que yo.*

Generalmente se utiliza *mayor* y *menor* para referirse a la edad, y *más grande, más pequeño* para referirse al tamaño.

§56 FORMA SUPERLATIVA DEL ADJETIVO

El grado máximo de una cualidad se puede expresar de distintas maneras:

a) La forma más general consiste en anteponer el adverbio *muy* al adjetivo.

*María es **muy** alta.*   *Juan es **muy** simpático.*

b) Cuando se quiere expresar una cualidad en grado absoluto se añade una terminación especial al adjetivo.

Si el adjetivo en masculino singular acaba en consonante, para formar el superlativo se añade directamente *–ísim* + las marcas de concordancia *–o –a –os –as*.

Si el adjetivo en masculino singular acaba en vocal, *buen-o, dulc-e*, se quita la última vocal y se añade *–ísim* + las marcas de concordancia *–o –a –os –as*.

Buen-o: buenísimo, buenísima, buenísimos, buenísimas.
Dulc-e: dulcísimo, dulcísima, dulcísimos, dulcísimas.
Legal: legalísimo, legalísima, legalísimos, legalísimas.

Fíjate en que a pesar de que el adjetivo en singular sea invariable, *dulce*, la forma superlativa siempre presenta la concordancia de forma explícita.

A continuación tienes un cuadro que resume todo lo anterior.

Adjetivos terminados en vocal	
Estructura	Ejemplo
singular sin vocal final + -ísimo/a/os/as	dulc-ísimo/a/os/as

Adjetivos terminados en consonante	
Estructura	Ejemplo
singular + -ísimo/a/os/as	fácil-ísimo/a/os/as

■ LA ORACIÓN (§57-§63)

§57 ESTRUCTURA DE LA ORACIÓN / DE LA FRASE

A veces los términos *oración* y *frase* se usan indistintamente. En este apéndice gramatical se utiliza el término *oración*.

La oración puede ser simple, compuesta o compleja. La oración simple consta como mínimo de un verbo conjugado en forma personal o de una forma perifrástica.

> *María canta una canción.*
> *María canta.*
> *Canta.*

> *María quiere cantar una canción.*
> *María quiere cantar.*
> *Quiere cantar.*

La oración compuesta está formada por dos o más oraciones unidas por algún nexo (§62).

> *María canta y Pedro toca la guitarra.*

La oración compleja está formada por dos o más oraciones, al igual que la oración compuesta, pero se diferencia de ésta en que sólo una de las oraciones que la forman puede enunciarse aislada. En la oración *El libro que Juan ha comprado tiene muchas fotos*, una parte, *El libro tiene muchas fotos*, puede enunciarse aislada. En cambio, la otra parte, *Juan ha comprado*, nunca puede aparecer sola, fuera del entorno de la oración compleja.

Las oraciones se manifiestan de distintas maneras: en forma de aseveración, de interrogación y de exclamación, que se explican en los epígrafes §59, 60 y 61.

§58 ORDEN DE LAS PALABRAS EN LA ORACIÓN

Las palabras tienen una colocación bastante libre en español,

pero se prefieren determinadas colocaciones de los elementos porque se consideran más comunes, de sentido inequívoco, más claras. En algún caso, determinados elementos tienen una colocación fija en la expresión del enunciado.

Fíjate en que, generalmente, la información propuesta por el interlocutor como más relevante, en respuestas o enunciados muy detallados, muy explícitos, con una entonación neutra en la que ningún elemento recibe foco, se coloca al final.

> 💬 *¿**Quién** visitó el museo el domingo?*
> 💬 *El domingo visitó el museo **Juan**.*
> 💬 *¿**Qué** visitó Juan el domingo?*
> 💬 *El domingo Juan visitó **el museo**.*
> 💬 *¿**Cuándo** visitó el museo Juan?*
> 💬 *Juan visitó el museo **el domingo**.*

En cuanto a la colocación de los elementos en el enunciado, puedes consultar los epígrafes de las modalidades aseverativa (**§59**), exclamativa (**§60**) e interrogativa (**§61**).

A continuación vamos a recordar la colocación de los elementos de una expresión nominal o de una expresión verbal.

Los elementos de una expresión nominal se suelen colocar de acuerdo con la siguiente estructura:

Artículo + sustantivo + adjetivo

> *Los plátanos dulces*
> *Unas sillas cómodas*

Si en la expresión nominal se manifiesta algún otro complemento, se coloca a continuación del sustantivo si no hay ningún adjetivo.

> *Los plátanos dulces de Canarias*
> *Unas sillas del comedor*

Ya hemos dicho en el apartado de *El adjetivo calificativo* que la colocación del adjetivo delante del sustantivo es poco frecuente y a veces supone un cambio de significado.

Los elementos de una expresión verbal se suelen colocar, en general, de acuerdo con la siguiente estructura:

(negación) + verbo + CD + CI + (Complementos Circunstanciales = CC)

> *Juan (no / nunca) envía libros$_{CD}$ a María$_{CI}$ desde Barcelona$_{CC}$.*
> *Juan (no / nunca) envía libros$_{CD}$ desde Barcelona$_{CC}$.*

De todos modos, recuerda que algunos verbos como *parecer* y *gustar* distribuyen los elementos de su entorno de una manera especial y precisan la presencia de un pronombre.

> *A María le gustan las rosas.*
> *Le gustan las rosas.*
> *Las rosas le gustan.*
> *A María las rosas le gustan.*

La primera distribución de estos ejemplos se considera la más natural de una primera información. Las otras dependen del entorno comunicativo y de la información compartida por los interlocutores.

Respecto a la colocación de los elementos pronominales en la oración, puedes consultar el epígrafe §15.

■ MODOS DE ENUNCIAR LA ORACIÓN

La oración se manifiesta en forma de aseveración o afirmación, de exclamación, de interrogación o pregunta.

§59 LA ORACIÓN ASEVERATIVA

El orden más común de los elementos en los enunciados es el siguiente:

Sujeto gramatical + verbo + complementos

> *Juan come fruta.*
> *Muchos jóvenes estudian español en Sevilla.*

Los enunciados pueden ser afirmativos o negativos.

> *Ana se casa el sábado.*
> *Ana **no** se casa el domingo.*

En los enunciados negativos, el adverbio negativo *no* precede al verbo. La entonación de la oración aseverativa se recoge en el epígrafe §4.

§60 LA ORACIÓN EXCLAMATIVA

Las oraciones o elementos de sentido exclamativo tienen una entonación especial, que se recoge en el epígrafe §4, y en la expresión escrita se señala este sentido con los puntos de admiración ¡...! al principio y al final de la expresión.

1. La exclamación sobre la forma de ser algo o el modo de hacer algo se hace así:
a) Con la estructura:

¡**Qué** + adjetivo/adverbio + (verbo) + (sujeto gramatical)!

> *¡**Qué** blancas son las paredes del comedor!*
> *¡**Qué** bien habla Juan!*

b) Anteponiendo la forma exclamativa *cómo*.

> *¡**Cómo** juegan los niños en el patio!*
> *¡**Cómo** vives!*

2. Para expresar una exclamación sobre las cantidades, se suelen usar las formas *cuánto/a/os/as,* y a veces la forma *cómo*.

> *¡**Cuánto** pelo tienes!*
> *¡**Cuántas** maletas trae ese chico!*
> *¡**Cómo** estudia!*

Fíjate en que si el sujeto gramatical, la expresión nominal que concuerda con el verbo, aparece explícito, va detrás del verbo.

§61 LA ORACIÓN INTERROGATIVA

Las oraciones o elementos de sentido interrogativo tienen una entonación especial, que se recoge en el epígrafe §4, y en la expresión escrita se señala este sentido con los puntos de interrogación ¿...? al principio y al final de la expresión.

Cualquier enunciado puede expresarse como una pregunta con la entonación especial de las llamadas preguntas no pronominales (§4).

> 💬 *¿Juan es alto?*
>   💬 *No, no es muy alto.*
> 💬 *¿Mary estudia español en España?*
>   💬 *Sí.*
> 💬 *¿Juan come en el bar a la una?*
>   💬 *No, hoy come a las dos.*

En español no suele posponerse el sujeto gramatical en las oraciones interrogativas no pronominales, y cuando se hace, manifiesta una cierta sorpresa, extrañeza o énfasis.

> 💬 *¿Es Juan alto?*
>   💬 *No, no es muy alto.*
> 💬 *¿Estudia Mary español en España?*
>   💬 *Sí, en Madrid.*

💬 ¿Come Juan en el bar a la una?
    💬 Sí, todos los días.

Para preguntar por el objeto de la acción o por una circunstancia, se coloca el sujeto gramatical detrás del verbo y los pronombres interrogativos antepuestos:

💬 ¿Qué come Juan en el bar?
    💬 Ensalada y carne.
💬 ¿Dónde comes?
    💬 En el bar.
💬 ¿Cuándo comemos?
    💬 A la una en punto.
💬 ¿Cómo vas a clase?
    💬 En autobús.
💬 ¿Cuánto pesa Ana?
    💬 Sesenta y cuatro kilos.
💬 ¿Cuántos años tiene Mercedes?
    💬 Dieciocho.

A continuación tienes un cuadro con ejemplos de los distintos tipos de preguntas más comunes, con sus respuestas correspondientes.

Pregunta	
1. De respuesta SI/ NO	
Ejemplo	Respuesta
¿Mary estudia español?	- Sí / No.

Pregunta	
2. Sobre un elemento o circunstancia de la acción	
Ejemplo	Respuesta
¿Quién come en el bar a la una en punto?	- Juan.
¿Qué come Juan?	- Ensalada.
¿Dónde come Juan?	- En su casa.
¿Cuándo come Juan?	- A la una en punto.

Pregunta	
3. Sobre la acción	
Ejemplo	Respuesta
¿Qué haces?	- Estudio español.

Pregunta	
4. De avance de la conversación, después de la respuesta a una pregunta anterior	
Ejemplo	Respuesta
¿Y te dejan tus padres?	- Sí, claro.

Pregunta	
5. De aclaración o para pedir más detalles	
Ejemplo	Respuesta
¿Qué estudias?	- Español.
¿En Madrid o en Barcelona?	- En Madrid.

§62 LOS NEXOS MÁS COMUNES (Y, O, PERO Y PUES)

Los nexos son palabras que se utilizan para unir dos elementos.

a) El uso de y / o / pero

Los nexos y, o se utilizan para unir elementos del mismo tipo (palabras u oraciones).

Me gusta leer libros **y** hacer deporte.
Me gustan los libros **y** los discos.
Ana es guapa **y** simpática.
Tiene amigos en España **y** en Costa Rica.
Ana, Sandra **y** José estudian en la universidad.

Fíjate en que los elementos enlazados por el nexo y son de la misma clase: leer y hacer; libros y discos... Si hay más de dos elementos sólo se usa la y entre los dos últimos y los otros se unen con la coma: Ana, Sandra y José.

Usamos el enlace o para presentar un segundo elemento con sentido alternativo a otro anterior. Al igual que con y, los elementos enlazados por o son de la misma clase.

¿Prefieres la carne **o** el pescado?
Va al gimnasio por la mañana **o** por la tarde.
¿Su hermano se llama Juan **o** Pedro?

Si a un concepto o una idea se contrapone otro distinto usamos el enlace pero.

Me gusta el cine **pero** prefiero la televisión.
Juan es muy amable **pero** tiene pocos amigos.
Ana es guapa **pero** antipática.

b) El uso de pues

El elemento de enlace pues, muy común en la conversación, se usa para introducir una propuesta de intención distinta a la del interlocutor.

💬 ¿Te gustan las películas de Pedro Almodóvar?
    💬 No. No me gustan nada.
💬 Pues a mí me encantan.

§63 ORACIONES APELATIVAS CON *OYE*, *OIGA*, *PERDONA* Y *PERDONE*

Para llamar la atención del oyente al que nos dirigimos, usamos *oye*, en el trato familiar o informal, y *oiga*, en el trato formal de *usted*.

> *Oye, ¿me cobras el vestido, por favor?*
> *Oiga, ¿puede decirme dónde está el metro?*

En las relaciones más formales, o al dirigirnos a un desconocido, si creemos que lo podemos molestar, usamos *perdona*, en el trato familiar o informal, y *perdone*, en el trato formal de *usted*.

> - *Perdona, ¿tienes fuego?*
> - *Perdone, ¿sería tan amable de indicarme dónde hay un bar?*

■ LAS ORACIONES DE RELATIVO CON *QUE* Y *DONDE* (§64)

§64 LAS ORACIONES DE RELATIVO CON *QUE* Y *DONDE*

Dos enunciados en los que aparece un sustantivo, que se refiere a un mismo individuo o entidad, se pueden reunir en un mismo enunciado complejo ello se hace sustituyendo el segundo sustantivo por el pronombre invariable *que* de la forma siguiente:

> *Juan ha comprado **un libro**. **El libro** tiene muchas fotos.*
> *Juan ha comprado **un libro que** tiene muchas fotos.*
> ***El libro que** Juan ha comprado tiene muchas fotos.*
>
> ***Un señor** ha venido esta mañana. **Ese señor** es el padre de Juan.*
> ***Un señor que** es el padre de Juan ha venido esta mañana.*
> ***Ese señor que** ha venido esta mañana es el padre de Juan.*
>
> *María compró **una casa** en un pueblo pequeño. **La casa** tiene jardín.*
> *María compró **una casa que** tiene jardín en un pueblo pequeño.*
> ***La casa que** María compró en un pueblo pequeño tiene jardín.*

Fíjate en que una de las oraciones se copia entera a continuación de uno de los sustantivos que tienen la misma referencia, sustituyendo el segundo sustantivo por el pronombre *que* colocado al principio de su oración.

Si uno de los sustantivos que se refieren a una misma entidad manifiesta un complemento para indicar un lugar, se sustituye por el pronombre *donde* también invariable, para reunir en un mismo enunciado complejo las dos oraciones.

> *Hemos estado **en una ciudad**. **Esa ciudad** es fantástica.*
> *Hemos estado **en una ciudad que** es fantástica.*
> ***La ciudad donde** hemos estado es fantástica.*
> *Conozco **un pueblo** cerca de Madrid. Mi amiga María compró una casa **en ese pueblo**.*
> *Conozco **un pueblo**, cerca de Madrid, **donde** compró una casa mi amiga María.*
> *Mi amiga María compró una casa **en un pueblo que** conozco, cerca de Madrid.*

También en este caso se copia la oración entera a continuación de uno de los sustantivos que tienen la misma referencia, sustituyendo el otro sustantivo por *donde*, si es el que significa el lugar, colocado al principio de su oración.

Si el elemento pronominalizado por *que* o por *donde* es un complemento del verbo, suele llevar el verbo a continuación de *que* o *donde*.

> *Juan **compró una casa**. Por la tarde visitamos la casa.*
> *Por la tarde visitamos la casa **que** compró **Juan**.*
>
> *Conozco **un pueblo** cerca de Madrid. **Mi amiga María** **compró** una casa **en ese pueblo**.*
> *Conozco **un pueblo donde** compró una casa **mi amiga María**, cerca de Madrid.*

■ LA CONDICIÓN (§65)

§65 ORACIONES CONDICIONALES

En español, se antepone la palabra *si* a la parte del enunciado que expresa la condición para hacer algo, y toda esta parte suele aparecer al principio, pero también puede colocarse al final.

> ***Si hace frío**, cerramos la ventana.*
> ***Si tienes miedo**, enciendo la luz.*
>
> *Cerramos la ventana **si hace frío**.*
> *Enciendo la luz **si tienes miedo**.*

También podemos usar el imperativo para expresar la acción condicionada del enunciado.

> *Si tienes frío, **cierra** la ventana.*
> ***Comed** fruta si tenéis hambre.*
> *Si quieres venir, **llama** antes por teléfono.*
> ***Llamad** a un taxi si queréis llegar pronto.*

transcripciones de los audios

BLOQUE **UNO** 1

lección **uno** 1
¡HOLA, AMIGOS!

1.2
1
BEGOÑA : Hola, ¿cómo te llamas?
ANDREW : Andrew, ¿y tú?
2
BEGOÑA : Éste es Andrew. Es estadounidense.
JULIÁN : Encantado. Yo soy Julián. Soy mexicano.
ANDREW : Mucho gusto.

1.3
1
A : Luis, te presento al señor Gómez.
B : Mucho gusto, señor Gómez. ¿Cómo está usted?
C : Muy bien, gracias.
2
A : ¡Hola, Eva! ¿Cómo estás?
B : Bien, ¿y tú?
A : ¡Muy bien!
3
A : Bueno, me voy. Tengo prisa. ¡Hasta mañana!
B : Vale. ¡Hasta mañana!
A : Adiós.
4
A : ¡Hola! Ésta es mi amiga Eva.
B : ¡Hola, Eva! ¿Qué tal?
C : Muy bien, ¿y tú?
B : Bien.
5
A : Buenas tardes, ¿cómo está usted?
B : Bien gracias, ¿y usted?
A : ¡Muy bien!

1.5
JULIÁN : Escucha: "Yo soy mexicano, y no mexicana. Ella es española, no español, y tú eres norteamericano y no norteamericana".
ANDREW : Comprendo. Y también soy estadounidenso.
BEGOÑA : Estadounidense. Se dice estadounidense. Tú eres estadounidense, no estadounidenso.
ANDREW : ¡Oh, my god...!
LOLA : Pero, si es muy fácil. Mira: "Hola, buenos días, me llamo Andrew y soy estadounidense".
JULIÁN : Sí, o mejor, "Hola, buenas tardes, soy estadounidense, me llamo Andrew y hablo al revés".

1.6
MARIE : Yo me llamo Marie, soy francesa, tengo treinta y dos años, vivo en Lyon, y mi número de teléfono es el 943578254.
PETER : Yo soy Peter, soy británico, tengo treinta años. Vivo en Londres y mi teléfono es 914587982.
JACQUES : Yo soy Jacques, soy belga, vivo en Brujas, tengo veintinueve años y mi teléfono móvil es 653216897.
PIETRO : Me llamo Pietro, tengo treinta y cinco años, soy de Italia y vivo en Florencia. Mi teléfono móvil es 659307698.
ROSE : Soy Rose, soy irlandesa, tengo veinte años, vivo en Dublín y no tengo teléfono.
MATTHEW : Mi nombre es Matthew, soy norteamericano, vivo en San Francisco, tengo treinta y seis años y mi número de teléfono es 94578625.

1.8
JULIÁN : A mí me gusta viajar, conocer paisajes, culturas... Por ahora, he estado en varios países de Latinoamérica. Ya he viajado bastante. Conozco México, Colombia, Cuba, Puerto Rico, Bolivia, Venezuela y Panamá... Pero quiero viajar y conocer más países. No conozco Argentina, Chile, El Salvador, Uruguay, Ecuador y Perú, y quiero ir pronto.

1.10
a...be...ce...che...de...e...efe...ge...hache...i...jota...ka...ele...elle... eme...ene...eñe...o...pe...cu...erre...ese...te...u...uve...uve doble ...equis...i griega...zeta

1.11
hola...carro...jota...cosa...gente...cose...cana...Lola...año

1.12
gente...letras...hombre...fácil...español...sonido...ruso...veinte

1.13
ALTAVOZ : Señores pasajeros del vuelo AO475 con destino Ámsterdam, embarquen a las 7.35 por la puerta doce.
ALTAVOZ : Señores pasajeros del vuelo IB597 con destino Sevilla, embarquen a las 9.20 por la puerta cinco.
ALTAVOZ : Llamada a los pasajeros del vuelo AS975 con destino a La Coruña, embarquen por la puerta siete a las 15.05
ALTAVOZ : ¡Último aviso para los pasajeros del vuelo LA171 con destino a León! Embarquen por la puerta ocho. ¡Último aviso!

1.15
catorce...cinco...cuatro...diecinueve...veintitrés...dieciséis...veintiocho ...diez...doce...dos...veintidós...ocho...once...quince...veinticinco... siete...trece...treinta...tres...uno...veinte...seis...veinticuatro...nueve ...veintinueve...diecisiete...veintiséis...veintisiete...dieciocho...veintiuno

lección **dos** 2
SER O NO SER, ¡VAYA CUESTIÓN!

2.2
JUAN : ¿Quieres ver una foto de mi familia?
MARÍA : Sí, ¿la tienes aquí?
JUAN : Sí, mira. Aquí está.
MARÍA : ¡Qué bonita es la foto! ¿Ésta alta y pelirroja es tu madre?
JUAN : Sí, se llama Sofía. Es guapa, ¿verdad?
MARÍA : Sí, ¿a qué se dedica?
JUAN : Es ama de casa.
MARÍA : ¿Qué edad tiene?
JUAN : Sesenta y tres años.
MARÍA : Y este hombre tan alto, ¿quién es?
JUAN : Es mi padre, Carlos. Es periodista.
MARÍA : ¿Es muy mayor?
JUAN : No, tiene sesenta y cinco años.
MARÍA : ¡Qué moreno es!
JUAN : Sí. Mi hermano Luis, éste de aquí, también es moreno. Es policía, tiene treinta y tres años.
MARÍA : Esta chica rubia, ¿es tu hermana?
JUAN : No, es Marta, mi cuñada, la mujer de mi hermano. Es psicóloga, tiene treinta años.
MARÍA : ¿Sólo tienes un hermano?
JUAN : No, tengo tres hermanos más.

2.3
1
ANDREW : Oye, ¿cómo se dice *moustache* en español?
BEGOÑA : Bigote.
ANDREW : ¿Puedes repetir?
BEGOÑA : Bigote.
ANDREW : ¿Cómo se escribe?
BEGOÑA : Be-i-ge-o-te-e.
ANDREW : Gracias.

2
ANDREW : ¿Cómo se pronuncia autobús?
JULIÁN : Autobús.
ANDREW : ¿Puedes hablar más alto?
JULIÁN : Autobús.
3
LOLA : Nos vemos mañana por la tarde en el bar.
ANDREW : Por favor, ¿puedes hablar más despacio?
LOLA : Sí, claro. Nos vemos mañana por la tarde en el bar.

2.4
LOLA : ¡Mira quién está en esa mesa! Pero si es el señor Martínez.
BEGOÑA : ¿Lo conoces?
LOLA : Sí, claro. Mira, el señor Martínez es el moreno de pelo rizado. Es abogado.
BEGOÑA : ¿Y la señora? ¿Quién es?
LOLA : ¿La de pelo largo?
BEGOÑA : Sí, ésa.
LOLA : Es su mujer, Antonia Alonso, ¿sabes? Es enfermera, trabaja en un hospital de Madrid.
BEGOÑA : ¿Y la chica? ¿Es su hija?
LOLA : No, no. La chica rubia del pelo corto es la novia de su hijo. Es Carmen Iglesias, no trabaja, es estudiante.
BEGOÑA : ¡Ah! Así que el chico es su hijo...
LOLA : Sí, sí. El hijo de los señores Martínez. Se llama Manuel. ¡Qué alto y delgado es! Trabaja de periodista.
BEGOÑA : Y el señor que tiene barba, ¿quién es?
LOLA : ¿Ése? Es don Arturo, el padre de Carmen. Trabaja en la Universidad, es profesor.

leccióntres3
¡AMIGOS PARA SIEMPRE!

3.2
ANDREW : Perdone, ¿qué significa esta pregunta?
SECRETARIA : "¿Cuáles son sus aficiones?". ¡Ah!, quiere decir las actividades que usted hace en su tiempo libre.
ANDREW : No entiendo.
SECRETARIA : Sí, es fácil. Mire... ¿Usted practica algún deporte?
ANDREW : Sí, juego al fútbol y nado.
SECRETARIA : ¿Ve? Ésas son sus aficiones. Ir al cine, ir de compras, cocinar o hacer colecciones también son aficiones. ¿Colecciona usted algo?, por ejemplo... sellos, postales...
ANDREW : Sí, colecciono cómics.
SECRETARIA : ¿Ah, sí? Yo colecciono monedas de distintos países.
ANDREW : ¡Qué interesante! ¿Pero para qué necesitan esta información?
SECRETARIA : Para conocer mejor a los empleados.
ANDREW : ¡Ah!

3.3
LOCUTORA : Hola. Buenas tardes, ¿con quién hablo?
ANTONIO : Soy Antonio, de Sevilla. Tengo veintisiete años.
LOCUTORA : Muy bien, Antonio. ¿Y a qué te dedicas?
ANTONIO : Soy pintor.
LOCUTORA : ¡Qué interesante! Y ¿por qué llamas?
ANTONIO : Porque necesito una modelo.
LOCUTORA : Muy bien Antonio, pues a ver si nos llama alguna chica. Oye, ¿y tú cómo eres?
ANTONIO : Muy normal. Soy moreno, tengo el pelo castaño y los ojos verdes.
LOCUTORA : Muy bien, tomo nota por si nos preguntan. Muchas gracias por tu llamada. ¡Y suerte!
(...)
¡Hola! ¿Cómo te llamas?
MIGUEL : Hola, soy Miguel, de Santiago de Compostela.

LOCUTORA : ¡Vaya, un gallego!, por la voz pareces muy joven.
MIGUEL : No, no. Tengo treinta y siete años.
LOCUTORA : ¿A qué te dedicas, Miguel?
MIGUEL : Soy profesor de español.
LOCUTORA : Miguel, tienes una voz muy interesante. ¿Por qué nos llamas?
MIGUEL : Mira, porque estoy separado y quiero conocer chicas.
LOCUTORA : ¿Y cómo eres?
MIGUEL : Pues... normal. Tengo el pelo corto y rizado, soy rubio y con los ojos verdes.
LOCUTORA : Me parece muy bien, te deseo lo mejor. ¡Hasta la próxima!
(...)
¡Hola!, ¿quién es?
BÁRBARA : ¡Hola! Soy Bárbara, de Sevilla.
LOCUTORA : Hola, Bárbara. ¿Cuántos años tienes?
BÁRBARA : Veintitrés.
LOCUTORA : ¿Y cómo eres?
BÁRBARA : Pues, no sé, soy morena, con el pelo largo, delgada..., tengo los ojos de color verde.
LOCUTORA : ¡Caramba, toda una modelo! ¿Y dónde trabajas?
BÁRBARA : No, no trabajo. Estudio historia del arte en Sevilla.
LOCUTORA : ¿Y para qué llamas, Bárbara?
BÁRBARA : Bueno, para conocer gente.
LOCUTORA : Muy bien, pues a ver si podemos ayudarte. Un beso.
(...)
Hacemos una pausa pero volvemos ya.
(...)
LOCUTORA : Ya estamos aquí otra vez. Y seguimos.
LOCUTORA : Continuamos. ¡Buenas tardes! ¿Con quién hablo?
CRISTINA : Con Cristina, de Buenos Aires.
LOCUTORA : Hola Cristina, ¿qué tal?, ¿trabajas?
CRISTINA : Sí, en un hospital de Buenos Aires. Es que soy doctora, ¿sabe?
LOCUTORA : ¡Qué bien! Cristina, ¿cuántos años tienes?
CRISTINA : Pues ya soy mayor, treinta y cinco.
LOCUTORA : ¡Si eres muy joven! ¿Y por qué nos llamas?
CRISTINA : Para conocer gente de mi edad...
LOCUTORA : Explícanos cómo eres, Cristina.
CRISTINA : Uy, a ver, pues soy pelirroja. Tengo el pelo largo, los ojos marrones y tengo muchas pecas.

3.4
LOLA : ¿Qué haces?
BEGOÑA : Escribo a mi madre.
LOLA : ¡Ah, muy bien!, pero... ¿Y para qué ?
BEGOÑA : Para saber cómo están ella y nuestro perro.
LOLA : ¿Tenéis un perro?
BEGOÑA : Sí, un mastín,
LOLA : ¡Ah! ¡Qué bien! ¿Y tus padres pasean al perro cada día?
BEGOÑA : Mi padre no. Están separados, ¿recuerdas?... pero mi madre cada día cuando sale del trabajo.
LOLA : ¡Parece un deporte!
BEGOÑA : Sí, mi madre y su amiga Arancha pasean a sus perros durante dos horas. ¡Es fantástico!
LOLA : Oye, ¿y en vuestra ciudad hay muchos parques?
BEGOÑA : Sí, claro, hay muchos.
LOLA : ¡Cómo me gustaría tener un perro! ¡Sería nuestro perro!
BEGOÑA : Sí, pero lo sacas a pasear tú.

BLOQUEDOS2

leccióncuatro4
¡HOGAR, DULCE HOGAR!

4.2
MADRE : ¿Diga?
BEGOÑA : ¡Hola, mamá! Soy Begoña.

MADRE : ¡Hola, Begoña, hija! ¿Cómo estás? ¿Estás bien?

BEGOÑA : Sí, mamá, estoy perfectamente. Ya vivo en el piso.

MADRE : ¡Qué bien! ¿Y cómo es?

BEGOÑA : Es precioso. Es grande y tengo una habitación muy cómoda para mí sola.

MADRE : ¿Es oscura?

BEGOÑA : Noooo, no es oscura porque tiene una ventana grande, pero es un poco ruidosa. El barrio es muy alegre.

MADRE : Cuéntame más. ¿Comes bien, hija?

BEGOÑA : Bueno, ¡ya me conoces mamá! Ensaladas y cosas así.

MADRE : Pero... ¿el piso tiene cocina?

BEGOÑA : ¡Pues claro! Es muy amplia y nueva. Menos los dormitorios y el cuarto de baño, todo está en el mismo espacio.

MADRE : ¿Y agua caliente? ¿Tienes agua caliente?

BEGOÑA : Sí, claro, mamá. Que no vivo en un rincón del mundo, sino en una gran ciudad.

MADRE : ¿Y con quién compartes piso?

BEGOÑA : ¡Ah, sí! Somos cuatro personas: Lola, de Barcelona; Andrew, de Los Ángeles; y Julián, de México. Andrew tiene la habitación más pequeña.

MADRE : Bueno, a ver si voy un día y los conozco.

BEGOÑA : Bueno, mamá, tengo que colgar; besos a todos, adiós.

MADRE : ¡Adiós, Begoña! ¡Cuídate!

4.3

JULIÁN : ¿Diga?

ALBERTO : ¿Julián? Hola, soy Alberto, ¿cómo estás?

JULIÁN : Yo bien, ¿y tú?

ALBERTO : Psé, psé. Estoy en mi nuevo trabajo.

JULIÁN : ¡Eso está muy bien!

ALBERTO : La oficina, ¡es horrible!

JULIÁN : ¡Seguro que no!

ALBERTO : ¡No, te lo juro! Es muy pequeña y oscura.

JULIÁN : ¿No tiene ventanas?

ALBERTO : Sí, tiene una muy pequeña enfrente de la puerta.

JULIÁN : ¿Y tiene aire acondicionado?

ALBERTO : No, y en verano seguro que hace mucho calor.

JULIÁN : ¿Y los muebles?

ALBERTO : ¿Los muebles? Hay una mesa muy fea, encima de la mesa hay una lámpara que no da luz. También hay tres sillas viejas, una detrás de la mesa y las otras dos al lado de la puerta.

JULIÁN : ¿Y no tienes ninguna estantería?

ALBERTO : Sí, la estantería está debajo de la ventana.

JULIÁN : Bueno, no está mal. Tienes una oficina muy moderna.

ALBERTO : ¿Moderna? ¡Qué sabrás tú!

4.4

BEGOÑA : ¡No llego, no llego!

LOLA : ¿Qué pasa?

BEGOÑA : ¡No encuentro nada! ¿Has visto mi agenda?

LOLA : No, mira en tu habitación.

BEGOÑA : Acabo de mirar.

LOLA : ¿Has mirado encima de la mesa?

BEGOÑA : Mmm... no, creo que no... ¡Ah sí, aquí está, encima de la mesa! Pero ahora no encuentro mis gafas de sol. ¿No las has visto?

LOLA : Sí, me parece que están al lado de la televisión.

BEGOÑA : ¡Exacto! Y ahora... ¿Dónde están las llaves?

LOLA : Mira en la mesa del recibidor, detrás del florero; siempre las dejas allí.

BEGOÑA : Es verdad, nunca me acuerdo. Oye, ¿dónde apunté la dirección de Internet de la academia de teatro?

LOLA : Creo que en tu agenda.

BEGOÑA : A ver... Sí, muy bien. Bueno, me voy.

LOLA : ¿Ya lo tienes todo?

BEGOÑA : Sí, creo que sí. ¡Ay, no! ¡Y la tarjeta del metro?

LOLA : Está en el comedor, al lado del teléfono.

BEGOÑA : Ahora sí, ya está. ¡Hasta luego!

LOLA : ¡Adiós!

BEGOÑA : ¡Un bolígrafo, necesito un bolígrafo! ¿Me dejas uno?

LOLA : ¿Qué has hecho con el que te regaló tu madre?

BEGOÑA : No sé...

4.5

ANTONIO : ¡Buenas tardes! ¿Podría hablar con el encargado?

ENCARGADO : Soy yo, dígame ¿Hay algún problema?

ANTONIO : Mire, esta mañana han venido a traer los muebles y... ¡no han puesto ni un mueble en su sitio!

ENCARGADO : Pero... ¿dónde han puesto los muebles, señor?

ANTONIO : La cama está debajo de la ventana, y yo la quiero enfrente de la puerta.

ENCARGADO : Bueno, la cambiaremos, ¿algo más?

ANTONIO : ¡Algo más! La mesa del comedor la han dejado en el pasillo, la quiero en el comedor. ¡Yo no puedo moverla! Además, el sofá está en el dormitorio, y no en el salón. ¡Son un desastre!

ENCARGADO : Sí, ya veo...

ANTONIO : No, usted no ve nada. El frigorífico está en el recibidor, ¿quién lo mueve a la cocina?

ENCARGADO : En cinco minutos vamos a cambiar sus muebles.

ANTONIO : ¡Eso espero! ¡Adiós!

leccióncinco5
LA ALDEA GLOBAL. ¡NO TE PIERDAS!

5.2

LOLA : ¿Diga?

JULIÁN : ¡Hola, soy Julián!

LOLA : ¡Hola Julián! ¿Cómo estás?

JULIÁN : Perdido, estoy en el centro de la ciudad y no sé cómo llegar a casa.

LOLA : ¿Dónde estás?

JULIÁN : Estoy al lado del Ayuntamiento.

LOLA : Tranquilo, estás muy cerca. Yo te indico.

JULIÁN : Sí, sí, dime.

LOLA : A la izquierda del Ayuntamiento hay una estación de metro. ¿La ves?

JULIÁN : Sí, sí, sigue.

LOLA : Bien, tú sigues todo recto hasta el centro comercial. ¿Lo ves?

JULIÁN : Sí, ya estoy enfrente del centro comercial.

LOLA : Bueno, pues sigues recto hasta la farmacia, continúas y pasarás delante de un cibercafé. ¿Sí?

JULIÁN : ¿Cibercafé?

LOLA : Exacto. Pasas el cibercafé y giras por la primera calle a la derecha, ¿ves el parque a tu izquierda?

JULIÁN : Sí, estoy al lado del parque. ¿Falta mucho para llegar a casa?

LOLA : No, ya llegas. Casi al final de la calle hay un cine.

JULIÁN : Sí, sí, ya lo veo.

LOLA : Bueno, giras la calle del cine a la izquierda y estás en la calle Aviñón, ¿verdad?

JULIÁN : Sí, ¿y ahora?

LOLA : Ahora busca el número 5.

JULIÁN : Ya está, ahora llamo a la puerta...

LOLA : Vale, vale ya te oigo. Ahora abro.

5.3

JOSÉ : ¡Hola Juan! ¡Cuánto tiempo sin verte! ¿Cómo estás?

JUAN : Muy bien. ¿Y tú?

JOSÉ : Bien, voy a trabajar.

JUAN : ¿Ah sí?, ¿dónde trabajas?

JOSÉ : Aquí mismo, al lado del Ayuntamiento.

JUAN : Ah, pues yo trabajo un poco más lejos, en la calle Huertas.

JOSÉ : La conozco, es una zona muy agradable.

JUAN : Sí, y además desde la calle Huertas hasta mi casa sólo hay 15 minutos. Por cierto, ¿y tú dónde vives?

JOSÉ : Cerca de tu trabajo, al lado del parque. Así comes en casa todos los días...

JUAN : No, normalmente voy a un restaurante, está detrás de mi trabajo, es bueno y barato. ¿Y tú?

José : Yo como siempre en casa, del trabajo a mi casa sólo hay 5 minutos a pie.

5.4b

Lola : ¡Qué buena idea venir a comer aquí!

Julián : Sí, he pasado por delante de este restaurante cuando iba a casa. El precio está muy bien.

Camarero : Buenas tardes. ¿Quieren ver el menú?

Lola : Sí, gracias. Queremos ver el menú turístico.

Camarero : Muy bien, aquí tienen.

Julián : Gracias.

Lola : ¡Camarero, por favor!

Camarero : ¿Ya saben qué quieren de primero?

Lola : Sí, para mí macarrones.

Julián : Yo quiero paella.

Camarero : ¿Y de segundo?

Lola : Yo filete de ternera.

Julián : Pues yo, pechuga de pollo.

Camarero : ¿Y de beber?

Julián : ¿Vino tinto?

Lola : Sí, me parece bien. Vino tinto de la casa.

(...)

Camarero : ¿Qué les traigo de postre?

Julián : ¿Qué tienen?

Camarero : Helado con nueces, fruta en almíbar y fresas con nata.

Lola : Yo quiero fresas con nata.

Julián : Para mí fruta en almíbar.

Camarero : ¿Melocotón, pera o piña?

Julián : Pues... melocotón, gracias.

(...)

Camarero : ¿Tomarán café?

Lola : No, gracias.

5.4c

Señor 1.º : Me han recomendado este restaurante.

Señor 2.º : Hay mucha gente.

Señora : Y un solo camarero...

Camarero : ¡Buenas tardes! ¿Quieren la carta?

Señor 1.º : Sí, por favor. Queremos ver el menú gastronómico.

Camarero : Excelente idea. Me permiten que les recomiende algún plato...

Señora : Por supuesto.

Camarero : De primero tenemos espinacas con piñones...

Señor 1.º : Estupendo, me encantan las espinacas.

Señora : ¿Tiene sopa?

Camarero : Sopa al ajo blanco, sopa fría de calabaza, sopa de yogur, sopa de almendras helada...

Señora : Esa última está bien.

Camarero : ¿La sopa de yogur o la sopa de almendras?

Señora : La última, la sopa de almendras.

Camarero : ¿Y el señor?

Señor 2.º : Yo tomaré las espinacas también.

Señora : ¿Y de segundo? ¿Qué nos recomienda de segundo?

Camarero : De segundo, los calamares rellenos, pescado fresco...

Señor 1.º : A mí no me gusta el pescado. ¿Qué tienen de carne?

Camarero : Carne, mm... sí, tenemos pollo al vino blanco, el entrecot a la pimienta o quizá la paella; nuestro chef es valenciano y...

Señor 1.º : No se hable más; paella.

Señora : Yo tomaré los calamares rellenos.

Señor 2.º : Pues yo quiero el entrecot a la pimienta.

Camarero : Excelente... ¿Puedo recomendarles algún postre?

Señor 1.º : ¿Tienen helado?

Camarero : ¿Con fresas, con nata, con almendras, con nueces, solo...?

Señora, Señor 1.º y Señor 2.º : ¡Solo!

Camarero : De beber, ¿qué les parece un vino blanco italiano...?

Señor 2.º : Confiamos en usted, gracias.

Señora : Me parece que con este camarero tienen bastante.

Señor 1.º : ¡Vaya memoria!

5.9

1

Camarero : ¿Qué tomarán?

Cliente A : Un café con leche y un bocadillo de jamón.

Cliente B : Un café solo.

Cliente C : Una limonada y una tapa de queso.

2

Camarero : ¿Qué les pongo?

Cliente A : Yo quiero... una lata de coca-cola y una bolsa de patatas fritas.

Cliente B : Pues yo una jarra de cerveza. Perdone, perdone, ponga también un pincho de tortilla.

Cliente C : Y yo un vaso de leche y un bocadillo de queso.

3

Camarero : ¿Qué desean tomar?

Cliente A : ¿Me puede traer un té con limón y unas galletas, por favor?

Camarero : Muy bien, ¿y usted?

Cliente B : No sé..., póngame una jarra de cerveza... ¿o no? No, mire, mejor me pone una copa de vino tinto y una tapa de jamón. ¡Sí, eso sí!

lecciónseis6
¡DE COMPRAS!

6.2

Dependiente : Buenos días. ¿Qué quería?

Begoña : Hola, quería una falda y una camisa.

Dependiente : ¿Cómo las quiere?

Begoña : La camisa la quiero roja, de manga corta y de algodón. La falda la quiero de color azul y larga.

Dependiente : ¿Qué talla tiene de falda?

Begoña : La 40.

Dependiente : Mire, aquí la tiene.

Begoña : Muchas gracias. ¿Dónde está el probador?

Dependiente : Al fondo a la derecha.

(...)

Dependiente : ¿Qué tal le quedan?

Begoña : Bien.

Dependiente : Perfecto. ¿Quería alguna cosa más?

Begoña : Sí, quería también unos zapatos marrones con poco tacón.

Dependiente : A ver... Acompáñeme a la sección de zapatería, por favor.

(...)

Dependiente : ¿Éstos le gustan?

Begoña : ¡Qué bonitos! Me los pruebo ahora mismo. ¿Cuánto cuestan?

Dependiente : 40 Euros.

Begoña : Bueno, pues... me lo llevo todo.

Dependiente : De acuerdo, pase por caja, por favor. ¿Cómo paga, en efectivo o con tarjeta?

Begoña : Con tarjeta, tome.

6.3a-b

Lola : Hola Julián. ¿Puedes hacer la compra? Seguro que sí, así conoces el barrio. Mira, compra una caja de galletas, un paquete de pilas, tres latas de atún y dos bolsas de patatas fritas. ¡No olvides comprar el periódico! Y también compra un ramo de flores para Begoña, porque es su cumpleaños. Déjame pensar... ¡Ah, sí! Un bolígrafo azul, uno rojo y un bloc de notas. Ah, me olvidaba, ¡qué despistada soy! Falta el pan: tres barras de pan de cuarto. ¡Ahora ya está! ¡Que te diviertas!

(...)

Lola : Julián, el dinero está encima del frigorífico, gracias por todo.

6.3c

Julián : ¡Uy, qué caro es todo! Vamos a ver si las cantidades son correctas en la factura. Veamos: las galletas, 4,36 €; las pilas, 1,95 €; las tres latas de atún, 1,54 €; las patatas fritas, 2,11 €; el periódico, 1 €; las flores de Begoña, 3,5 €; los bolígrafos y el bloc de notas, 3,23 €; y el pan 1,76 €; A ver cuánto suma todo... 19'45 €.

6.8

BEGOÑA : ¿Hacemos un pastel?

LOLA : Vale, pero yo no sé hacer pasteles, ¿tú sí?

BEGOÑA : Sí, tengo una receta de pastel de limón buenísima.

LOLA : ¿Qué necesitamos?

BEGOÑA : A ver..., déjame pensar... ¿Tomas nota?

LOLA : Sí, dime. Yo compro.

BEGOÑA : Mira, un kilo de limones y dos naranjas.

LOLA : ¿Qué más?

BEGOÑA : Harina.

LOLA : ¿Compro un paquete?

BEGOÑA : Sí, ¿qué más?... Huevos.

LOLA : ¿Compro media docena o una?

BEGOÑA : Media. También necesitamos 50 gramos de mantequilla, un sobre de levadura y un poco de sal.

LOLA : ¿Compro mantequilla y sal?

BEGOÑA : No, sólo tienes que comprar limones, naranjas, harina, huevos, levadura y... ¡Ah! 400 gramos de nata.

BLOQUETRES3

lecciónsiete7
DESPIERTA, DESPIERTA. LOS DÍAS Y LAS HORAS

7.2

TÉCNICO : Servicio de asistencia técnica "Arreglarroto".

VECINO : Mire, mi radio no funciona bien.

TÉCNICO : Ya, bueno, pues traiga la radio al taller.

VECINO : ¿No podría usted pasar por mi casa?

TÉCNICO : ¡Cómo no! ¿Le va bien esta tarde, a las cuatro y media?

VECINO : ¡Buff! Imposible a esa hora. Tengo hora en el médico. ¿Y a las seis y media?

TÉCNICO : No puede ser, tengo que visitar otra casa.

VECINO : Bueno... ¿qué tal mañana a las diez y media? A ver, déjeme pensar. A las nueve compro en el supermercado y después limpio un poco la casa... Sí, ¿a las diez y media puede ser?

TÉCNICO : Mmm, a las diez y media, no. Tiene que ser a las doce.

VECINO : ¡Imposible! Salgo de casa para ir a trabajar.

TÉCNICO : Mire, mejor usted trae la radio aquí al taller. Nuestro horario por la mañana es de nueve a una y media, y por la tarde, de cuatro y media a ocho. De lunes a viernes, ¿eh?; el sábado cerramos.

VECINO : Sí, está bien..., si no hay más remedio.

7.3

¡Buenos días! Señoras y señores. ¿Han dormido bien? Ahora mismo les voy a decir el horario de hoy. Después de desayunar, a las nueve, iremos al Museo de Arte Moderno. Vamos a estar allí desde las diez menos cuarto hasta las doce menos cuarto. Después vamos a la fábrica de cerámica. Llegamos allí a las doce y media y tenemos tiempo para visitar la fábrica hasta las dos. A esa hora vamos a comer. Después de comer, volvemos al hotel para que puedan dormir la siesta. A las seis y media vamos a una exposición. A las ocho y media volvemos al hotel y nos arreglamos para la fiesta de bienvenida del hotel. Mmm, la fiesta empieza a las diez. ¿Les parece bien? ¿Alguna pregunta? ¿No? Pues ¡adelante, todos al autocar!

7.4

1

A : ¿A qué hora empieza el partido de fútbol?

B : A las dos.

2

A : ¿A qué hora llega mi hermano?

B : A las seis y cuarto de la tarde.

3

A : ¿A qué hora sales del trabajo?

B : Normalmente, a las doce menos cuarto de la noche. Es que trabajo en un hospital.

4

A : ¿Comemos a las dos y media?

B : Vale.

5

A : ¿A qué hora llega el tren?

B : Supongo que a las ocho menos diez.

6

A : ¿Te levantas pronto normalmente?

B : Sí, a las siete y cuarto.

7

A : ¿A qué hora vamos al teatro?

B : A las siete y media.

8

A : A las nueve y media de la noche empieza la película.

7.5

1

BEGOÑA : Julián, ¿quieres darte prisa?, que ya son las seis en punto.

2

ANA : Lázaro, ¿a qué hora te levantas normalmente?

LÁZARO : Cuando voy a trabajar, me levanto a las siete y media.

3

BEGOÑA : Andrew, ¿a qué hora empieza la película?

ANDREW : Creo que a las seis y media.

4

ANTONIO : ¡Es tardísimo! Pero... ¡si son las tres menos cuarto de la madrugada! Me voy a la cama.

5

ANDREW : Begoña, ¿cenamos? Es que ya son las diez menos cuarto.

6

JULIÁN : ¡Lola, llegas tarde otra vez! Te estoy esperando desde la una y media.

7

LOLA : Vamos a merendar, que son las siete.

8

ANTONIO : ¿Sabéis qué hora es?

LOLA : Sí, son las diez y media, la hora de irnos.

9

JULIÁN : Ana, ¿tiene hora, por favor?

ANA : Sí, son las doce y cuarto.

7.6

AMIGA : ¡Qué tarde salen de casa esas chicas del tercero segunda!, ¿no?

ANA : Depende del día. Lola casi siempre sale de casa a las nueve y media; creo que va al gimnasio dos veces por semana. La otra chica, Begoña, sale más tarde de casa, sobre las diez y media, aunque a veces sale con Lola a las nueve y media. Me parece que Lola trabaja tres días a la semana, pero no sé dónde. Todos los martes y jueves tienen ensayo en eso del teatro, ya sabes.

AMIGA : ¿Y cuándo van al supermercado? ¿No comen nunca?

ANA : ¡Ay, hija!, claro que comen, comen cada día en un bar, pero no sé cuándo compran. Supongo que compran cada sábado; ¿no es cuando compra todo el mundo?

AMIGA : No sé, yo compro todos los días. Y siempre por la mañana.

7.8

BEGOÑA : ¿Diga?

MADRE : Hola, Begoña. Soy mamá. ¿Cómo estás?

BEGOÑA : Hola, mamá. Muy bien.

MADRE : ¿Qué estás haciendo?

BEGOÑA : Pues ahora estoy viendo la tele.

MADRE : ¿Y tus amigos, están bien? Oigo mucho ruido.

BEGOÑA : Sí, están todos aquí. Andrew está jugando a las cartas con Julián.

MADRE : ¿Y Lola?

BEGOÑA : Lola está preparando la comida; hoy le toca a ella.

MADRE : Bueno, ya me quedo más tranquila. Yo estoy terminando un informe. Ya te llamaré otro día. Adiós, hija, adiós.
BEGOÑA : Sí, mamá. Adiós, adiós.

leecciónocho8
Y TÚ... ¿QUÉ OPINAS?

8.3
BEGOÑA : ¿Cómo ha ido el examen?
LOLA : No demasiado bien.
BEGOÑA : ¿Por qué?
LOLA : ¡Porque tengo un dolor de muelas horrible!
BEGOÑA : ¿Quieres ir al dentista?
LOLA : ¡No, no!
BEGOÑA : Pero ¿por qué?
LOLA : Porque... ya no me duele tanto.
BEGOÑA : Bueno, ¿te duele o no te duele?
LOLA : Mira, me duele mucho, pero ir al dentista me da mucho miedo; ¡no lo soporto!
BEGOÑA : Ya, yo tampoco. Bueno..., podemos buscar algún remedio... ¿Qué tal una aspirina?
LOLA : ¡Vale! Pero todavía no he comido. ¿Y tú?
BEGOÑA : No, yo tampoco. ¿Por qué no comemos y después te tomas la pastilla?
LOLA : ¡Perfecto! Todo menos ir al dentista.
BEGOÑA : Pero... ¿no has ido nunca al dentista?
LOLA : Sí, una vez; por eso no quiero volver.

8.4
1
BEGOÑA : ¿Os gusta el jazz?
JULIÁN : A mí no.
LOLA : A mí tampoco.
2
BEGOÑA : Me parece que tu hermano tiene sueño.
LOLA : Sí, a mí también.
3
LOLA : No tengo ganas de comer.
ANDREW : Nosotros tampoco.
4
JULIÁN : ¿Te ha gustado el libro?
LOLA : A mí sí, ¿y a ti?
JULIÁN : A mí no.
5
JULIÁN : ¿Os ha parecido divertida la fiesta?
BEGOÑA : Sí, a nosotros sí, ¿y a vosotros?
JULIÁN : A nosotros no.
6
LOLA : No me interesa ver esta exposición.
JULIÁN : Pues a mí sí.
7
BEGOÑA : ¡No quiero levantarme tan pronto!
LOLA : Yo tampoco.

8.5
CAROLINA : Bueno, mi último día en casa... Vamos a ver si lo tengo todo. ¿Dónde está mi agenda? Ah, ahí, encima de la mesa. Todavía no he confirmado la reserva en la residencia de estudiantes, pero ya he confirmado la reserva del avión; sale a las ocho y media. He comprado toda la ropa de verano que necesito. ¡Ah! Todavía no he comprado las sandalias. Bueno, puedo comprarlas en Salamanca. Ya he hecho la maleta. ¿He llamado a Andrew? No, no lo he llamado todavía, ni a la prima Lucía, para decirles cuándo llego. Ya he llamado a mis padres para despedirme. ¡Vaya! Todavía no he revisado el pasaporte, pero no creo que haya problema. ¡Huy! Voy a dar de comer al perro... ¡El perro! ¡Todavía no lo he llevado a casa de mi hermano!

8.8
LOLA : Este musical ha estado muy bien, ¿verdad?
JULIÁN : ¿Sí? Pues a mí no me ha parecido muy interesante.
LOLA : ¿De verdad? Yo creo que se han inspirado en Van Gogh para hacer el escenario... ¡Qué colores! ¡Una maravilla!
JULIÁN : Sí, estoy de acuerdo. Pero esas escenas con tantos actores y todos cantando a la vez... En fin, que me duele un poco la cabeza.
LOLA : ¡Ah! ¿Quieres una aspirina?
JULIÁN : No, gracias. No me gusta tomar pastillas, prefiero descansar un poco en el sofá.
LOLA : Ya te entiendo, a mí tampoco me gustan las pastillas, pero...
JULIÁN : ¿Te importa si duermo un rato?
LOLA : No, no, al contrario. Yo también voy a descansar hasta la hora de la cena.

8.10
BEGOÑA : Lola, ¿ya has visto *El perro Andaluz*, de Buñuel?
LOLA : No, todavía no. ¿Dónde la ponen?
BEGOÑA : Aquí al lado, en la Filmoteca. Hoy hay un pase a las ocho y media.
LOLA : ¿Tú ya la has visto?
BEGOÑA : No, tampoco. Pero Julián ya la ha visto y...
LOLA : ¿Y qué le ha parecido?
BEGOÑA : No le ha gustado mucho.
LOLA : ¿Por qué?
BEGOÑA : Porque es una película extraña.
LOLA : Sí. Algo difícil, ¿no?
BEGOÑA : Puede ser, pero yo prefiero verla antes de opinar.
LOLA : Sí, yo también.
BEGOÑA : Pues... vamos al cine, que ya son las ocho y cuarto.

8.12
LOLA : ¡Pareces muy contento!
JULIÁN : Sí, ¡estoy contento! Porque he comprado un cuadro precioso de un pintor joven.
LOLA : ¿Ah, sí? y... ¿dónde lo has comprado?
JULIÁN : En la galería de un amigo. Todos sus cuadros son muy interesantes.
LOLA : Yo nunca he ido a una galería de arte.
JULIÁN : Pues, si quieres, vamos a la de mi amigo. Está aquí mismo.
LOLA : Vale, me apetece ver una exposición de pintores jóvenes, y... ¡quién sabe!, con el dinero que he ahorrado a lo mejor puedo comprar algún cuadro.
JULIÁN : Por cierto, ¿has visto la exposición de Frida Kahlo en el Museo de Arte Moderno?
LOLA : Sí, ya la he visto.
JULIÁN : ¿Y qué te ha parecido?
LOLA : ¡Fantástica! ¡Me encanta esa pintora!
JULIÁN : A mí también.

leecciónnueve9
REUNIÓN DE AMIGOS

9.2
ANDREW : Antonio, ¿quieres un poco más de zumo?
ANTONIO : Sí, gracias Andrew. Ponme un poco más, por favor.
(...)
JULIÁN : Begoña, ¿no quieres tomar nada?
BEGOÑA : No, gracias. Ahora no me apetece.
(...)
ANTONIO : Lola, ¿te apetecen patatas fritas?
LOLA : Sí, gracias. Están buenísimas.
(...)
BEGOÑA : Julián, ¿puedes traerme un poco de agua, por favor?
JULIÁN : Sí, claro. ¿La quieres con hielo o sin hielo?
BEGOÑA : Sin hielo, gracias.
(...)

ANTONIO : ¿Os apetece cenar en mi casa el martes?
TODOS : Sí, sí. Perfecto.

9.3

LOLA : Bueno Begoña, faltan dos días para el cumpleaños de Julián y todavía no hemos preparado nada. ¿Qué hay que hacer?
BEGOÑA : ¡Ay, es verdad! Deja que piense. Lo primero, claro, comprar un pastel.
LOLA : ¿Por qué no lo compras tú, Begoña?
BEGOÑA : ¡No, Lola! El pastel lo tienes que traer tú porque tienes más tiempo que yo. Cerca de la escuela de teatro hay una pastelería muy buena. ¡Ah! Y las velas, también las tienes que comprar tú. Se pueden comprar velas en las pastelerías, ¿verdad? Sí, creo que sí.
LOLA : De acuerdo. Yo compro el pastel, las velas y preparo la comida. ¿Y tú?
BEGOÑA : Yo también tengo que hacer muchas cosas: comprar el regalo de cumpleaños, llamar por teléfono a los invitados a la fiesta... ¡Ah! Se me olvidaba, hay que avisar a los vecinos para no molestarlos.
LOLA : ¡Vale! ¿Y no falta nada? ¡La música! ¿Quién trae la música? ¡No se puede organizar una fiesta sin música! ¡Y nosotros no tenemos equipo de música! Esta tarde tengo que ir a casa de unas amigas. Seguro que me dejan el suyo. La música la traigo yo.
BEGOÑA : ¡Fantástico! Ya lo tenemos todo.

9.4

1

BEGOÑA : ¿Has ido por fin al bar de la esquina?
ANDREW : Sí, ¿sabes que se pueden tirar los papeles al suelo?
BEGOÑA : ¿Sí? ¿Y nadie te dice nada?
ANDREW : ¡Qué va! Todo el mundo lo hace.

2

BEGOÑA : ¿Qué estás haciendo?
ANDREW : ¿No lo ves? Estoy encendiendo un cigarrillo.
BEGOÑA : ¡Estás loco! No se puede fumar dentro del cine. Hay que salir de la sala para fumar.

3

BEGOÑA : ¡Chss! Estamos en un hospital. No se puede hablar alto.
ANDREW : Perdona, no lo sabía. Oye, ¿se puede fumar?
BEGOÑA : ¡No! ¡A fumar a la calle!
ANDREW : ¡Chss! Recuerda que no se puede gritar.

4

ANDREW : He comprado el billete de avión a Ibiza.
LOLA : ¿Y vas en fumadores o en no fumadores?
ANDREW : En los vuelos nacionales no se puede fumar.
LOLA : ¡Ah!, no lo sabía. Oye, ¿a qué hora sale el vuelo?
ANDREW : A las nueve de la mañana, pero hay que estar en el aeropuerto una hora antes de la salida.

BLOQUECUATRO4

leccióndiez10
¿QUIERES CONOCER UN POCO MÁS A NUESTROS AMIGOS?

10.2

1

BEGOÑA : ¡Me encanta esta foto! Es genial. ¿Quién es?
JULIÁN : Yo, ¿quién va a ser? ¡Fue muy divertido! Creo que mis hermanos y yo estuvimos todo el verano en la piscina.
BEGOÑA : ¡Qué suerte! ¿Y jugaste mucho dentro del agua?
JULIÁN : Sí, casi siempre con mis hermanos. La verdad es que fue un verano muy divertido. Enséñame tu foto, ¿de cuándo es?
BEGOÑA : De hace muchos años... Era una niña.
JULIÁN : A ver..., ¡qué guapa!, ¡y qué pelo tan rubio! ¿Dónde te hicieron la foto?
BEGOÑA : En casa de mis abuelos, en otoño. ¡Cuántas manzanas recogí! Me lo pasé muy bien en casa de los abuelos. ¡Fue muy divertido ser pequeña!

2

LOLA : ¡Qué pequeño! ¡No pareces tú!
ANDREW : ¡Qué exagerada! No hace tanto tiempo de esta foto.
LOLA : ¿Ah no? ¿Cuándo te la hicieron?
ANDREW : Creo que fue en once años. ¡Qué bien me lo pasé en aquel río!
LOLA : Mira ahora esta foto. ¿Sabes quién es ésta?
ANDREW : ¡No! ¿Eres tú?
LOLA : Sí, ¿no me reconoces? Pero si estoy igual.
ANDREW : ¡Qué dices! Estás muy diferente. No eres tú, estoy seguro. Tan deportista... esquiando con tanto estilo... ¡imposible!
LOLA : ¿Deportista? ¡Muy gracioso! Yo siempre he hecho mucho deporte, no como tú... y además aquí aprendí a esquiar.

10.3

1

BEGOÑA : ¿Esta montaña es de los Andes?
LOLA : No, me parece que es de las islas Canarias.

2

LOLA : Julián. ¿Cuál es la capital de Nicaragua?
JULIÁN : ¡Nunca me acuerdo! A ver..., creo que es Tegucigalpa.

3

LOLA : ¿Cuándo fuiste a Cuba?
JULIÁN : Si no recuerdo mal..., creo que fue en el 97.

4

ANDREW : ¿La isla de Pascua está en Chile?
BEGOÑA : Sí, pienso que sí. Pregúntaselo a Julián.

5

BEGOÑA : ¿Las patatas se llaman papas en Latinoamérica?
LOLA : Me parece que sí.

6

LOLA : ¿Seguro que Paraguay no tiene mar?
BEGOÑA : Sí, sí, seguro.

7

ANDREW : ¿Sabes cuál es la fiesta de Carnaval más famosa del mundo?
JULIÁN : Pues claro, el Carnaval de Río de Janeiro, en Brasil.

10.4

BEGOÑA : Buenos días.
BLANCA : ¿Qué tal Begoña?
BEGOÑA : Muy bien.
BLANCA : Encantada. Soy Blanca. Si te parece, podemos pasar a mi despacho.
BEGOÑA : Perfecto.
(...)
BLANCA : A ver, primero explícame dónde naciste, de dónde eres...
BEGOÑA : Bueno, pues nací en Bilbao. Mis padres son de allí y siempre hemos vivido en el País Vasco.
BLANCA : Pero ahora estás viviendo en Barcelona, ¿verdad?
BEGOÑA : Sí, vine aquí hace un par de meses para estudiar teatro.
BLANCA : ¿Te gusta el teatro?
BEGOÑA : Sí, muchísimo. Me gusta desde pequeña.
BLANCA : Begoña, háblame un poco de tu formación: qué has estudiado, dónde...
BEGOÑA : Pues, estudié bachillerato en el Instituto Menéndez Pidal. Cuando terminé, hice un curso de animadora social de adolescentes en un centro cultural. Organizamos un taller de teatro. Fue una experiencia fantástica.
BLANCA : ¿Y tu experiencia laboral?
BEGOÑA : He hecho un poco de todo. En Bilbao trabajé en una emisora de radio como ayudante de producción en un programa de música para jóvenes.
BLANCA : ¿Fue interesante?
BEGOÑA : Mucho. Gracias a este trabajo, después colaboré en un periódico local. Estuve en la sección de cultura y espectáculos.
BLANCA : ¿Tienes alguna experiencia profesional en el mundo del teatro?
BEGOÑA : Sí, en julio de 1999 colaboré en la organización del III Encuentro de Compañías de Teatro para Aficionados de Bilbao. También soy miembro de una compañía teatral de Bilbao. El año

pasado participamos en el IV Concurso de Teatro para Aficionados de San Sebastián.

BLANCA : Y para terminar, Begoña, ¿por qué no me hablas de tus aficiones?

BEGOÑA : Bueno, como le he dicho, el teatro es mi gran afición. Pero, además, también me gusta pasear y escuchar música.

10.5

LOCUTOR : Buenas noches. Bienvenidos una noche más a nuestro programa. Un espacio en el que podéis hablar de vuestras vidas..., porque nosotros estamos aquí para escucharos. Aquí tenemos el primer oyente. Buenas noches. ¿Con quién hablo?

JAVIER : Con Javier.

LOCUTOR : Encantado Javier. ¿Y qué nos quieres explicar?

JAVIER : Pues hoy he visto a un antiguo profesor mío y me he acordado de la escuela.

LOCUTOR : ¿Y cuándo tuviste a ese profesor?

JAVIER : Pues... hace veinte años.

LOCUTOR : Y después de tantos años, ¿recuerdas su nombre?

JAVIER : Sí claro. Se llama Pedro. Fue un profesor estupendo.

LOCUTOR : Muchas gracias, Javier. Pasamos ahora a Santander. ¿Hola? ¿Quién eres?

GEMA : Hola, soy Gema.

LOCUTOR : Gema, ¿cómo estás?

GEMA : Muy bien, gracias.

LOCUTOR : ¿Qué quieres contarnos?

GEMA : Pues la última vez que mi marido y yo hicimos un viaje al extranjero fuimos a Australia.

LOCUTOR : ¿Por qué nos lo quieres contar?

GEMA : Porque fue muy especial. Fue el verano de 1995. Aquello es precioso. Y lo pasamos muy bien.

LOCUTOR : Estupendo, Gema. Pasamos a la última llamada. ¿Con quién hablo?

MARCOS : Buenas noches. Soy Marcos.

LOCUTOR : ¿Desde dónde llamas?

MARCOS : Desde Teruel.

LOCUTOR : ¿Qué nos cuentas, Marcos?

MARCOS : Pues que anteayer fue el cumpleaños de mi hija. Se llama Laura y tiene veinticinco años. Fuimos toda la familia a celebrarlo a un restaurante.

10.9

LOLA : ¿Qué tal van las clases de español, Andrew?

ANDREW : Muy bien. Esta mañana hemos estudiado en clase un poco de historia. Yo sé muy pocas cosas sobre la historia de España, pero me parece muy interesante.

LOLA : A mí me gusta mucho la historia.

ANDREW : A mí también. Pero no recuerdo las fechas; para eso están las enciclopedias o Internet. Oye, ¿por qué no me ayudas, Lola? Para mañana tengo que buscar información sobre algunos acontecimientos históricos.

LOLA : ¿Qué acontecimientos te interesan?

ANDREW : Mira la lista de lo que tengo que buscar: la guerra civil, las Olimpiadas de Barcelona, el franquismo...

LOLA : Uy, un momento. Esto está muy desordenado. Poco a poco. A ver; primero la guerra civil, que duró tres años. Empezó en 1936 y acabó en el 39. Después, la dictadura de Franco, de 1939 a 1975.

ANDREW : He oído hablar de Franco. Después de su muerte en 1975 empezó la democracia, ¿no?

LOLA : Sí, en el 77 hubo elecciones generales. Primero gobernó un partido de centro que se llamaba UCD, que ahora no existe. Después, el Partido Socialista gobernó de 1982 a 1996.

ANDREW : Oye, y España ¿en qué año entró en la Unión Europea?

LOLA : En enero de 1986. Las cosas cambiaron mucho. Al principio la gente no estaba muy segura, pero poco a poco...

ANDREW : Y en el 92 se celebraron las Olimpiadas de Barcelona, ¿a que sí?

LOLA : Sí, sí, en 1992.

ANDREW : Yo vi los partidos de baloncesto desde mi casa. ¡Qué equipo el de Estados Unidos!

LOLA : Pues yo participé como voluntaria. Fue muy emocionante.

ANDREW : ¡Qué suerte! Oye, ¿y la Exposición Universal?

LOLA : Fue en Sevilla, en el mismo año que las Olimpiadas.

10.12

JULIÁN : Esta mañana he recibido una carta de mi madre.

LOLA : Y ¿qué tal está?

JULIÁN : Bien, está muy contenta por mí. A mi madre siempre le ha gustado que yo me dedique al teatro.

LOLA : ¡Qué suerte! Mis padres nunca han entendido mi pasión por el teatro.

JULIÁN : Bueno, con el tiempo seguro que cambian de opinión.

LOLA : No lo sé. Oye, ¿tus padres han estado alguna vez en España?

JULIÁN : Sí, el año pasado fueron a Galicia, a casa de una amiga.

LOLA : ¿Y siempre han vivido en México?

JULIÁN : No, mi madre nació en Buenos Aires. Al terminar la escuela empezó a trabajar y después, creo que en el 58, conoció a mi padre, que es mexicano, de Guadalajara.

LOLA : ¡Qué interesante!

lecciónonce 11
TUS EXPERIENCIAS Y RECUERDOS

11.2

JULIÁN : Abuelo, ya sabes que este año para Nochevieja no voy a estar aquí.

ABUELO : Sí, y es una lástima. Todavía me acuerdo de la Nochevieja del año 92. Todos nuestros hijos y nietos vinieron a casa. Estaban tus padres, tus hermanos, tú... incluso Canelo, el perro que teníais, ¿te acuerdas?

JULIÁN : Claro que sí, abuelo.

ABUELO : Aquella fue una noche muy especial para tu abuela y para mí porque hacía años que no reuníamos a toda la familia.

JULIÁN : Abuelo, y cuando eras joven, ¿cómo celebrabas la Nochevieja?

ABUELO : Siempre la celebraba en casa de la tía Juliana porque era la mayor de los hermanos. Ella preparaba la cena.

JULIÁN : Y ¿qué comíais?

ABUELO : Uy, de todo. La tía Juliana era una cocinera excelente. Hacía pavo al horno con ciruelas.

JULIÁN : Y ¿bebíais champán?

ABUELO : ¡Qué dices! Sólo unos pocos podían pagar el precio de una botella de champán. La gente tomaba sidra, que era más barata.

JULIÁN : Y a las doce...

ABUELO : Comíamos doce uvas. Por cada uva, es decir, por cada mes del año próximo, pedíamos un deseo.

JULIÁN : Ah, así las cosas no han cambiado tanto. La gente sigue celebrando esta fiesta de la misma manera.

ABUELO : Sí, pero cada vez es más difícil reunir a toda la familia. Antes los jóvenes no viajábamos tanto. Cuidábamos de la familia trabajando muy duro. Pero me alegro por ti, Julián; seguro que en España haces muy buenos amigos.

JULIÁN : Gracias, abuelo. Este año no estaré aquí con vosotros, pero el año que viene volveré a casa por Navidad.

11.3

LOLA : ¡Qué bien!, mira, ésta es de Fin de Año.

BEGOÑA : ¿Y lo pasaste bien?

LOLA : Estupendamente.

BEGOÑA : ¡Qué suerte!, porque el año pasado yo lo pasé fatal.

LOLA : ¿Qué pasó?

BEGOÑA : Verás, yo llegaba tarde a la fiesta de Fin de Año que un amigo hacía en su casa. Cuando llegué a la portería eran las doce menos cuarto. Ricardo esperaba el ascensor; también llegaba tarde. A su lado había un señor algo gordo. Di dos besos a Ricardo y saludé al señor. Llegó el ascensor y subimos los tres. El señor iba al quinto piso, y nosotros, al ático. Pues bien ¡ni el señor ni nosotros llegamos! El ascensor se paró en el cuarto piso. ¡No se movía! Hicimos sonar la alarma, gritamos, pero nadie nos oía y... ¡Ya eran las doce menos cinco! ¡Adiós fiesta de Fin de Año! Ricardo recordó que llevaba teléfono móvil y llamó a casa de nuestro amigo. Al final nos sacaron del ascensor a la una y cuarto. ¡He pasado noches mejores, te lo aseguro!

11.4

BEGOÑA : La semana pasada creo que vi un ovni.
LOLA : ¿Ah, sí?
BEGOÑA : Creo que sí, era una luz muy brillante... una enorme bola de luz delante de mi coche.
LOLA : ¡No me digas! ¿Y qué pasó?
BEGOÑA : La verdad, no mucho. La luz no se movía y yo tampoco, claro. No pude mover ni un dedo.
LOLA : ¡Qué susto! ¿Y no pasó nada más?
BEGOÑA : Bueno, me pareció oír música, pero no lo puedo asegurar.
LOLA : ¡Qué extraño! ¿No fuiste a la policía?
BEGOÑA : ¡Qué va! Ellos no creen estas cosas.
LOLA : Lo entiendo perfectamente, yo tampoco me lo creo mucho.

11.5

PRESENTADOR : Y pasamos al tiempo. Esta noche saludamos a nuestra compañera Lola. Buenas noches, Lola.
LOLA : Buenas noches.
PRESENTADOR : Lola, ¿qué le pasa al tiempo? Últimamente parece que está un poco loco, ¿no? A ver, cuéntanos, ¿qué tiempo ha hecho hoy y qué tiempo se espera para mañana?
LOLA : En esta época del año es normal este tiempo tan variable. Hoy ha sido un día complicado. En la mitad norte del país ha hecho sol, aunque por la tarde ha llovido en algunas localidades. En la mitad sur ha llovido intensamente durante todo el día y en algunas zonas ha caído granizo. En el litoral mediterráneo ha brillado el sol, aunque a primeras horas de la mañana han aparecido bancos de niebla. En los Pirineos ha nevado durante buena parte del día. Como ven, ha habido de todo: sol, lluvia, granizo, niebla y nieve.

11.11

BEGOÑA : Lola, ¿qué tal la fiesta de Raquel? ¿Fue ayer o anteayer?
LOLA : Ayer, ayer. Estuvo muy bien.
BEGOÑA : ¡Qué suerte! ¿Había alguien de la Escuela de Teatro?
LOLA : No, nadie.
BEGOÑA : ¡Qué pena!
LOLA : Todos eran excompañeros del instituto de Raquel. No importa, porque todos eran muy simpáticos.
BEGOÑA : ¿Ah sí?
LOLA : Sí, sí, estuvimos riendo toda la noche. Uno de ellos, Pablo, no paraba de contar chistes.
BEGOÑA : Y entre tantos chicos... ¿alguno en especial?
LOLA : ¡Qué dices!, Begoña, tú siempre pensando en lo mismo. Todos eran muy simpáticos, pero no me gustó ninguno.
BEGOÑA : No te enfades. Oye, ¿al final tuviste tiempo de comprar algo para la fiesta?
LOLA : No, nada. Raquel no me pidió nada porque tenía todo lo necesario para la fiesta : bebida, comida, pastel, música y... ¡amigos!
BEGOÑA : ¡Qué bien!

11.12

1
BEGOÑA : ¡Buenos días!
ANA : ¡Hola! Menuda lluvia, ¿eh?
BEGOÑA : Sí, me parece que hay lluvia para todo el día.
ANA : Bueno... dicen que es bueno para el campo.
2
LOLA : ¡Qué calor hace hoy!
BEGOÑA : Sí, pero... hizo más calor ayer, ¿no?
LOLA : Sí, sí. Ayer fue insoportable, llegamos a 40 grados.
3
LOLA : ¡Qué viento!

JULIÁN : Ya lo creo. ¡Casi no se puede andar!
LOLA : No, pero se puede volar...
4
JULIÁN : Hoy no hace frío.
BEGOÑA : ¡¿Qué no hace frío?! ¡Pero si está nevando!
JULIÁN : Bueno, pero cuando nieva no hace frío.
5
BEGOÑA : ¡Brrr!, ¿qué temperatura hace hoy?
ANDREW : En la radio han dicho cuatro grados.
BEGOÑA : ¡Cuatro grados, qué frío!
6
LOLA : Hace buen tiempo, ¿verdad?
BEGOÑA : Sí, la semana pasada hizo mucho frío, pero ahora se está bien.

leccióndoce 12
JULIÁN SE VA DE VACACIONES

12.2

BEGOÑA : Julián, ¿a qué país quieres ir de vacaciones?
JULIÁN : Quiero ir a Venezuela.
BEGOÑA : ¿Y cuándo te vas? ¿Ya has hecho la reserva?
JULIÁN : Sí. Me voy en febrero, el día 3.
BEGOÑA : ¿Vas a hacer una ruta por el país?
JULIÁN : Sí, primero pienso ir a Caracas, la capital. Quiero visitar la casa de Simón Bolívar y el Museo de Bellas Artes; ¡me han dicho que es una maravilla! También quiero ir a El Hatillo, porque dicen que es un pueblo encantador y está muy cerca de Caracas.
BEGOÑA : ¿Cuántos días piensas estar en la capital?
JULIÁN : Unos..., unos cuatro días. La ciudad es muy grande, pero yo no tengo mucho tiempo.
BEGOÑA : ¿Dónde piensas ir después?
JULIÁN : Quiero ir a Cumaná. Allí hay unas playas preciosas, ¡me encantan las playas! También quiero visitar las Cuevas de Guácharo, son unas cuevas muy grandes que se descubrieron en el siglo XVIII.
BEGOÑA : ¡Cuánta visita! ¿No piensas ir a ninguna fiesta?
JULIÁN : Sí, claro. Además es Carnaval. Supongo que voy a ir al carnaval de Carúpano, es uno de los carnavales más famosos del Caribe, ¡yo también quiero disfrazarme!
BEGOÑA : Pero... ¿vas a ir a una fiesta de disfraces?
JULIÁN : Seguro que sí. Además me han dicho que es muy divertido, porque allí hacen las fiestas en la calle, al aire libre.
BEGOÑA : Pero ¿tú sabes qué tiempo va a hacer?
JULIÁN : No exactamente, aunque creo que en esa época del año ya hace calor.
BEGOÑA : ¡Qué suerte! Creo que el próximo año me voy contigo.

12.3

1
LOLA : Si no te das prisa, no vamos a llegar al teatro.
BEGOÑA : Ya voy... Si sólo son las siete.
LOLA : Sí, y la obra empieza a las siete y media... No nos van a dejar entrar hasta el segundo acto.
2
JULIÁN : He reservado mesa en el restaurante a las diez.
BEGOÑA : Vale, ¿y a qué hora va a llegar Lola?
JULIÁN : Lola siempre es puntual.
BEGOÑA : Bueno, vamos a tener tiempo de llegar.
3
LOLA : Vamos a llegar tarde, ¡como siempre!
BEGOÑA : ¿A qué hora es la boda?
LOLA : A las doce y media.
BEGOÑA : No te preocupes, la iglesia está muy cerca.
4
ANDREW : Quiero estar dos horas antes de que salga el avión.

BEGOÑA : ¿Dos horas antes? Bueno, no te preocupes, tenemos tiempo, el avión va a salir a las seis y media.

ANDREW : Ya, pero yo pienso estar allí dos horas antes.

12.4

1

INFORMACIÓN : Información, buenos días. Le atiende Manuel Espinosa.

BEGOÑA : Buenos días, ¿podría darme el teléfono del Museo Arqueológico?

INFORMACIÓN : Sí, por supuesto. Tome nota, el teléfono es el nueve, tres, dos, quince, veintisiete, cuarenta y seis.

2

JULIÁN : ¡Hola!, en este momento no estamos en casa o no podemos atender la llamada. Si quieres dejar un mensaje, habla después de oír la señal.

3

GERMÁN : ¡Buenas tardes! ¿Está Lola?

BEGOÑA : No, lo siento. ¿De parte de quién?

GERMÁN : Soy Germán, un amigo. ¿A qué hora la puedo encontrar?

BEGOÑA : Yo creo que sobre las ocho. Ya le digo que ha llamado.

GERMÁN : Muy bien, gracias. Adiós.

4

SEÑOR : Buenos días, ¿se puede poner Enrique?

LOLA : ¿Enrique? Creo que se equivoca.

SEÑOR : ¿Eh? Estoy llamando al tres, ochenta y cuatro, cuarenta y nueve, ochenta y dos.

LOLA : No, no. ¡Se ha equivocado! Mi teléfono no es ése.

SEÑOR : Lo siento. Perdone, adiós.

5

TELEFONISTA : Eripsa, ¿dígame?

ANTONIO : Buenas tardes, ¿me pone con el señor Gutiérrez?

TELEFONISTA : Lo siento, pero no puede ponerse ahora. ¿De parte de quién?

ANTONIO : Soy Antonio Gómez. ¿Podría decirle que me llame al teléfono móvil?

TELEFONISTA : Sí, señor, ¿él tiene su teléfono?

ANTONIO : Sí, sí lo tiene.

TELEFONISTA : Muy bien, yo le doy el recado.

ANTONIO : Muchas gracias.

TELEFONISTA : De nada, adiós buenas tardes.

6

LOLA : A ver..., el seis, treinta y seis, cincuenta y cuatro, cuarenta y dos, veintitrés, cinco... A ver si hay suerte.

(...)

LOLA : ¡No puede ser! ¡Lleva tres horas hablando por teléfono!

12.5

1

BEGOÑA : ¿Diga?

CRISTINA : Hola Begoña, soy Cristina. ¿Cómo estás?

BEGOÑA : ¡Muy bien!, ¿y tú?

CRISTINA : Pues mira, un poco aburrida. ¿Por qué no vamos a la playa? ¿Te va bien?

BEGOÑA : Ahora mismo me va fatal; estoy estudiando..., pero si me das una hora, ¡perfecto!

CRISTINA : Vale, quedamos en tu casa a la una y media, ¿sí?

BEGOÑA : Sí, sí, perfecto. ¡Hasta la una y media!

CRISTINA : ¡Hasta luego!

2

LÁZARO : ¿Qué tal, chicos? ¿Cómo estáis?

JULIÁN : Bien, como siempre.

LÁZARO : Oye, mañana voy a ir a vuestro piso a arreglar la lavadora. Pero necesito que alguno de vosotros me acompañe a comprar las piezas.

JULIÁN : Yo puedo ayudarte. ¿Cómo quedamos?

LÁZARO : Mañana a las once aquí, en el piso.

JULIÁN : Muy bien, te espero.

3

JULIÁN : Begoña, ¿me acompañas a comprar? Es que necesito unos pantalones.

BEGOÑA : ¿Ahora? Si son casi las ocho; van a cerrar las tiendas.

JULIÁN : ¡Vaya, siempre me pasa lo mismo!

BEGOÑA : Si quieres te acompaño otro día.

JULIÁN : ¡Vale! ¿Qué día quedamos?

BEGOÑA : ¿El sábado te va bien?

JULIÁN : ¿A qué hora?

BEGOÑA : No sé..., a las seis o a las seis y media.

JULIÁN : Mejor a las seis y media; y ¿dónde quedamos?

BEGOÑA : En la puerta del centro comercial.

JULIÁN : ¡Perfecto!

4

LOLA : He quedado con María para ir al teatro, ¿quieres venir?

BEGOÑA : ¿Qué vais a ver?

LOLA : Una obra experimental en la que actúa su novio.

BEGOÑA : ¿A qué hora empieza?

LOLA : Creo que a las ocho y media. Pero si hoy no te va bien, podemos ir el jueves a la misma hora.

BEGOÑA : Si lo dejáis para el jueves, no faltaré.

LOLA : Pues ahora llamo a María y cambio la cita. Oye, ¿dónde quedamos?

BEGOÑA : ¿Te va bien en la puerta del teatro?

LOLA : Estupendo.

12.6

BEGOÑA : ¿Diga?

MARIBEL : Hola, soy Maribel.

BEGOÑA : ¿Quién?

MARIBEL : Maribel, de la Escuela de Teatro.

BEGOÑA : Ah, sí, perdona Maribel, ¿cómo estás?

MARIBEL : Muy bien, ¿y tú? ¿Cómo va todo?

BEGOÑA : Pues... últimamente con mucho trabajo.

MARIBEL : Mira, te llamo porque este sábado por la noche vienen a cenar a casa unos amigos. ¿Te apetece venir?

BEGOÑA : ¡Claro! ¿Celebras algo especial?

MARIBEL : No, pero tengo muchas ganas de hacer una cena y ver a mis amigos. Este fin de semana mis padres no están en casa porque se van de viaje. ¡Tengo que aprovechar esta oportunidad!

BEGOÑA : ¡Por mí, estupendo!

MARIBEL : Así que... ¿cuento contigo?

BEGOÑA : ¡Por supuesto! ¿A qué hora quedamos?

MARIBEL : Yo os espero a partir de las nueve y media.

BEGOÑA : ¿Quedamos en tu casa directamente?

MARIBEL : Sí, es muy fácil llegar. Está muy cerca de la Escuela, en la calle Milagros...

BEGOÑA : Espera un momento, que voy a buscar un lápiz para apuntar la dirección... A ver; dime.

MARIBEL : Calle Milagros, número quince, segundo primera.

BEGOÑA : Espera un momento. Calle Milagros, número quince, segundo primera.

MARIBEL : Sí, eso es.

BEGOÑA : ¡Perfecto! Oye, ¿necesitas ayuda para preparar algo?

MARIBEL : No, tú no te preocupes, que trabajas mucho. ¡Tú tranquila!

BEGOÑA : Fantástico. Gracias. Pues hasta el sábado.

MARIBEL : ¡Hasta el sábado!

12.13

LOLA : Julián, necesito ayuda. Estoy desesperada.

JULIÁN : ¿Qué te pasa?

LOLA : Tengo que preparar información para el reportaje de Perú y lo único que conozco de Perú es el Machu-Pichu.

JULIÁN : Bueno, por algo se empieza. Mira, yo siempre que viajo tomo nota de los lugares que visito, de las recomendaciones que me hace la gente, de la información que busco antes del viaje... Hago un cuaderno de viaje.

LOLA : Y, por casualidad, ¿no tendrás aquí el cuaderno de Perú?

JULIÁN : Estás de suerte, nunca me separo de mis cuadernos.

LOLA : ¿Puedo verlo, por favor?

JULIÁN : Aquí está. Veamos qué información encontramos.

LOLA : En Perú hay selva, ¿verdad?

JULIÁN : Sí, en Perú hay tres grandes zonas: la costa, la sierra y la selva. En la región de la selva es donde están las reservas naturales. Yo estuve en un parque natural cerca del Machu-Pichu y del lago Titicaca.

LOLA : ¡La selva! Parece una película de aventuras como las de Indiana Jones.

JULIÁN : ¡Qué va! Nada de aventura. Todo está muy controlado. Hay zonas de la selva a las que sólo puedes acceder si vas por agencia.

LOLA : Oye, ¿y qué tipo de precauciones tienes que tomar para ir a Perú?

JULIÁN : Es obligatorio vacunarse contra la fiebre amarilla.

LOLA : ¡Cuánto trabajo!, pero seguro que el viaje es precioso.

JULIÁN : Sí, aunque entre los meses de noviembre y marzo no es recomendable viajar a Perú porque es época de lluvias. Si vas algún día, no te olvides de ir bien preparada contra el calor y los mosquitos. La gente cree que hay que llevar ropa de verano por las altas temperaturas, pero lo mejor son las camisas de manga larga y los pantalones largos.

LOLA : Julián, ¿qué significan los números que tienes aquí anotados?

JULIÁN : Que Perú es uno de los ocho países del mundo donde hay más variedad de animales y plantas. Mira, más del 10 % de las especies animales del planeta.

LOLA : ¡El año que viene me voy a Perú!

12.14

Comenzamos en la recta de las nacionalidades:

¿De qué nacionalidad son las personas nacidas en estos países?

Casilla 1: Norteamérica…

Casilla 2: Francia…

Casilla 3: Italia…

Atención la curva de las profesiones:

Casilla 4: el hombre de la ilustración a) es un …

Cuidado, manchas de aceite en *parentescos*:

Casilla 5: el hermano de tu padre es tu …

Casilla 6: La madre de tu madre es tu …

Zona tranquila, *partes de la casa*:

Casilla 7: ¿En qué parte de la casa se cocina? …

Casilla 8: ¿Dónde nos duchamos? …

Casilla 9: ¿Dónde dormimos? … .

Zona de adelantamiento, *números*:

Casilla 10: ¿Cuántas ruedas tiene tu coche de carreras? …

Casilla 11: ¿Y una moto? …

Casilla 12: ¿Cuántos dedos tenemos en las manos? … .

Llegamos a la recta de los *colores*:

Casilla 13: La nieve es …

Casilla 14: Durante el día el cielo es …

Casilla 15: La hierba es …

Casilla 16: El Sol es …

Casilla 17: ¿De qué color es el cielo durante la noche? … .

Atención, curvas: *tiendas*:

Casilla 18: ¿Dónde compramos la fruta? …

Casilla 19: La carne la compramos en la …

Casilla 20: El pescado lo compramos en la … .

Cuidado, manchas de aceite: *días de la semana*:

Casilla 21: ¿Qué dos días forman el fin de semana? … .

Meses del año:

Casilla 22: ¿Cuál es el primer mes del año? …

Casilla 23: ¿Y el quinto? …

Casilla 24: ¿Y el último? … .

Peligro, la curva de las *funciones comunicativas*:

Casilla 25: Ring, ring, ring…, suena el teléfono. ¿Qué contestas? …

Casilla 26: Es el cumpleaños de tu mejor amigo. ¿Qué le dices? …

Casilla 27: Le haces un regalo. ¿Qué te contesta? …

Casilla 28: ¿Qué hora es en el reloj del estadio? … .

Zona tranquila: *Aficiones y deportes*:

Casilla 29: ¿A qué juegan los chicos de la ilustración b)? … .

Atención, acelera: *Recta de llegada*:

Casilla 30: ¿Cuál es la estación del año más calurosa? …

Casilla 31: ¿Cómo se llama el medio de transporte de la ilustración c)? …

Casilla 32: ¿Cómo se llama el mueble de la ilustración d)? …

Casilla 33: Francia, Colombia y Canadá son …

Casilla 34: Nueva York, Buenos Aires y Pekín son …

Casilla 35: El padre de tu hermano es tu …

Casilla 36: Enhorabuena, has llegado a la …

Comprueba ahora las soluciones: cada respuesta acertada es un punto; suma los puntos y averigua tu clasificación.

soluciones

lecciónuno 1

2
a Andrew   b Andrew...Julián

3a
1 está usted   2 ¿Cómo estás?   3 ¡Hasta mañana!
4 ¿Qué tal?   5 ¿y usted?

3b
1 presentación, formal   2 saludo, informal   3 despedida, informal
4 presentación, informal   5 saludo, formal

4
francés-de Francia   japonés-de Japón   mexicana-de México
estadounidense-de Estados Unidos   portugués-de Portugal
ruso-de Rusia   alemana-de Alemania   británico-de Gran Bretaña

5
Julián-mexicano   Lola-española
Andrew-norteamericano...estadounidense

6
Marie: francesa...32 años...Lyon...943578254.
Peter: británico...30 años...Londres...914587982.
Jacques: belga...29 años...Brujas...653216897.
Pietro: italiano...35 años...Florencia...659307698.
Rose: irlandesa...20 años...Dublín...no tiene.
Matthew: norteamericano...36 años...
San Francisco...94578625.

7a
chino-China   italiana-Italia   francés-Francia   española-España
alemán-Alemania   estadounidense-Estados Unidos

7b
a-española   b-francés   c-estadounidense   d-italiana   e-chino   d-alemana

8
Conoce: México, Colombia, Cuba, Puerto Rico, Bolivia, Venezuela y Panamá.
No conoce: Argentina, Chile, El Salvador, Uruguay, Ecuador y Perú.

9
América: Canadá, Estados Unidos, Chile, Brasil, Cuba, Argentina.
Europa: Alemania, España, Francia, Grecia, Italia, Gran Bretaña.
África: Namibia, Marruecos, Sudán, Etiopía, Guinea Ecuatorial, Egipto.
Asia: Japón, China, India, Mongolia, Vietnam, Indonesia.
Oceanía: Australia, Nueva Zelanda.

11
1 hola   2 carro   3 jota   4 cosa   5 gente   6 cose
7 cana   8 Lola   9 año

12
1 gente   2 letras   3 hombre   4 fácil   5 español
6 sonido   7 ruso   8 veinte

13
vuelo AO475...destino Ámsterdam...hora 7.35...puerta doce.
vuelo IB597...destino Sevilla...hora 9.20...puerta cinco.
vuelo AS975...destino La Coruña...hora 15.05...puerta siete.
vuelo LA171...destino León...hora 17.05...puerta ocho.

14
a ocho meses   b veinticinco años   c cinco años
d treinta y tres años   e dieciocho años   f diez años
g ochenta años   h cincuenta años

16

	M	E	X	I	C	O		
		C						
		U	R	U	G	U	A	Y
B		A						
O		D		C	H	I	L	E
L		O		U				S
I		R		B				P
V		A		A				A
I								Ñ
A	R	G	E	N	T	I	N	A

(Advertencia: México lleva acento, pero Ecuador no.)

17
español: Ecuador, España, Filipinas, Colombia.
alemán: Alemania, Suiza, Austria.
inglés: Canadá, Gran Bretaña, Estados Unidos.
francés: Bélgica, Francia, Suiza, Canadá.

evaluación

1
1 eres... Soy...vivo   2 tiene   usted...Tengo cuarenta y tres

2
a
🗨 ¿Cómo te llamas?
💬 Me llamo Susana.
🗨 ¿Cómo se escribe?
💬 Ese-u-ese-a-ene-a.
🗨 ¿De dónde eres?
💬 De Irlanda.
🗨 ¿Dónde vives?
💬 En México.
🗨 ¿Cuál es tu teléfono?
💬 El 6959714.

b
🗨 Perdone, ¿es usted alemán?
💬 No, yo soy venezolano.
🗨 ¿De dónde es usted?
💬 De Caracas, ¿y usted?
🗨 Yo soy de Berlín.

3
17-diecisiete   58-cincuenta y ocho   26-veintiséis
31-treinta y uno   15-quince   79-setenta y nueve

leccióndos

1
1-tres   2-moreno   3-alta, delgada y pelirroja   4-Andrew   5-Antonio
6-es profesor de teatro

2a
Carlos: padre, alto y moreno, periodista, sesenta y cinco años (65).
Sofía: madre, alta y pelirroja, ama de casa, sesenta y tres años (63).
Luis: hermano, moreno, policía, treinta y tres años (33).
Marta: cuñada, rubia, psicóloga, treinta años (30).

2b

a Sí, María quiere ver la foto.   b La foto es bonita.
c Sí, es guapa.   d Juan tiene tres hermanos más.

3

¿Puedes hablar más alto?-**5**   ¿Puedes repetir?-**2**
¿Cómo se dice *moustache* en español?-**1**
¿Cómo se pronuncia autobús?-**4**
¿Puedes hablar más despacio, por favor?-**6** ¿Cómo se escribe?-**3**.

4a

Sr. Martínez... Antonia Alonso... Carmen Iglesias...
Manuel Martínez ... Don Arturo Iglesias.

4b

Sr. Martínez: abogado...marido de Antonia y padre de Manuel...moreno y pelo rizado.
Antonia Alonso: enfermera...mujer del Sr. Martínez y madre de Manuel...pelo largo
Manuel Martínez: periodista...hijo de los señores Martínez y novio de Carmen...alto y delgado.
Carmen Iglesias: estudiante...novia de M. Martínez e hija de Arturo Iglesias...rubia y pelo corto.
Arturo Iglesias: profesor...padre Carmen...tiene barba.

5

taxi-**g**-taxista   pincel-**a**-pintor   teléfono móvil-**d**-agente de bolsa
bandeja-**f**-camarero   fonendoscopio-**e**-médico   ordenador-**b**-informático
llave inglesa-**c**-mecánico

6

1 arquitecto   2 peluquero   3 florista   4 profesora
5 estudiante   6 enfermera

7

1 En la oferta n.º 1 buscan a una mujer.
2 En los números 1, 2 y 4.
3 En la de ejecutiva.
4 La de vendedor / a.
5 Necesitan dependientes en Barcelona.

8a

Carlos y Sofía tienen cinco hijos. Luis es el mayor; Juan, Marcelo y Victoria son los medianos, y Eva es la menor. Luis está casado con Marta. Victoria vive con Sergio. Eva, Juan y Marcelo están solteros. Juan y Marcelo no tienen novia, y Eva tiene novio, Vicente. Carlos y Sofía ya son abuelos. Tienen dos nietos, Diego y Julia. Luis y Marta son los padres de Diego. Victoria y Sergio, los de Julia. Diego y Julia son primos.

8b

1 Carlos es el marido de Sofía. Sofía es la mujer de Carlos. Carlos y Sofía están casados.
2 Luis es el marido de Marta. Marta es la mujer de Luis. Luis y Marta están casados.
3 Eva es la novia de Vicente. Vicente es el novio de Eva. Eva y Vicente son novios.
4 Diego es el primo de Julia. Julia es la prima de Diego. Diego y Julia son primos.
5 Carlos y Sofía son los abuelos de Diego y Julia. Diego y Julia son los nietos de Carlos y Sofía.
6 Juan y Marcelo son los cuñados de Marta. Marta es la cuñada de Juan y Marcelo.

9

1 Julián es joven, alto y guapo. Tiene el pelo corto, liso y moreno.
2 Begoña es joven y guapa. Tiene el pelo largo, liso y pelirrojo.

3 Andrew es joven, alto y guapo. Lleva barba. Tiene el pelo corto y rizado.
4 Lola es joven y guapa. Tiene el pelo largo, rubio y rizado.
5 Lázaro es bajo y feo. Lleva una gorra.

11

```
      P r o f e s o r a
  i n f o R m á t i c o
m ú s i c O
        F o t ó g r a f o
        s E c r e t a r i a
f l o r i S t a
        p I l o t o
        p O l i c í a
    c a N t a n t e
    m i n E r a
    p a S t o r
```

13

a El médico es un señor mayor.   b El chico joven es camarero.

evaluación

1

tengo...soy...Málaga...vivo....ojos...pelo...Soy...casado...
norteamericana...rubia...años...mi

El personaje se llama Antonio Banderas.

2

1-se   2-qué   3-como   4-en   5-es   6-Su   7-está.

lección tres 3

1

1-golf   2-esgrima   3-esquí   4-natación   5-montañismo   6-atletismo
7-ciclismo   8-gimnasia

2

a Andrew practica el fútbol y la natación.
b Andrew colecciona cómics.
c La secretaria colecciona monedas de distintos países.
d Para conocer mejor a los empleados.

3

Se llama **Antonio**. Tiene 27 años. Vive en Sevilla. Es pintor. Es moreno, con el pelo castaño y los ojos verdes. Llama porque necesita una modelo.
Se llama **Miguel**. Tiene 37 años. Vive en Santiago de Compostela. Es profesor de español. Tiene el pelo corto, rizado y rubio, y los ojos verdes. Llama porque quiere conocer chicas.
Se llama **Bárbara**. Tiene 23 años. Vive en Sevilla. Es estudiante. Es morena con el pelo largo, delgada y tiene los ojos verdes. Llama para conocer gente.
Se llama **Cristina**. Tiene 35 años. Vive en Buenos Aires. Es doctora. Es pelirroja, tiene el pelo largo, los ojos marrones y muchas pecas. Llama para conocer gente de su edad.

4

mi...nuestro...tus...Mi...mi...mi...su...sus...vuestra...nuestro

5

1 jugar al   2 montar en   3 Voy de   4 Vamos al   5 vamos a la   6 Van de

6

Deporte de balón: fútbol, baloncesto, rugby, voleibol.
Deporte de lucha entre dos: lucha libre, boxeo, kárate.
Deporte con vehículo: ciclismo, motociclismo, automovilismo.
Deporte acuático: natación, salto de trampolín, natación sincronizada.
Deporte de invierno: esquí, hockey sobre hielo, patinaje sobre hielo.

7

Montar a: caballo.
Jugar al: golf, fútbol, baloncesto, tenis.
Montar en: bicicleta.
Practicar: kárate, esquí, natación.

8

1 10 años, soltera, estudiante, patinaje.   2 65 años, viuda, jubilada, golf.
3 45 años, casado, informático, informática.
4 35 años, divorciado, desempleado, baloncesto.
5 50 años, casado, abogado, jardinería.

9

ver: la televisión.
ir: al teatro, al cine.
hacer: deporte, puzzles.
aprender: español.
coleccionar: postales, sellos.
escribir: novelas, postales.
leer: novelas, postales.
cantar: en un grupo de rock.

11

1 Andrew y Julián leen.   2 Lázaro escucha música.
3 Julián monta en bicicleta.   4 Lola y Ana hacen deporte.
5 Andrew y Julián estudian.   6 Begoña escribe.
7 Lola y Begoña cocinan.   8 Lola habla por teléfono.

12

olfg-golf   burgy-rugby   tesonoblac-baloncesto
lobsibé-béisbol   úfbtlo-fútbol   sinte-tenis

13

1 correr   2 leer   3 nadar   4 cocinar   5 bailar
6 jugar   7 viajar   8 escribir

14

fútbol: un balón y dos porterías
béisbol: un bate de béisbol y una pelota
baloncesto: una pelota y dos canastas

15

El ciclismo

evaluación

1a

Tengo...alta...rizado...periodistas...estudia...mis...hermano...juego al...escribo...viven.

1b

a-chica delgada, no muy alta, ojos marrones, pelo largo y rizado.

evaluaciónbloqueuno 1

1

años...qué... profesora... conocer... oscuros... nombres... normales...
practicamos... tocamos... aficiones

2

1 Bien, gracias.   2 Soy ingeniero.   3 De Mallorca.
4 Veintisiete.   5 No, soy soltera.

3

1 Búscanos en Internet   2 Ejercicio con audio   3 Usa el diccionario
4 Relación con el Libro de Ejercicios   5 Evaluación de lección
6 Ampliación en el Apéndice Gramatical   7 Sección de Recursos

leccióncuatro4

1a

1 sala de estar...sofá   2 comedor...mesa   3 cocina...detrás 4 encima
5 al lado...encima   6 entre   7 delante de

1b

1 comedor   2 cocina   3 baño   4 dormitorio   5 sala de estar

2

1 V   2 F (no es oscura)   3 V   4 F (el barrio es muy alegre)   5 V
6 F (es nueva)   7 V   8 V   9 F (Begoña comparte piso con dos
chicos y una chica)   10 F (Andrew tiene la habitación más pequeña).

3

4a

La **agenda** está en la habitación, encima de la mesa.
Las **gafas** de sol están al lado de la televisión.
Las **llaves** están en la mesa del recibidor, detrás del florero.
La **dirección de Internet** está en la agenda de Begoña.
La **tarjeta del metro** está en el comedor, al lado del teléfono.

4b

5

¿Dónde están los muebles?
  La cama está debajo de la ventana. La mesa del comedor está en el
pasillo. El sofá está en el dormitorio. El frigorífico está en el recibidor.

¿Dónde los quiere Antonio?

Quiere la cama enfrente de la puerta. Quiere la mesa en el comedor. Quiere el sofá en el salón. Quiere el frigorífico en la cocina.

6a
Anuncio 3

6b
1 dormitorio   **2** comedor   **3** cocina   **4** cuarto de baño   **5** terraza   **6** pasillo

7
salón o comedor: sofá, televisor, mesa, silla.
cuarto de baño: ducha, váter, lavabo.
cocina: microondas, lavadora, nevera.
dormitorio: cama, mesita.

8a
1 El número 2.   **2** No, los números 1 y 2 no tienen ascensor.
3 El número 2 tiene dos baños.   **4** El número 1.   **5** El número 2.
6 El número 3.

8b
anuncio **1**-a   anuncio **2**-c   anuncio **3**-b

9
1 encima de   **2** debajo de   **3** dentro de   **4** al lado de
5 entre   **6** enfrente de

10
En el comedor: comer.
En el salón: leer, hablar por teléfono, ver la televisión, escuchar música.
En el baño: ducharse.
En el recibidor: despedirse, recibir a las personas, entrar, salir.
En el balcón: mirar la calle, tomar el aire, entrar, salir.
En la cocina: cocinar, comer.
En el pasillo: pasar de una habitación a otra.
En el estudio: estudiar, escuchar música, trabajar con el ordenador, hablar por teléfono, leer.
En el dormitorio: dormir, escuchar música, leer.

11
Hay un teléfono...**A**-Está en el suelo...**B**-Está encima de la mesa.
Hay un libro...**A**-Está encima de la silla...**B**-Está entre el teléfono y el ordenador.
Hay una lámpara...**A**-Está encima del equipo de música...
B-Está encima de la mesa o Está al lado del ordenador.
Hay un ordenador...**A**-Está en el suelo...**B**-Está encima de la mesa.
Hay dos cuadros...**A**-Están encima del ordenador...**B**-Están en la pared o Están entre el equipo de música y la puerta.
Hay una mesa...**A**-Está a la derecha de la ventana...**B**-Está al lado de la puerta.
Hay un equipo de música...**A**-Está debajo de la mesa...**B**-Está encima de o Está en la estantería.

12

				R	e	l	o	j	
	v	e	n	t	A	n	a		
				S	o	f	á		
				C	a	m	a		
	a	r	m	A	r	i	o		
				C	u	a	d	r	o
t	e	l	e	v	I	s	i	ó	n
			n	E	v	e	r	a	
			L	a	v	a	d	o	r	a
	v	a	s	O					
				S	i	l	l	a	

13
dormitorio...me_sa_lón_nevera..._orden_ar_marior_denado_recibido_roperolvida_recibir_...
..._lavaplato_sofá..._frigorífi_co_medor..._duchars_estudiar..._puert_anunciar_...cama

14
a silla   **b** sillín   **c** sillón

15
1-V   **2**-F   **3**-F   **4**-V

evaluación

1
a-V   **b**-F   **c**-V   **d**-V   **e**-F   **f**-F

leccióncinco5

1
1 ayuntamiento   **2** hospital   **3** centro comercial
4 farmacia   **5** cibercafé   **6** parque   **7** cine
8 zona industrial   **9** aeropuerto   **11** museo   **13** iglesia

2a y 2b

3
1 al lado del   **2** lejos... calle   **3** desde... hasta
4 cerca del... al lado del   **5** detrás de   **6** del... a

4a
Ensalada verde-Ensalada mediterránea con cebolla, pimiento y olivas
Paella mixta-Paella de marisco
Macarrones-Pasta italiana con salsa carbonara
Filete de ternera con guarnición-Entrecot de ternera con setas
Helado con nueces-Helado con frutos secos
Fresas con nata-Frutas del bosque con nata

4b
Julián: paella, pechuga de pollo, vino tinto, fruta en almíbar
Lola: macarrones, filete de ternera, vino tinto, fresas con nata

4c

	Primer plato	Segundo plato	Postre	Bebida
Señor 1.º	Espinacas con piñones	paella	helado solo	vino blanco
Señora	sopa de almendras	calamares rellenos	helado solo	vino blanco
Señor 2.º	Espinacas con piñones	entrecot a la pimienta	helado solo	vino blanco

5
pasta-1   fruta-2   tomate-3   pan-4   queso-5   pastel-6   embutido-7
verdura-8   huevo-9   café-10   marisco-11   carne-12.

Soluciones

6

1 En el piso primero, segunda puerta.   2 1010-A.
3 Javier Llanes.   4 En la calle Tamarí.   5 En el número 39.

7

Para pedir direcciones:
Perdona, ¿sabes dónde está ....?
Por favor, quiero ir al ....
Disculpe, ¿para ir a la calle..........?
¿El ...., por favor?
Disculpe, busco la ....
Perdone, ¿hay un/ una ... por aquí cerca?

Para dar direcciones:
Sí claro. Mira. ¿Ves ....? Pues en la siguiente esquina.
Sigues todo recto hasta ...., y justo detrás está el ....
¿Ve ....? Pues al lado hay ....
Sí, aquí mismo. Justo después de .... Está a diez minutos.
¿Ve aquella plaza? Bien, pues todo recto y la tercera calle a la derecha.
Pues a mano derecha y todo recto.

8

Enfrente de...plaza...Avenida Asturias...semáforo...a la derecha
...cruce...esquina...al lado de.

9a

1 una jarra de cerveza   2 una lata de coca-cola   3 un café solo
4 un café con leche   5 una copa de vino   6 una taza de té   7 una
tapa de jamón   8 un bocadillo de jamón   9 una bolsa de patatas fritas
10 un pincho de tortilla

10a

primero... quiere... segundo... prefiere... prefiero... quiero

10b

	Querer	Preferir
yo	quiero	prefiero
tú	quieres	prefieres
él/ella/usted	quiere	prefiere
Nosotros/as	queremos	preferimos
Vosotros/as	queréis	preferís
Ellos/ellas/ustedes	quieren	prefieren

11

1 pienso   2 aquel   3 segundo   4 un jamón   5 tercero   6 Mi
7 estos   8 Una manzana   9 quiere   10 al final.   11 este
12 un pollo   13 novena o nona   14 un queso   15 aquel

12

1-V   2-V   3-F   4-V   5-F   6-F   7-F   8-V   9-V

13

1-V   2- F   3-V   4-F   5-V

evaluación

1

1 El mío es ése verde.   2 En esta farmacia de la esquina.
3 Aquel señor de allí es mi padre.   4 Prefiero carne.
5 La primera calle a la derecha.   6 En el tercer piso.

2

barrio...cerca de...esquina...aquel...allí...enfrente...
séptimo...cuarta...ciudad...a

lecciónseis6

1a

a Preocupados.   b Escribe la lista de la compra. c La nevera vacía.
d Mira la botella de leche vacía.   e Una botella de zumo.   f Van a hacer
la lista de la compra.

1b

La verdura, la carne, el queso, el embutido y el pescado deben
conservarse en la nevera.

2a

1 camisa [X]   2 falda [X]   3 camiseta [ ]   4 zapatos [X]   5 bolso [ ]
6 pantalones [ ]   7 guantes [ ]   8 calcetines [ ]

2b

1
Dependiente: Buenos días, ¿Qué quería?
Begoña: Hola, quería una falda y una camisa.
2
Dependienta: ¿Cómo las quiere?
Begoña: La camisa la quiero rosa, de manga corta y de algodón. La falda
     la quiero de color azul y larga.
3
Dependienta: ¿Qué talla tiene de falda?
Begoña: La 40.
4
Dependienta: Mire, aquí la tiene.
Begoña: Muchas gracias. ¿Dónde está el probador?
Dependienta: Al fondo a la derecha
5
Dependienta: ¿Qué tal le quedan?
Begoña: Bien.
6
Dependienta: Perfecto. ¿Quería alguna cosa más?
Begoña: Sí, quería también unos zapatos marrones con poco tacón.
Dependienta: A ver... Acompáñeme a la sección de zapatería, por favor.
7
Dependienta: ¿Éstos le gustan?
Begoña: ¡Qué bonitos! Me los pruebo ahora mismo. ¿Cuánto cuestan?
8
Dependienta: 8.500 pesetas.
Begoña: Bueno pues..., me lo llevo todo.
9
Dependienta: De acuerdo, pase por caja, por favor. ¿Cómo paga, en
     efectivo o con tarjeta?
Begoña: Con tarjeta, tome.

3a

supermercado... quiosco... floristería... papelería... panadería

3b

1 caja... 2 paquete... 3 latas... 4 bolsas... 5 ramo... 6 barras... 7 bloc

3c

Galletas: 4'36€, Pilas: 1'95€, Latas de atún (3) 1'54€
Patatas fritas: 2'11€, Periódico: 1'00€
Flores de Begoña: 3'5€,
Papelería (bolígrafos, bloc): 3'23€, Pan: 1'76€.
Total =19'45 €

4a

papelería-d-lápices   zapatería-c-zapato   frutería-b-fruta   pastelería-f-
pastel   carnicería-g-carne   panadería-e-pan   charcutería-a-embutido

Todos los nombres de las tiendas terminan en -ería.

4b

1 estanco   2 floristería   3 zapatería   4 frutería   5 pescadería
6 supermercado   7 carnicería   8 droguería   9 bodega

5a

1 Estos pantalones son muy anchos; los prefiero más estrechos.
2 Esta falda es demasiado corta; la quiero un poco más larga.
3 Estas gafas son demasiado caras; las busco un poco más baratas.
4 Este jersey es un poco pequeño, ¿no?; lo prefiero más grande.
5 Este teléfono móvil está muy anticuado; lo prefiero más moderno.
6 Estos zapatos son muy formales; los prefiero más informales.

5b

1 anchos/ estrechos,   2 corta/ larga,   3 caras/ baratas,
4 pequeño/ grande,   5 anticuado/ moderno,   6 formales/ informales.

6

Rojo: bufanda, chándal. *Verde:* chaqueta, corbata, gorra. *Azul:* pantalones,
zapatillas de deporte. *Amarillo:* pijama, vestido, camisa. *Marrón:* botas,
abrigo, cinturón, guantes. *Gris:* traje.

7

1 El jersey azul cuesta tanto como el jersey amarillo.
2 Los calcetines largos son tan caros como los cortos.
3 El jersey azul es tan barato como el pantalón estrecho.
4 El pantalón ancho es más caro que el pantalón estrecho.
5 La chaqueta roja es más cara que el pantalón ancho.
6 Los calcetines son más baratos que el jersey amarillo.

8a

1 limones   2 botella de vino   3 paquete de harina   4 zumo de limón
5 botella de aceite   6 naranjas   7 docena de huevos   8 paquete de
arroz   9 mantequilla   10 tableta de chocolate   11 sobre de levadura
12 nata   13 lata de aceitunas   14 paquete de sal

8b

1 kilo (de limones)...2 (naranjas)...un paquete (de harina)...media docena
(de huevos)...50 gr (de mantequilla)...un sobre (de levadura)...un poco
(de sal)...400 grs. (de nata)

9

fru*ta*baco, chánda*libro*, chaqu*eta*brig*o*rra, p*an*illo, zapa*to*mate

10a

1 cuadrado   2 triángulo   3 círculo   4 rectángulo   5 irregular

10b

a cuadrado   b triángulo   c círculo   d rectángulo   e irregular

11

1 hormiga   2 abeja   3 cigarra   4 hiena   5 jirafa
6 águila   7 león   8 buitre

12

1 La piñata es una tradición de origen italiano.
2 La piñata contiene fruta, dulces y pequeños regalos.
3 La piñata se rompe con un palo.
4 El niño da tres vueltas.

evaluación

1

la...carnicería...más...que... frutería... pescado... carísima... zapatería... los...
más... librería... joyería... más... que... la... falda.

2

1 Bueno, ¡pues vamos a la frutería!   2 Casi doscientos años.

---

3 Cuatrocientos millones.   4 Los quiero negros.   5 No, es más barato
que el tuyo.   6 Sí, está buenísimo.

evaluaciónbloquedos2

1

barrio...supermercado...comida...parque...piso...cine...calle...películas...ropa...tienda

2

1 valen   2 quieren   3 prefieres   4 hay   5 está   6 hay
7 tienen   8 compramos   9 duermen   10 tiene

3

1 derecha   2 hay...está   3 postre   4 carísimos   5 cuarto primera (4.º 1.ª)

lecciónsiete7

1a

1 Es por la mañana   2 Nuestros amigos están desayunando
3 Desayunan café, zumo, fruta y pastas.   4 Lola tiene prisa.

1b

por la mañana: despertarse, ducharse, afeitarse, vestirse
por la tarde: merendar, ir a pasear, ir de compras
por la noche: ducharse, cenar, acostarse, dormir, ir de fiesta

2a

1 a las 16.30   2 a las 12   3 a las 18.30   4 10.30
5 de 9.00 a 13.30   6 de 16.30 a 20.

2b

Hoy a las 4.30 va al médico.
Mañana a las 9.00 compra en el supermercado.
Después limpia un poco la casa.
Mañana a las 12.00 sale de casa para ir a trabajar.

3

Actividad	Inicio	Final
Desayuno	------	9.00
Visita al Museo de Arte Moderno	9.45	11.45
Visita a la fábrica de cerámica	12.30	14.00
Visita a la exposición	18.30	20.30
Fiesta de bienvenida	22.00	-------

4

1 a las 2   2 a las 18.15   3 a las 11.45   4 a las 14.30
5 a las 7.50   6 7.15   7 7.30   8 9.30

5

a-**4**-tres menos cuarto   b-**5**-diez menos cuarto   c-**2**-siete y media
d-**1**-seis en punto   e-**6**-una y media   f-**8**-diez y media
g-**7**-siete en punto   h-**9**-doce y cuarto   i-**3**-seis y media

6

1 Lola sale de casa a las nueve y media casi siempre.
2 Lola va al gimnasio dos veces por semana.
3 Begoña sale con Lola a veces a las nueve y media.
4 Lola trabaja tres días a la semana.
5 Ellas tienen ensayo todos los martes y jueves.
6 Ellas comen cada día en un bar.
7 Begoña y Lola compran cada sábado.
8 La amiga Ana compra cada día por la mañana.

7

1 está leyendo   2 está buscando   3 está fumando   4 está comiendo
5 está llorando   6 está leyendo   7 está ladrando   8 está escuchando

Soluciones

9 está hablando.   **10** están esperando

8
1 viendo   **2** jugando a las cartas   **3** preparando la comida
4 terminando un informe

9a
1 ¿qué hora es?   **2** ¿tiene hora?   **3** ¿qué hora es?
4 ¿me puede decir la hora, por favor?   **5** ¿tienes hora?

9b
1 hablan de *tú*.   **2** hablan de *usted*.

10a
a-**9**-comer   b-**7**-salir de casa   c-**12**-acostarse   d-**3**-ducharse
e-**4**-vestirse   f-**11**-mirar las noticias   g-**1**-despertarse   h-**6**-desayunar
i-**8**-trabajar   j-**2**-levantarse   k-**10**-cenar   l-**5**-peinarse

10b
1 Se despierta a las siete   **2** Come a las dos   **3** Trabaja de ocho y
media a siete   **4** A las ocho y media   **5** A las ocho   **6** A las doce

11
1 se levanta   **2** digo   **3** tiene   **4** te vistes   **5** hago
6 Me pongo   **7** repites   **8** vengo   **9** pide   **10** sigo

12

S	E	I	A	M	D M
I	T	L	B	I	O I
F	A	R	N	É	J L
M	A	V	E	R	U U
A	L	D	A	C	E M
J	U	U	B	O	V R
O	E	S	N	L	E R
M	A	R	T	E	S N
V	I	C	R	S	S E
I	T	U	R	S	L V
V	I	E	R	N	E S

13
1 nunca...nieva   **2** llueve siempre   **3** a menudo...arañas
4 nunca llueve   **5** desprendimientos   **6** normalmente...serpientes
7 siempre nieva   **8** a menudo...lobos

14
El aire.

15
España: 12 de la mañana.
Bolivia: 7 de la mañana.
Argentina: 8 de la mañana.
Guinea Ecuatorial: 12 de la mañana.

16
a-F   b-F   c-V   d-V

evaluación

1
1 Son las 19.45   **2** A las 9.00   **3** Mi madre está trabajando
4 Voy dos veces a la semana   **5** Normalmente, a las 6 de la tarde
6 Está acostando a su hija

2
se levantan... desayunan... salen... nos levantamos... vamos... comemos...
trabaja... va... estudia... sale.

lecciónocho8

1a
1 Lola y Begoña están discutiendo.   **2** Están escuchando y riéndose.
3 En el teatro.   **4** El guión que están ensayando.   **5** Porque opinan
cosas diferentes.

1b
discutiendo...escuchando...riéndose...en el teatro...el guión que están
ensayando...porque opinan cosas diferentes.

2
1 gusta   **2** Me   **3** gusta...me...mucho   **4** me gusta
5 te...interesa   **6** gustan

3
1 Porque tiene un dolor de muelas horrible.   **2** No, no quiere.
3 Porque le da miedo.   **4** No, todavía no.   **5** Una aspirina.   **6** Una vez.

4
1-acuerdo   **2**-acuerdo   **3**-acuerdo   **4**-desacuerdo
5-desacuerdo   **6**-desacuerdo   **7**-acuerdo

5
Ya: Ya ha confirmado el billete de avión. Ya ha comprado la ropa de
verano. Ya ha preparado la maleta. Ya se ha despedido de su familia.
Todavía no: Todavía no ha confirmado la reserva de la residencia. Todavía
no se ha comprado unas sandalias. Todavía no ha llamado a Andrew.
Todavía no ha llamado a Lucía. Todavía no ha revisado el pasaporte.
Todavía no ha llevado el perro a casa de su hermano.

6
1 me interesa...y a ti...A mí sí   **2** A ti te gusta...y a ti...A mí tampoco
3 No te gusta...me aburre   **4** Os ha parecido...y a vosotros...A nosotros
tampoco   **5** y tú...también   **6** Me parece...a mí también
7 Te ha gustado... y a ti.. me ha parecido.

7
1 Tengo sueño.   **2** Estoy despierto.   **3** Tengo hambre.   **4** Estoy
cansado.   **5** Estoy contento.   **6** Tengo sed.   **7** Estoy nervioso.   **8** Estoy
relajado.   **9** Estoy harto.

8
1-F   **2**-V   **3**-V   **4**-F   **5**-F   **6**-V   **7**-F

9
1 Ana es muy seria.   **2** Estoy aburrido.   **3** Andrew y Julián están
tranquilos.   **4** Lola es alegre.   **5** Begoña está guapa.   **6** Estoy nervioso.

10
1 todavía...ha visto   **2** tampoco...ha visto   **3** ya...ha gustado
4 prefiere   **5** también

11
1 Oye, Andrew, ¿tú...   **2** Sí, un poco. Siempre...   **3** A mí me encanta...
4 Sí, ¿y tú?   **5** Sí, claro. La...   **6** Sí, lo sé, pero...   **7** Ya sabes que...

12
1 he comprado   **2** has comprado   **3** he ido
4 he ahorrado   **5** has visto   **6** he visto   **7** ha parecido

13
Frases posibles
1 Me gustan los ejercicios. Me parecen divertidos.
2 No me gustan las páginas de gramática. Me parecen aburridas.
3 Me aburren los temas. Me parecen confusos.
4 Me encantan las fotos. Me parecen divertidas.

14

Diálogos incorrectos: 1, 4 y 6
1 A mí tampoco.   4 A nosotros tampoco.   6 A mí no.

16

Cleopatra-nariz   La Gioconda-boca   Clark Gable-orejas
P. Newman-ojos   Pelé-piernas   A. Schwarzenegger-músculos
Groucho Marx-bigote   Sansón-pelo

17

1 En una residencia de ancianos.   2 Porque no ha encontrado un piso
de alquiler.   3 Es grande y luminosa.   4 Muy contento.

18

1 alegría   2 dolor   3 sorpresa   4 autocontrol   5 grito   6 sospecha   7 disimulo

evaluación

1

me interesa...gusta...músicos...todavía...hemos...interesante...
dolor... llegado...he decidido...a mí.

2

1 Ha sido muy divertido.   2 La espalda.   3 A mí también.   4 El brazo.
5 No, no he tenido tiempo.   6 Me han encantado.

lecciónnueve9

1a

1 En casa de Lola.   2 Están haciendo una fiesta.
3 Andrew.   4 Están brindando.   5 Alegres.

1b

1 antifaz [X]   2 globos [X]   3 bicicleta [ ]   4 cartas [X]   5 brújula [ ]

2a

1 Andrew ofrece zumo a Antonio.   2 Begoña no quiere nada.
3 Antonio le ofrece patatas fritas.   4 Sí, gracias. Están buenísimas.
5 ¿Puedes traerme un poco de agua, por favor?
6 Sí, claro. ¿La quieres con hielo o sin hielo?
7 Sin hielo, gracias.   8 ¿Os apetece cenar en mi casa el martes?

2b

Invitar y ofrecer: ¿Quieres un poco más de zumo? ¿No quieres tomar
nada? ¿Te apetecen patatas fritas? ¿La quieres con hielo o sin hielo? ¿Os
apetece cenar en mi casa el martes?

3

Begoña: Comprar el regalo de cumpleaños, llamar a los amigos, avisar
a los vecinos.
Lola: Comprar el pastel y las velas, preparar la comida y llevar la música.

4a

hospital-3   aeropuerto-4   cine-2   bar-1

4b

1 se pueden   2 no se puede   3 no se puede...hay que
4 no se puede... Hay que

5a

a-6   b-5   c-4   d-2   e-1   f-3

5b

Piden permiso: a, c, d, f   Ofrecen ayuda: b
Piden que alguien haga algo: e

6

a-Prohibido dar comida a los animales.   b-Prohibido pasar.   c-Prohibido
acampar.   d-Prohibido llevar teléfonos móviles.   e-Prohibido tocar, hacer
fotos y filmar.   f-Prohibido comer.   g-Prohibido llevar animales sueltos.
h-Prohibido pisar el césped.

7a

a-tú   b-usted   c-usted   d-tú   e-usted   f-tú   g-usted   h-tú   i-usted   j-tú

7b

1-a   2-g   3-c   4-b   5-i   6-f   7-d   8-h   9-e   10-j

8

1 la   2 los   3 lo   4 la...la   5 las   6 los   7 lo

9

1 acuérdate   2 ve   3 estudia   4 cómpratelos   5 id   6 avísame

10

1 hay que llevar bañador.   2 hay que jugar a la lotería.
3 hay que tomar el sol.   4 hay que tener novia.
5 hay que llevar botas.   6 hay que llevar ropa de abrigo.

11

a Tráeme los billetes-Tráemelos   b Deja las maletas aquí-Déjalas aquí
c Cómprate la maleta-Cómpratela   d Dele el libro- Déselo
e Enséñale el pasaporte-Enséñaselo   f Póngale el abrigo-Póngaselo

12a

1 Compra la camisa a su hermano.   2 Escribe la nota a mi prima.
3 Envía los mensajes a tu amigo.   4 Da la comida al niño.
5 Sube las sillas a los vecinos.

12b

1 a su hermano   2 a su prima   3 a tu amigo   4 al niño
5 a los vecinos

13

1 selos   2 selo   3 sela   4 selo   5 sela

14

1 Come   2 venir   3 hemos venido   4 Salta   5 apetece   6 piensas
7 Venid   8 duermen   9 que   10 puedo   11 Dejádmelo   12 está
13 le   14 viene   15 está   16 Tráemelas   17 habéis llegado
18 Dásela   19 vas   20 Subídmelo

15

a Cuenta   b Discusión   c Invitar   d Propina

16

1-V   2-F   3-V   4-F

evaluación

1

1-V   2-F   3-F   4-V

2

1 Sí claro, ahora mismo.   2 No, no es necesario.   3 Es que no puedo.
4 ¡Muchas gracias!   5 Ahora no puedo, lo siento.   6 Pues envíasela, ¿no?

evaluaciónbloquetres3

1

1 A la Patagonia.   2 Deshacer la maleta.   3 En bicicleta.   4 Por el
estrecho de Magallanes.   5 Crema solar y gafas de sol.   6 No, no hay
que vacunarse.   7 Con el agua potable.   8 Español y mapuche.   9
Muy parecida a la nuestra.   10 Tienes que comerla muy caliente.

2

1 Siempre la he tenido en invierno.   2 Sí, después de desayunar.   3 No, me he duchado con agua caliente.   4 Ha sido interesante.   5 Puedes dársela.   6 A las nueve de la noche.   7 ¡Muchas gracias!   8 No se puede usar el teléfono móvil. 9 come primero.   10 desayuno cada día. 11 Bien, gracias.   12 Yo también.

leccióndiez 10

1a
1 Begoña   2 Lola   3 Julián   4 Andrew.

1b
1 cuatro años.   2 ocho años.   3 once años.   4 diez años.

2
Audio 1: De recoger manzanas en otoño y de un verano en la piscina.
Audio 2: De un verano en el río y de aprender a esquiar.

3
a-2 (Honduras y Nicaragua)   b-7 (Río de Janeiro)   c-3 (Cuba)
d-4 (Isla de Pascua)   e-1 (Las islas Canarias)   f-5 (patatas)   g-6 (Paraguay)

4a
Datos personales: a, c, d, f, j   **Formación:** e, k
Experiencia laboral: b, g, i, l, m   **Aficiones:** h

4b
b-4 e-2 g-3 h-8 i-5 k-1 l-6 m-7

5
1 Hoy   2 Javier se ha acordado de la escuela   3 Hace 20 años
4 Con su marido   5 A Australia   6 En el verano de 1995
7 Anteayer   8 Toda la familia   9 A un restaurante.

6a
1 El Museo de Arte Contemporáneo...   2 Los ciudadanos disfrutaron durante...
3 El alcalde de la ciudad...   4 Al finalizar el acto...   5 En resumen, ayer...

6b
artistas del futuro...jóvenes creadores...nuevos talentos.

7a y 7b
1 Gaudí (DISEÑAR) diseñó la Sagrada Familia.   2 Felipe González (SER) fue presidente del Gobierno español.   3 Gabriel García Márquez (GANAR) ganó el premio Nobel de Literatura.   4 Narcís Monturiol (INVENTAR) inventó el submarino.   5 Gallo y Montaigner (DESCUBRIR) descubrieron el virus del SIDA.

8
estuvimos... hicieron... tomamos... nos bañamos... fuimos... comimos... bebimos... hicimos
9
1 1936...terminó   2 1975   3 fueron   4 1982   5 entró   6 1992

10
1 Carlota fue a Almería en tren.   2 Se alojó en el Albergue Juvenil Aguadulce.   3 Sí, visitó el Museo de Almería.   4 Sí, fue de excursión al Paraje Natural Punta Entinas-Sabinar.   5 La hizo en bicicleta.

11
nació... tuvo... empezó... conoció... se casó... hizo...dijo... fue... murió

12a
1 esta mañana   2 siempre   3 nunca   4 alguna vez
5 el año pasado   6 siempre   7 Al terminar   8 en el 58

12b
Indefinido: el año pasado...siempre...nunca...al terminar...en el 58
Perfecto: Esta mañana...siempre...nunca...alguna vez

13a
1 leído   2 bebido   3 visto   4 cocinado   5 tenido   6 hablado

13b
1 Sí, alguna vez he leído una novela hispanoamericana.
2 No, nunca he bebido sangría.
3 Sí, alguna vez he visto un templo budista.
4 Sí, muchas veces he cocinado para mis amigos.
5 No, nunca he tenido un animal exótico en casa.
6 Sí, dos veces he hablado en público.

14a
huellas...camino...andar...mar.

14b

El autor es Antonio Machado.

15a
Presente: ayuda.
Perfecto: ha mostrado, ha tratado, ha logrado.
Indefinido: duró, fue, fueron, empezó, conoció, fue.

15b
1 Por el desplazamiento de las inversiones a Europa oriental.
2 entre 1950 y 1980.   3 empezó en el año 1989.
4 Se trató de recuperar el estado anterior.

evaluación

1
1-En 1989   2-fue   3-hiciste   4-has hecho
5-Mi cumpleaños fue en abril   6-supieron

2
invité...hablamos...tiró...marchó...bebió...
Pagué...subimos...fue...He visto...hemos cenado.

leccrónonce 11

1
1-Mi abuelo me llevaba...   2-Mi hermano y yo...
3-Cuando tenía tres años...   4-Siempre me ha gustado mucho

2
1 celebrabas   2 celebraba   3 era   4 preparaba   5 comíais   6 era
7 hacía   8 bebíais   9 tomaba   10 comíamos   11 pedíamos

3a

1 llegaba 2 hacía 3 eran 4 esperaba 5 llegaba
6 había 7 iba 8 se movía 9 oía 10 eran 11 llevaba

3b

Este tiempo verbal se llama pretérito imperfecto y se utiliza para describir algo ocurrido en el pasado.

4a

1-F 2-V 3-F 4-V

4b

¿Ah sí?... ¡Qué susto!... ¡Qué extraño!...

5a

1 nieve 2 niebla 3 sol 4 lluvia 5 granizo

5b

6

era...vivía...había...estaban...tenía...merendábamos...
nos gustaba...prefería...había...era

7

1 estuve...estabas...estaba...Estuvimos
2 estuve...tuve...estuve...fui
3 estuve...estuvo...Fue/Iba
4 estuvimos...estuvisteis...estuvimos...vimos

8a

1 porque 2 Cuando 3 cuando 4 porque 5 Cuando 6 porque
7 porque 8 porque 9 Cuando 10 porque 11 cuando 12 cuando

8b

Explica la circunstancia, la situación y el momento: **cuando**.
Explica el motivo o la razón: **porque**.

9

1 sol 2 lluvia 3 nubes 4 nieve 5 niebla 6 viento

10

1 Alguien...nadie 2 algo...nada 3 algún...ninguno 4 ninguna 5 nadie
6 ninguno 7 alguien 8 ninguna 9 nada 10 Nadie...nada

11

Alegría: ¡Qué suerte! ¡Qué bien!   Pena: ¡Qué pena!
Sorpresa o rechazo: ¡Qué dices!   Interés: ¿Ah sí?

12

1 llueve 2 hace calor 3 hace viento 4 está nevando
5 hace frío 6 hace buen tiempo

13

1 trabajaba...compré 2 saliste...estuve 3 Vi...estaba
4 tomó...estaba 5 empezó...fue 6 encendí...tenía 7 era...lloraba
8 comió...estaban 9 acompañó...tenía 10 era...se perdió

14

Primero lleno la botella de cinco litros.
Después lleno la botella de tres litros con agua de la botella de cinco litros.
Luego vació la botella de tres litros.
Al final lleno la botella de tres litros con los dos litros que quedan en la botella de cinco litros.

16

1-V 2-F 3-F 4-V

17

d ... c ... b ... a

evaluación

1

1 Ha venido alguien 2 miré 3 nada 4 porque
5 llovía 6 estaba...llamé

2

1 Pensaba 2 Llegaba 3 sacaba 4 tocaba 5 Le gustaba 6 permitía
7 enfrente de 8 nadie 9 grabó 10 pensó

leccióndoce 12

1a

1-Julián 2-Porque lleva una maleta 3-No, está un poco triste
4-En la puerta del piso 5-Le dice adiós con la mano
6-Antoni, Ana y Lázaro

1b

1 Cepillo de dientes 2 Equipaje 3 Pasaporte 4 Maleta 5 Billete
6 Guía de viaje.

2

1 Sí 2 A Venezuela 3 En febrero 4 Unos cuatro días
5 A Julián 6 Sí, al carnaval 7 Las van a hacer en la calle

3

1 van al teatro...a las 19.30
2 van al restaurante...a las 22.00
3 van a una boda...a las 12.30
4 van al aeropuerto...a las 18.30

4

a-4 b-3 c-2 d-5 e-6 f-1

5

1 Hoy, 13.30... En casa de Begoña... A la playa
2 Mañana, 11.00... En el piso de los chicos... A comprar
3 Sábado, 18.30... En la puerta del centro... A comprar
4 Jueves, 20.30... En la puerta del teatro... Al teatro

6

a-6 b-2 c-5 d-4 e-1 f-3

7

1 camping 2 hotel 3 apartamento 4 barco
5 caravana 6 albergue

8

1 A Perú 2 Montañismo 3 Tropical 4 De verano y de invierno
5 Los lagos Churup y Uspaychoca 6 Muy agradable

9
1-c 2-d 3-a 4-f 5-e 6-b

10
1 Piensan 2 Quieren 3 Van a 4 va a 5 Piensan 6 va a 7 Van a

11
de...a...por...a...a...en...en...por...por

12
1 que... donde 2 que 3 donde 4 donde 5 donde
6 que 7 que 8 donde 9 que 10 que 11 que

13
1 selva 2 naturales 3 agencia 4 vacunarse 5 noviembre y marzo 6 calor
7 camisas... pantalones 8 diez

14
1 norteamericanas 2 francesas 3 italianas 4 mecánico 5 tío
6 abuela 7 en la cocina 8 en el cuarto de baño 9 en el dormitorio
10 cuatro 11 dos 12 diez 13 blanca 14 azul 15 verde
16 amarillo 17 negro 18 en la frutería 19 carnicería 20 pescadería
21 sábado y domingo 22 enero 23 mayo 24 diciembre 25 ¿Diga? /
¡Dígame? 26 Feliz cumpleaños / Felicidades 27 Gracias / Muchas gracias
28 Son las tres y cuarto 29 Al baloncesto 30 el verano 31 es un tren
32 silla 33 países, estados o naciones 34 ciudades 35 padre 36 meta

15
En tren.
Recomendaciones: paciencia.
Dificultades: medio poco desarrollado en la Patagonia.
Características: carísimos, un lujo, no siempre llegan puntuales.
En autobús.
Recomendaciones: comparar precios.
Dificultades: normalmente van muy cargados.
Características: rápidos y baratos, numerosas compañías.
Caminos de agua.
Recomendaciones: pastillas para el mareo.

Dificultades: --------------.
Características: la forma habitual de transporte para cruzar los canales y
los grandes lagos.
En coche.
Recomendaciones: un protector de piedras para el parabrisas; poner
gasolina en Argentina.
Dificultades: grandes distancias; existen pocas carreteras en buenas
condiciones.
Características: toda una aventura.
En bicicleta.
Recomendaciones: es mejor traerse la bici de casa.
Dificultades: sólo se puede viajar con ruedas de montaña, los vientos, la
falta de calidad de las pistas.
Características: una buena manera de hacer deporte.

evaluación

1
1-vamos a ir 2-Te apetece 3-por 4-a 5-van a venir 6-Sí, ahora se pone.

2
organizando...salgo de...queremos ir..turistas...pensamos esquiar...pasar
por...montañas...queremos pasar...va a ser...montaña

evaluación**bloque**cuatro**4**

1
ha ofrecido... por... descubrir... parece... de... por... viajar... nunca...
has visto... todavía... quieres... por... seguro... rutas... quieren... en...
hace... nadie
2
1 parece 2 Como 3 hace 4 nadie 5 van 6 nada
7 después 8 adonde...en 9 estuve

3
1 Fui a México con mi novio. 2 Sí, dos veces. 3 Creo que está
enferma. 4 No, no he visto nada. 5 No, no fuimos porque estuvimos
estudiando todo el día. 6 donde 7 que 8 por...después 9 por

esespañol 1
nivelinicial